L'espoir des Bergeron

Catalogage avant publication de Bibliothèque et Archives nationales du Québec et Bibliothèque et Archives Canada

Tremblay, Michèle B. (Bergeron), 1953-
L'espoir des Bergeron
Sommaire : t. 2. La crise.
ISBN 978-2-89585-872-0 (vol. 2)
I. Tremblay, Michèle B. (Michèle Bergeron), 1953- . Crise II. Titre.
PS8639.R453E86 2016   C843'.6   C2015-942429-1
PS9639.R453E86 2016

Les Éditeurs réunis bénéficient du soutien financier de la SODEC et du Programme de crédit d'impôt du gouvernement du Québec.

Nous remercions le Conseil des Arts du Canada
de l'aide accordée à notre programme de publication.

Financé par le gouvernement du Canada  Canadä

Édition
LES ÉDITEURS RÉUNIS
lesediteursreunis.com

Distribution au Canada
PROLOGUE
prologue.ca

Distribution en Europe
DILISCO
dilisco-diffusion-distribution.fr

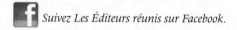 *Suivez Les Éditeurs réunis sur Facebook.*

Imprimé au Canada

Dépôt légal : 2017
Bibliothèque et Archives nationales du Québec
Bibliothèque nationale du Canada
Bibliothèque nationale de France

MICHÈLE B. TREMBLAY

L'espoir des Bergeron

2. La crise

LES ÉDITEURS RÉUNIS

À ma sœur, Dominique

Chapitre 1

Enceinte d'un quatrième enfant, Rose regarde avec tendresse ses deux petits garçons, Claude, trois ans et demi, déjà assis comme un grand à la table, et Paul, dix mois, bien installé dans sa chaise haute. L'aînée, Denise, cinq ans et demi, est assise toute fière près de son père. Toute la famille est réunie autour de la table pour prendre le repas du soir. Rose se sent si reconnaissante de pouvoir vivre ainsi, avec sa petite famille, dans sa propre maison. Il faut dire que cela fait seulement un peu plus d'un an qu'elle et Louis ont quitté la grande maison des Bergeron. Rose se pince encore parfois tellement elle est surprise de l'heureuse et étonnante tournure des événements. Ah, ce n'est pas qu'elle ait délibérément cherché à quitter la maison de ses beaux-parents, Georges et Emma! Lorsqu'elle s'était mariée avec Louis, elle avait bien compris et accepté qu'elle et lui devraient prendre soin d'eux jusqu'à leur mort. C'était chose entendue, et jamais elle n'aurait songé à remettre en question cet accord si cela n'avait été d'un certain coup de téléphone de sa belle-sœur Tetitte, un bon soir du printemps dernier. Alarmée, affligée, angoissée, déjà mère de trois jeunes enfants, Tetitte avait appris à ses parents que son mari, Jos Lafontaine, était atteint de la tuberculose. Devant les sanglots et l'inquiétude de sa plus jeune fille toute seule à

Montréal, sa mère Emma, n'écoutant que son grand cœur, lui avait suggéré de venir au plus vite à la maison avec son mari malade et ses trois garçons.

Ce soir-là, au lit avec son mari, Rose avait longuement plaidé sa cause, affirmant que trois familles dans la même maison, cela ne pouvait pas aller, que Denise n'était pas forte, toujours une vesse de travers comme elle, que Claude était lui aussi fragile de santé, que Paul n'était encore qu'un petit bébé sans défense contre les germes, que la tuberculose était l'ennemie publique numéro un au Québec, que la bactérie donnait lieu à une infection si contagieuse qu'elle sautait littéralement sur le monde, surtout celle de Montréal, plus puissante selon ses dires que dans les campagnes. Se faisant prendre elle-même à son argumentation, Rose en était venue finalement à déclarer qu'elle ne pourrait jamais vivre avec cette angoisse permanente au cœur. Pas même une seule journée. Convaincu et épuisé, Louis avait annoncé dès le lendemain à ses parents que lui et sa femme allaient momentanément – il avait bien choisi ce mot, momentanément, et il l'avait ensuite répété plusieurs fois afin de minimiser leur départ –, qu'ils allaient donc momentanément louer un logement afin de ne pas exposer leurs enfants à cette horrible contamination qu'on savait possiblement mortelle. Georges et Emma n'avaient pu que s'incliner. Le surlendemain, Louis avait trouvé un beau logement tout près qui correspondait parfaitement à ce qu'ils cherchaient, trois chambres, grand salon, grande cuisine, salle à manger, salle de bain complète. Généreux comme toujours, Georges avait aidé de son mieux à l'installation du jeune couple en leur donnant meubles, couvertures, vaisselle, ustensiles et bien d'autres choses encore.

À peine cinq mois plus tard, les événements s'étaient à nouveau précipités. Jos Lafontaine, aux prises avec une forte récidive de la tuberculose, avait été envoyé *in extremis* au sanatorium de Lac-Édouard en espérant y guérir, malheureusement sans succès. Un mois plus tard il décédait, faisant de Tetitte une veuve éplorée et – c'était à peine croyable – enceinte d'un quatrième enfant. Il était alors devenu évident pour Georges et Emma que leur fille ne repartirait plus de la maison et que c'était elle qui, dorénavant, prendrait soin d'eux. Mais alors qu'arriverait-il à Louis qui vivait à loyer ? Pour Georges, il n'était pas question de laisser son propre fils, sa relève en quelque sorte, son soutien, son bras droit, son Ti-Louis, demeurer dans un logement loué alors que lui-même avait fait sa richesse dans l'achat de terrains et de maisons ! Impensable même ! Ne logeait-il pas déjà presque tous ses enfants d'une façon ou d'une autre ? C'est ainsi que Georges avait décidé de faire bâtir une belle maison de deux étages toute en bardeaux blancs, construite sur mesure pour la petite famille de Louis sur un terrain donnant sur le parc Jacques-Cartier, juste derrière leur grande maison à eux. Georges n'avait lésiné sur rien. Des fondations et une cave de huit pieds de hauteur où Rose avait fait installer un évier profond et sa laveuse à tordeur avec de grandes cordes étendues juste devant la fournaise pour sécher son linge en un clin d'œil. Au rez-de-chaussée, on arrivait par une vaste entrée et un large corridor où trônait un bel escalier à palier tout en bois. À gauche, il y avait un premier salon ouvert avec une arche, puis un petit boudoir où Rose avait installé sa bibliothèque et un coin pour lire ou tricoter. À l'arrière de la maison se trouvait, à gauche, une salle à manger formelle où Rose aimait recevoir, à droite, une cuisine bien équipée avec une grande table carrée au milieu. C'était là que la famille prenait la plupart de ses repas. Tout au fond, une discrète petite salle de toilette était des plus utiles dans la vie de tous les jours. Une grille placée dans le corridor au centre de la maison diffusait une bienfaisante chaleur dans toutes les pièces. Juste à côté, dissimulé la plupart du temps derrière la porte de la cuisine ouverte, se trouvaient les instruments optiques de Louis qui continuait, autant que cela lui était possible avec un diplôme américain non reconnu au Québec, d'ajuster la vue au noir. Au deuxième étage, quatre chambres et une salle de bain complète parachevaient l'aménagement. Tous les planchers étaient en merisier, les murs en bois de Colombie, avec de grandes fenêtres dans toutes les pièces donnant sur des arbres matures. Georges et Louis avaient surveillé les travaux pendant une partie du printemps et le début de l'été; Rose, excitée et heureuse, allant y faire un tour avec les enfants tous les jours. Dès la mi-juillet, ils étaient prêts à s'y installer.

En ce soir de février 1929, toute la petite famille mange de bon appétit son souper. Louis parle beaucoup. Il raconte son travail chez Dominion Fish & Fruit, les drôles de clients qui se présentent parfois à l'entrepôt, les blagues que certains racontent au comptoir ou sur la route. Il reprend quelques propos discutés avec ses amis: le monde en effervescence, l'argent qui coule à flots, les commerces qui roulent tempête.

Profitant d'un silence, la petite Denise regarde sa mère:

— Maman, est-ce que c'est dimanche demain?

— Non, pas demain, fait Rose. Demain, c'est vendredi.

Denise calcule lentement sur ses doigts, puis regarde sa mère tout sourire :

— Dans trois jours. C'est là que tu vas friser mes cheveux.

Rose et Louis éclatent de rire. *Ah ! C't'enfant-là !* songent-ils. *Fier-pet comme c'est pas possible !*

— Oui oui, ma fille, inquiète-toi pas, dimanche, je vais friser tes cheveux.

Rose commence à ramasser les assiettes et à les déposer sur le comptoir.

— Penses-tu d'aller voir ta mère tantôt ? demande Rose à Louis.

— Comme d'habitude, c'est sûr. Faut que je voie papa aussi. Y attend après moi pour des informations sur un contrat.

Louis se sent pressé d'aller rapporter à son père les points de loi en ce qui concerne une affaire en cours dont il s'est entretenu avec son grand ami Chayer l'après-midi même. Chayer est un avocat avec qui il a fait ses études au Séminaire et qui l'aide à conseiller son père dans la gestion de ses affaires. Depuis qu'ils se sont revus il y a quelques années, ils ne se lâchent plus.

— T'amènes-tu les enfants avec toi ?

— Pourquoi pas ? Y fait doux à soir.

Il s'adresse à ses deux plus vieux :

— Avez-vous le goût de venir jouer avec vos cousins ?

— Ouiii !

Louis se lève et se met à habiller Claude. Très appliquée, Denise s'habille elle-même, son manteau et ses bottes, sa tuque et ses mitaines, et sort la première sur la galerie. Tout est blanc autour d'eux. Le petit chemin qui mène jusqu'à la grande maison ressemble à un long corridor bordé de chaque côté de deux gros monticules de neige. Ils marchent en silence à la queue leu leu. *L'année prochaine*, songe Louis, *j'vas leur faire une belle patinoire, juste de l'autre côté de la maison. Pis je leur montrerai à patiner.*

Ils arrivent bien vite devant l'escalier qui mène à la maison au deuxième. Dehors, des cageots de bois vides et des boîtes de carton contenant quelques légumes défraîchis témoignent de la vocation d'épicerie et de commerce du rez-de-chaussée. Louis prend Claude dans ses bras pour monter, laissant d'abord passer Denise qui monte les marches prudemment en tenant bien la rampe. Une fois en haut, ils traversent le sombre *backstore* de cinquante pieds de long qui fait tout l'arrière de l'étage. Ils entrent enfin dans la cuisine où le poêle à bois chauffe la pièce à plein rendement. Louis adore revenir dans la grande maison, celle de son enfance. Il vient tous les jours, parfois matin, midi et soir. Chaque fois, il est accueilli comme s'il était encore chez lui. Il amène souvent ses enfants, comme ce soir, quand il veut donner une petite pause à sa femme. Denise et Claude se désha-billent aussitôt, aidés par leur père, et vont retrouver leurs cousins, Jean, Yvan et Bernard, qui jouent dans un coin avec des cubes de bois. Louis se rend ensuite au salon où sa mère est installée. Il s'approche, l'embrasse doucement, remonte sa couverture et s'assoit près d'elle.

— Pis comment ça va à soir ? lui demande-t-il tendrement.

— Pas pire, répond Emma d'une voix faible.

— T'as-tu réussi à manger un peu ?

— J'ai pas d'appétit ben ben, dit-elle en haussant les épaules. Ah ! Marie-Louise est ben fine. A me force. Su'l coup j'aime pas ben ça, mais ça me renforcit, je sais ben.

Elle fait la moue.

— T'es chanceuse, maman, d'avoir Tite-Vise avec toi.

— C'est sûr.

Emma ne peut nier que l'installation de sa fille Marie-Louise et de son mari à la maison les ont pratiquement sauvés du naufrage le mois passé. Depuis les Fêtes, elle se sent en effet faiblir un peu davantage chaque jour. Sans le dire vraiment, son gendre Thomas, le Dr Duperré, semble ne plus entretenir beaucoup d'espoir de guérison. Avec Tetitte qui devait accoucher en janvier, comment auraient-elles pu l'une comme l'autre se rendre utiles à quoi que ce soit ? *Même avec deux bonnes dans maison, ça prend un chef, quéqu'un pour enligner tout ça*, avait pensé Emma. Seule Marie-Louise pouvait remplir cette fonction. Mariée, sans enfants, la mi-quarantaine, elle avait rapidement pris son rôle très à cœur. Au bout de quelques jours de va-et-vient constants entre sa maison et celle de ses parents pour donner les soins à Emma, aider Tetitte dans ses relevailles et voir à tout, Marie-Louise avait décidé de déménager sur place avec son mari. *Si y'en a qui pense que j'ai pas de cœur*, s'était-elle dit, *y vont avoir à se détromper.*

Depuis, Emma est évidemment très reconnaissante, mais elle se sent si faible :

— Entouècas, Ti-Louis, je te dis que je vaux pas cinq cennes.

— Voyons donc ma femme! lance Georges en entrant dans le salon. T'es ben plus forte que tu penses. Tu vas voir! ajoute-t-il en faisant un clin d'œil à son fils. Tu vas toutes nous enterrer.

Ils rient un peu tous les trois.

— Pis Ti-Louis! poursuit-il en s'adressant à son fils. T'as-tu parlé avec ton ami l'avocat?

— C'est sûr.

— Pis? C'est qu'y dit de mon affaire?

— Y dit qu'y a aucun problème, papa. Tu peux très bien changer la vocation d'un de tes bâtiments. Y faut simplement que t'informes la ville de ce que tu veux faire.

— Ben tu le sais ben. Je veux transformer l'entrepôt de la rue Sainte-Anne pis en faire deux logements. Depuis quasiment un an, y a pus moyen de le louer.

— Bon ben astheure, tes problèmes sont finis. Tu pourras commencer tes travaux sitôt que le printemps va arriver. J'vas écrire un papier officiel pour le changement de vocation de la bâtisse, pis j'vas l'envoyer à ville. C'est juste ça qui faut faire.

— La ville! Ouais… Je les connais eux autres. Y vont en profiter pour me remonter les taxes, les bon-yennes. Mais bon, si je loue, ça sera quand même pas pire qu'astheure.

— Fais-toi-z'en pas papa! Les affaires peuvent pas faire autrement qu'aller ben pour toi, déclare-t-il, sûr de lui. Le monde a de l'argent de ce temps-citte, c'est pas croyable.

Chayer dit que ça joue à Bourse, le monde achète des actions pis y les revende. Tu devrais faire ça, toi si, papa. Eille! Paraît que tu peux faire du quinze pour cent, des fois même du vingt ou ben même du trente pour cent.

— Viens-tu fou Ti-Louis? s'emporte Georges. Moi ça, j'irais jouer avec mon argent. Jamais de la vie, tu m'entends-tu? On sait ben! ajoute-t-il en ricanant. Tu vois pas ça, toi. Il lève les yeux en pensant aux piètres talents de son fils en ce qui concerne l'argent.

— Bah! Je disais ça de même, le coupe Louis, qui a déjà entendu à quelques reprises la litanie de son père.

Mais parti sur son élan, Georges poursuit:

— Si c'était toi qui avais notre argent, je sais ben ce que tu ferais, fait-il en le pointant avec son index. Mais pas moi, tranche-t-il en secouant la tête.

Il s'avance sur sa chaise et baisse aussitôt le ton comme si les murs avaient des oreilles:

— Moi, mon p'tit gars, mon argent est dans mon coffre-fort. Tu comprends! En sécurité, dit-il en se rengorgeant et en se redressant avec fierté. Y est pas à banque certain non plus! ajoute-t-il en haussant à nouveau la voix. Une gang de voleurs eux autres aussi, qui prêtent ton propre argent, pis…

Il secoue la tête, incrédule:

— C'est pas croyable quand on y pense, y font de l'argent avec! As-tu déjà vu une affaire folle de même toi? Comme si j'étais pas capable moi, Georges Bergeron, de le prêter par moi-même mon argent!

— Fâche-toi pas Georges, ça va te fatiguer, l'interrompt Emma, qui connaît bien elle aussi ce discours.

— Entouècas, si ça se met à mal aller, continue-t-il sur sa lancée, nous autres, la famille Bergeron, nos enfants, pis nos petits-enfants, on sera pas dans misère. Pis voulez-vous que je vous dise ? J'ai ben l'impression que ça va mal aller t'à l'heure quand le petit jouage à l'argent va mal finir. Pis ça, j'cré ben que ça s'en vient plus vite qu'on pense à part de ça !

Louis fait un clin d'œil à sa mère qui le regarde, un sourire en coin.

— Moi, continue Georges, je prête à du monde capable de rembourser ou ben qui possède des affaires que je peux saisir comme des pianos, des manteaux de fourrure, ou peut-être ben même des autos ou des chevaux. J'entretiens mes bâtisses comme du monde pis je me prépare à parer à une catastrophe. Avec la pulperie qui va fermer, vous allez voir que la misère, on sait pas encore ce que c'est icitte.

— On est ben chanceux de t'avoir, mon mari. Hen, Ti-Louis, qu'on est ben chanceux !

— C'est sûr. On manque de rien, pis surtout… On est prêts à toute, dit-il avec un petit air moqueur.

— Ris tant que tu voudras, mon garçon. Tu sauras me le dire dans pas grand temps…

Denise entre dans le salon, un peu gênée. Elle dit bonjour poliment à sa grand-mère. Yvan la suit et court tout droit vers son grand-père. Celui-ci allonge son bras pour le retenir près de lui. «Bon petit gars va !» fait-il en lui caressant les cheveux. Denise se dirige vers le piano. Elle passe vite devant son grand-père, trop impressionnée pour se sentir à l'aise, et s'installe rapidement sur le banc. Elle joue quelques notes avec ses deux index et reproduit facilement un air entendu à la radio.

— A l'a du talent, ta petite Denise, remarque Emma en s'adressant à son fils.

— Rose veut lui faire apprendre le piano quand a va commencer l'école, explique-t-il fièrement.

Tetitte arrive à son tour dans le salon, sa petite Marguerite dans les bras.

— Ah! C'est Denise qui est au piano! s'exclame-t-elle. A l'a de l'oreille ta petite, dit-elle en se tournant vers son frère. C'est quasiment comme si a savait déjà jouer.

Louis se lève, plein d'affection:

— C'est beau ma fille, dit-il en lui mettant la main sur une épaule. Tu joues bien. Mais on parle là, avec ton grand-père. Tu joueras une autre fois, OK.

Chapitre 2

Quelques semaines plus tard, tôt en début de soirée, Louis se trouve encore auprès de sa mère au salon. Il prend de ses nouvelles comme d'habitude et lui raconte un peu sa journée. Assises près d'eux, Marie-Louise et Tetitte s'appliquent à faire avancer leur ouvrage. La première brode une longue croix dorée très stylisée sur une étole commandée par le curé de la cathédrale, la seconde rassemble au crochet des carrés de tricot de différentes couleurs pastel destinés à la confection d'une couverture en *patchwork* pour son bébé Marguerite, son unique fille que son mari décédé lui a laissée comme en cadeau. Au milieu de cette atmosphère paisible, on entend la porte d'entrée de la cuisine se refermer bruyamment. «C'est moi!» lance Georges qui avance vers eux à grands pas. Sans s'attarder auprès de ses petits-enfants qui jouent par terre près du poêle, il surgit aussitôt dans l'arche du salon et les interpelle en riant:

— Bon-yenne que vous êtes tranquilles à soir! Moi qui m'en venais vous en conter une bonne.

S'animant aussitôt, Louis le relance:

— Envoye! C'est que t'attends pour nous la conter?

Tout joyeux, Georges regarde sa femme malade:

— J'viens de tomber su ton frère, Joseph, dit-il en se mettant à rire. Imagine-toi donc qu'y avait une moumoute su'a tête!

Une moumoute rousse, précise-t-il en riant de plus belle. Pas de chapeau, en plein mois de mars, alors qu'y fait frette on se meurt! Non! Une moumoute!

Il secoue les épaules en riant:

— J'cré ben qu'y voit ça comme une tuque, lance-t-il en se dirigeant vers l'armoire à boissons.

Il se verse un petit verre de gin et en offre un à Louis, qui lui fait un signe de tête. Comme à l'accoutumée, il boit le premier verre d'une traite et s'en verse un second avant de refermer la porte du meuble. Il tend son verre à Louis:

— Tu te souviens-tu Emma, quand Joseph est revenu par icitte?

Emma le regarde en hochant la tête, un petit sourire aux lèvres. Bien sûr qu'elle se souvient du retour d'exil de son jeune frère. Pense-t-il qu'elle n'a plus de mémoire…

— Ça faisait quarante ans qu'y était parti dans l'Ouest pour défendre Louis Riel avec les Patriotes, raconte Georges en s'assoyant dans son fauteuil habituel.

— Comment ça se fait qu'y avait pu avoir une idée de même? demande Marie-Louise, qui n'a jamais entendu cette histoire alors que son frère et sa sœur se résignent à l'entendre une fois encore.

— On l'a jamais vraiment su, répond Georges. Je me souviens que la ville en avait parlé, le maire, je sais pas trop…

— Entouècas c'était comme une maladie! fait remarquer Emma. Y avait rien que ça dans tête. Fallait qu'y parte.

— Y avait su que Louis Riel avait besoin des Canadiens français, ajoute Georges en secouant la tête, incrédule. Un illuminé, paraît, celui-là! Eille! Y se prenait pour Dieu en dernier.

— Là papa, tu vas trop loin! proteste Louis. Tu sais rien pantoute de Louis Riel. Tu sauras qu'y avait raison de défendre les droits des minorités dans l'Ouest. Les Anglais laissaient aucune place aux Français pis aux Métis là-bas.

— Bon, bon, bon… Ti-Louis. On va pas se chicaner pour ça.

— Certain qu'on va se chicaner! poursuit Louis, monté sur ses grands chevaux. Riel, c'était un héros. Y a fondé le Manitoba. Pis essaye pas d'insinuer d'autre chose! Si y a pas réussi à faire la même chose avec la Saskatchewan, c'est pas parce qu'y a pas essayé. C'est parce qu'y l'ont empêché pis qu'y l'ont pendu.

Georges serre les lèvres quelques secondes, puis incapable de se retenir plus longtemps, il lance:

— Un héros, Riel? Fais-moi pas rire, Ti-Louis! Paraît qu'y était fou. Y se faisait appeler David, y disait qu'y était prophète. Eille!

Il les regarde, les yeux écarquillés:

— Y avait même baptisé Batoche, la ville où y vivait, ville de Dieu.

— C'est rien que des inventions des Anglais, ton affaire, s'insurge Louis, n'importe quoi. Y s'est fait pendre parce qu'y était contre eux autres. Tout le monde sait ça.

— Ben voyons donc ! renchérit Georges. Y est allé à l'asile je sais pas combien de fois. Tu peux pas dire le contraire !

— Y avait peut-être ben de quoi revirer fou avec tout le monde qui s'acharnait su lui. T'as-tu pensé à ça, hen ?

— Voyons donc Ti-Louis ! De toute façon, c'est pas moi qui dis ça, c'est Tite-Vise qui me l'a lu. Hen, Tite-Vise !

— Wô là ! Mêlez-moi pas à vos chicanes, riposte d'un ton sec Marie-Louise, concentrée sur sa broderie. Surtout pour des vieilles histoires qui se sont passées ça fait quarante-cinq ans, à l'autre bout du Canada.

Elle lève les yeux de son travail, excédée :

— Pis à part de ça, vous pensez pas que chef de guerre pis illuminé, c'est pas mal la même affaire ?

— Ben oui, fait Emma d'une voix faible. Chicanez-vous donc pas ! T'étais pas supposé nous conter une histoire drôle, toi là ! dit-elle en regardant son mari.

Georges se tourne vers son fils. Malheureux que les choses aient tourné de cette façon, il tempère :

— On a peut-être ben raison un peu toué deux, hen Ti-Louis ! C'est que tu penses de ça ?

— Ouais, peut-être ben, répond Louis en ronchonnant encore un peu. Entouècas, c'est pas la première fois qu'on s'estine, pis c'est pas la dernière certain non plus. Bon ben envoye ! Continue-la ton histoire !

— Alors… Je vous contais l'histoire de mon beau-frère, Joseph Blackburn, le petit frère de votre mère. Dans ce temps-là, en 1884, c'était une jeunesse de dix-sept ans. Y avait juste une idée dans tête : partir dans l'Ouest, pour aider... Qui ?

Il fait un clin d'œil à son fils.

— On le nommera pas, hen Ti-Louis... Entouècas, y voulait devenir un Patriote, c'est comme ça qu'on les appelait, ceux qui faisaient la lutte avec lui, explique-t-il.

— Jamais personne a réussi à y faire changer d'idée, ajoute Emma. Maman, papa, mes frères, mes sœurs. On a tout essayé. Pis un bon jour, tout ce qu'on a su, c'est qu'y était parti.

— Pis après ça ? demande Marie-Louise, qui a lâché son aiguille et qui écoute.

— Y a jamais donné de nouvelles, répond Georges. Pendant presquement quarante ans ! Pas une lettre, pas un téléphone, rien pantoute. Avez-vous déjà vu une affaire de même vous autres ?

— C'est ben sûr qu'au boute d'autant de temps sans nouvelles, tout le monde le croyait mort, confirme Emma, à qui l'histoire redonne un peu de vigueur. Pendant longtemps, on a prié, supplié, on a fait chanter des messes.

— Pis une bonne journée, y est revenu, continue Georges. Y s'est présenté à ferme de ton père, pis personne l'a reconnu. Faut dire qu'y était rendu quasiment à cinquante-sept ans. Y avait changé en bon-yenne.

— Mais à force de l'examiner, continue Emma, papa a dit : « Mais c'est Joseph que je vois là ! »

— C'est là que ton frère s'est mis à parler en anglais, raille Georges. Y a baragouiné, j'sais pas trop comment, qu'y savait pus son français.

Il prend une bonne gorgée de fort, s'essuie la bouche avec la main, avant de poursuivre :

— Le lendemain, quand ton vieux père l'a amené su'a ferme avec lui, y s'est arrangé pour qu'y mette le pied su'un râteau qui traînait. Le manche lui est arrivé drette su'a bouche. Fait que là, Joseph a crié : « Maudit râteau à marde ! »

Georges pouffe de rire.

— Pis là, poursuit Emma en riant elle aussi, papa a dit : « Bon ben, comme ça mon Joseph, tu sais encore ton français, j'cré ben ! »

Tout le monde rit de bon cœur. Alertés par le bruit, les enfants se présentent dans l'arche.

— C'est ben drôle tout ça, explique Louis, qui se lève soudain, mais moi je sors à soir. Avec Rose. On va à la joute de hockey. Faut que je me grouille. Venez les enfants, on va s'habiller. À demain tout le monde, fait-il en se dirigeant vers la cuisine.

Presque au même moment, Rose est assise dans sa chambre avec son bébé Paul dans les bras. Elle l'allaite une dernière fois avant de le coucher. *Quel drôle de bébé*, se dit-elle en passant sa main sur sa tête blanche. Depuis sa naissance, le petit Paul n'a aucune couleur dans les cheveux. Le Dr Duperré lui a expliqué que ce n'était pas grave, que la couleur n'était tout simplement pas encore arrivée. *Mais ça fait drôle quand même,* se dit Rose encore une fois. Rapidement, elle le soulève et le change de côté, lui tendant l'autre sein, un peu pressée. C'est qu'elle doit se préparer, elle, pour aller à la joute ce soir, avec Louis. Le club de Chicoutimi joue contre une grosse équipe de Montréal, et Louis lui a expliqué que ça allait être très intense. C'est la troisième fois qu'il l'amène avec lui cette année. Pour la sortir un peu, prétexte-t-il. *Pour me montrer plutôt*, pense-t-elle parfois, un peu vaniteuse. Il est si fier d'elle. Malgré ses trois grossesses, il n'a jamais cessé de la trouver belle et de le lui dire sur tous les tons. Mais elle… Elle soupire en contemplant le mur au loin. Louis est un très bon père. Elle n'a rien à redire sur ça. Comme mari, il est facile à vivre et drôle, il lui fait faire une belle vie, mais… Elle ne sait pas trop, on dirait qu'il lui manque quelque chose. Elle émet un léger soupir, posant son regard sur son fils qui semble sur le point de s'endormir. Il tète encore un peu, par à-coup, lâche un instant le mamelon la bouche ouverte, le reprend pour une ou deux tétées, puis le relâche pour de bon. Les yeux fermés, le corps lourd, il s'est enfin endormi. Elle se lève avec précaution et le dépose doucement dans son petit lit. Depuis sa naissance, il dort avec eux dans la chambre, comme les deux premiers l'ont fait chacun à leur tour. C'est plus simple la nuit. Elle n'a pas à se lever, c'est Louis qui s'occupe de le lui amener au lit.

— Vite, murmure-t-elle pour elle-même, faut que j'me prépare astheure !

Elle regarde un peu dans sa garde-robe et choisit le beau costume de laine blanc qu'elle s'est tricoté elle-même, suivant les conseils avisés de Tetitte. Avec des bas de laine, elle ne pourra pas geler, elle qui est si frileuse. En revêtant la jupe, elle réalise tout à coup qu'elle a pris un peu de poids. *Trois mois de grossesse et déjà ce ventre qui grossit*, se dit-elle, contrariée. *Si Paul avait pas eu la grippe aussi, je serais pas encore enceinte*, se répète-t-elle en enfilant son chandail. *Mais qu'est-ce qu'une femme peut faire d'autre que d'allaiter pour empêcher la famille sans commettre un péché ?* se demande-t-elle. C'est la seule méthode qu'elle connaisse, en tout cas. Une méthode loin d'être garantie. Si le bébé boit moins, pour une grippe ou pour une autre raison, l'ovulation revient automatiquement avec les menstruations chaque mois, et le risque, bien sûr, de se voir encore partir pour la famille. Elle va cesser d'allaiter Paul, d'ailleurs. Elle en est maintenant à une tétée seulement le soir. À quoi cela servirait-il de continuer ? Dix mois, c'est amplement suffisant.

Elle s'assoit à sa table de toilette et se farde légèrement les joues à l'aide d'un peu de rouge à lèvres qu'elle applique avec ses doigts. Soigneusement, elle colore ensuite ses lèvres. *Bon, je suis encore belle*, constate-t-elle, satisfaite de son image. Elle se lève et observe sa silhouette dans le miroir sur pied. Elle replace les emmanchures bien à plat sur ses épaules, tire un peu sur le bas du chandail, ajustant la jupe, se retournant sur elle-même, satisfaite de ce qu'elle voit. Avec ses bottes de fourrure, le joli petit chapeau de feutre noir que Louis lui a acheté pour Noël, son manteau de mouton de Perse et son écharpe à tête de renard, elle fera sensation. *Bon, faut que je me dépêche avant que Ti-Louis revienne de chez ses parents avec les enfants*, se dit-elle. Au même moment, elle les entend arriver en bas de même que la petite bonne, Viola, qui revient de chez sa mère et qui va rester coucher ce soir.

— Je descends, là ! crie Rose du haut de l'escalier.

À l'aréna, l'atmosphère est déjà survoltée bien que le match vienne à peine de commencer. Les joueurs sont entrés comme de véritables gladiateurs dans l'arène. L'équipe adverse n'a qu'à bien se tenir. Louis et Rose sont assis tout près de la patinoire au centre, au cœur de l'action. Arrive près d'eux un homme dans la trentaine, de belle apparence, que Louis connaît bien. Ils ont fait leur cours classique ensemble.

— Eille salut Émile! Pis! Comment tu trouves la joute? Y jouent ben, hen, Chicoutimi!

— Ah! Salut Ti-Louis! Ben, j'sais pas trop encore. J'viens juste d'arriver.

— T'es-tu seul? Envoye, assis-toi avec nous autres.

Le nouvel arrivé s'approche du couple.

— Je te présente ma femme, Rose, dit Louis à son ami. Rose je te présente Émile Tremblay, un bon *chum* avec qui j'ai été au Séminaire.

— Enchanté chère madame, fait-il en prenant la main de Rose et en faisant mine de la baiser.

— Enchantée monsieur, répond Rose, un peu troublée par le regard admiratif que lui jette ce bel inconnu.

— Vous pouvez m'appeler Émile, voyons, fait-il en lui décochant un sourire.

Il s'assoit aussitôt à côté de Louis et ils se mettent à suivre le jeu avec entrain. Rose se sent émue. *Mon Dieu qu'il est beau!*

ne cesse-t-elle de se dire, comme une jeune fille en fleurs, en essayant de l'observer à la dérobée. Il a l'air si distingué. Un vrai monsieur.

Un peu plus tard, elle se lève pour aller aux toilettes. Tremblay se lève un peu après elle, prétextant aller chercher quelque chose à boire. Alors que Rose sort des toilettes, elle tombe face à face avec lui.

— Ah ! C'est ici que vous vous cachiez ! s'exclame-t-il, le sourire aux lèvres.

— Je me cachais pas, dit-elle en rougissant.

— Belle de même, vous devriez, pourtant, lui répond Émile, en la couvant du regard.

— Ben voyons ! dit Rose en riant, un peu gênée. Vous me trouvez belle ?

Elle rit encore un peu en replaçant une mèche de ses cheveux avec coquetterie.

Émile la fixe quelques secondes en silence. Rose n'arrive pas à bouger. Les paupières baissées, un court moment, elle se sent examinée. Troublée, elle lève lentement les yeux et rencontre ce chaud regard qui la dévisage, et c'est subitement comme une décharge électrique dans son cœur.

— C'est de valeur que vous soyez mariée, ma chère dame, car je me mettrais en lice pour vous aimer.

Rose ne sait que répondre. Elle se sent démunie. Timidement, elle réussit à murmurer d'une voix hésitante :

— Vous êtes trop aimable, mon cher monsieur, mais comme vous dites, je suis mariée, avec trois enfants et un quatrième en route.

Elle met une main sur son ventre et le regarde à nouveau, confuse.

— Enceinte ou pas, vous êtes la plus belle femme que j'aie jamais vue.

Rose ne peut s'empêcher de glousser de plaisir. Ce regard intense qui la dévisage, d'une chaleur si réelle, comme un rayon de soleil sur son visage. Elle le regarde en souriant bêtement, cherchant à mettre fin à cette troublante rencontre :

— Faut que j'aille retrouver mon mari, dit-elle tout à coup en détachant son regard du sien.

Elle lui tourne le dos et marche vers les estrades. Elle court presque, sentant encore son cœur battre très fort.

Plus tard, après le match, les trois amis sortent lentement de l'aréna en suivant la foule qui se déverse sur la rue Morin. Émile salue chaleureusement Louis, puis Rose à qui il baise galamment la main.

— Comment tu trouves ma femme ? Est belle, hen ?

— Très belle, confirme Émile avec sérieux.

Rose sourit en baissant les yeux.

— À la prochaine ! lance Émile en s'éloignant déjà vers son automobile garée un peu plus loin.

En marchant lentement vers leur maison tout près, Rose pose, l'air de rien, quelques questions à Louis au sujet de cet homme qui lui a fait tant d'effet.

— C'est un homme d'affaires, lui explique Louis. Y est gérant de compagnie. Y fait ben de l'argent.

— Y est-tu marié ?

— Oui, ça fait un bout de temps.

— Y a-tu des enfants ?

Louis s'arrête de marcher. Il la regarde, moqueur :

— Coudonc, Rose, y t'intéresse ben, tout d'un coup, ce gars-là !

— Bah ! Je demandais ça de même, s'offusque-t-elle. Y m'intéresse pas pantoute, tu sauras.

— Ben, ça paraît pas, rétorque-t-il. T'arrêtes pas de me questionner su lui depuis tantôt.

— Mon Dieu Seigneur ! Si on peut pus parler, répond-elle d'un ton sec.

Ils continuent de marcher quelques secondes en silence. Bientôt, ils se retrouvent devant leur maison.

— Ah ! Fâche-toi pas Rose, lance Louis d'un ton se voulant conciliant. J'tais jaloux un peu, je pense ben.

Il lui prend le bras :

— Tu devrais être contente que je sois jaloux. Ça veut dire que je t'aime.

Rose ne sait plus trop comment réagir. Elle se sent pleine d'émotions contradictoires.

— Laisse-moi tranquille, Ti-Louis !

— Ben voyons donc Rose ! C'est moi qui devrais être fâché.

— J'ai rien faite ! T'as aucune raison d'être fâché contre moi.

— C'est vrai, tranche Louis. Bon ben, on en reste là, OK, pour à soir !

Rose fait encore quelques pas :

— Bah, j'suis pas fâchée, consent-elle à dire finalement.

— Tant mieux ! Moi non plus.

Ils montent les quelques marches menant à la galerie. Louis ouvre la porte et laisse passer Rose devant lui. Toute la maisonnée est endormie. Ils enlèvent leurs bottes et leurs manteaux, puis montent précautionneusement à leur chambre, l'un derrière l'autre. Ils se déshabillent sans faire de bruit et se glissent dans leur lit. Encore un peu froissé malgré lui, Louis embrasse Rose sur la joue et se tourne sur le côté, prêt à s'endormir. Rose reste là, la tête sur son oreiller, désemparée. Que s'est-il donc passé ce soir avec cet homme qu'elle ne connaissait même pas il y a à peine trois heures ? Un coup de foudre ? *Jamais j'croirai*, se dit-elle en repensant à la décharge électrique qu'elle a ressentie. *Ah, mais de toute façon… Ça pourra pas arriver*. Jamais. Il ne faut plus qu'elle le revoie, jamais. Elle se tourne promptement de côté. *Jamais*, se répète-t-elle.

Chapitre 3

Le temps a passé. La neige est maintenant presque toute fondue et les journées s'allongent. *En avril, ne te découvre pas d'un fil,* se répète Rose en finissant la vaisselle, de mauvaise humeur. Elle a soupé seule avec les enfants ce soir. Louis n'est pas rentré et il n'a pas donné de nouvelles. De plus, Denise est sortie hier, pas assez habillée, et la voilà qui commence une grippe ou on ne sait quoi. Bien sûr, les deux autres vont l'avoir. Et elle aussi, comme de raison, car elle attrape tout. D'un geste brusque, elle tord sa guenille et la met à sécher dans le bas de l'évier.

— C'est qu'y fait, donc ! se demande-t-elle encore une fois, peu portée à la patience.

C'est Denise aussi qui l'inquiète. Depuis quelques mois, elle a commencé à tomber en confusion. Deux ou trois fois, pas plus, mais bien assez pour que ce soit inquiétant. Quelle drôle de maladie ! Sans aucune raison apparente, Denise s'endort soudainement, souvent le soir, d'un sommeil si lourd, si pesant, que cela devient quasi impossible de la réveiller. Pauvre petite fille ! Si au moins elle pouvait savoir de quoi cela dépend. Et aujourd'hui, cette grippe qui débute ! *A fait peut-être de la fièvre,* se demande-t-elle tout à coup. Elle cherche le thermomètre dans l'armoire à médicaments, puis va au salon où elle trouve sa fille sagement assise avec sa poupée. Elle lui met la main sur le front.

— Je trouve que t'es chaude, ma fille. J'vas prendre ta température, OK?

Elle lui glisse le thermomètre dans la bouche.

— En dessous de la langue. Oui, oui, comme ça.

Elle s'assoit à côté d'elle pour attendre. Ses deux garçons l'ont suivie, le plus vieux, Claude, la devançant au galop à califourchon sur un balai, en imitant les hennissements d'un cheval, le plus jeune, Paul, en se traînant derrière elle à quatre pattes. Une fois rendu, Paul se met debout et commence à faire le tour de la pièce en se tenant prudemment sur les meubles. *Y est prêt à marcher*, constate-t-elle. *C'est vrai qu'il va avoir un an jeudi qui vient.* Au bout d'une minute ou deux, elle prend le thermomètre et le fait bouger lentement devant ses yeux jusqu'à ce qu'elle voit la petite ligne noire apparaître. *Presque cent degrés*, observe-t-elle. *Mon Dieu que c'est donc pas drôle!*

— Claude! crie-t-elle. Arrête de courir comme ça! Tu vas me rendre folle.

Claude s'arrête dans son élan. Il regarde sa mère, piteux, puis repart vers le passage en trottinant lentement en silence.

— C'est qu'on va faire avec cet enfant-là, veux-tu ben me dire? soupire-t-elle, excédée.

Au même moment, elle entend la porte de la cuisine s'ouvrir. Denise, qui, malgré son jeune âge, reconnaît depuis quelque temps la façon spéciale qu'a son père de tourner la poignée quand il a un peu bu, supplie sa mère tout bas:

— Dis rien maman. Commence pas! Je pense que papa a pris un verre.

Ne prenant aucunement en compte les avertissements de sa fille, Rose s'élance dans le passage :

— Où c'est que t'étais passé ? T'as pas pensé que j'étais morte d'inquiétude ?

Louis commence par rire un peu :

— J'étais avec mon chum Chayer. Voyons donc ! T'aurais dû le savoir ! C'est pas la première fois que j'ai besoin d'y parler pour papa.

— Ben oui, donc ! J'aurais dû deviner.

— Ben oui ! T'aurais dû, répond-il du tac au tac. Batinse Rose ! Y est même pas sept heures, pis je me fais crier après en arrivant.

— Eille ! Tu vas pas me mettre ça certain su'l dos à soir, riposte-t-elle, d'un ton plus aigu. Avec la journée que j'ai faite. Denise est malade. Claude a pas arrêté de grouiller de la journée. C'est pas mêlant, j'en peux pus.

— Oui mais là, fait Louis, les bras ballants, c'est toujours ben pas de ma faute non plus toute ça.

— Oui c'est de ta faute ! Tout est de ta faute ! crie Rose en se mettant à pleurer.

Ne faisant ni une ni deux, elle s'élance dans l'escalier en courant.

— Batinse que c'est pas drôle des fois de revenir à maison, soupire Louis en enlevant son manteau, ses bottes et son chapeau.

Se retournant, il rencontre le regard de Claude qui le fixe, debout au bout du corridor, prêt à pleurer. Paul se met aussitôt à sangloter. Prenant sur lui, il marche vers ses deux garçons et prend le plus jeune dans ses bras, se rapprochant de Claude qui lui enlace aussitôt la jambe en pleurnichant.

— C'est fini là, c'est fini, murmure-t-il en leur caressant un peu la tête à tour de rôle. Maman est fatiguée. Est allée se reposer un peu dans sa chambre, explique-t-il d'une voix se voulant rassurante.

Au bout de quelques minutes, le calme est revenu dans la maison. Louis s'avance jusqu'au salon et découvre Denise endormie sur le divan. Elle marmonne, confuse, une suite de mots incompréhensibles. Son corps semble lourd, comme écrasé sous un poids.

— Rose ! Vite ! hurle-t-il. Descends ! Denise est tombée en confusion !

— Mon Dieu ! Ma fille ! gémit Rose en descendant en courant.

Après un coup d'œil inquiet sur sa fille, elle saute sur le téléphone pour appeler son beau-frère, le Dr Duperré. Sans son aide, ils ne sont jamais arrivés à l'extirper de ce sommeil écrasant.

— Y est pas chez eux, déclare Rose en raccrochant. Y est allé voir ta mère.

Elle appelle aussitôt chez ses beaux-parents :

— Marie-Louise ! Dis au Dr Duperré qu'on a besoin de lui tu-suite. Denise va pas bien.

Elle raccroche.

— On est chanceux. Y partait justement. Y va être ici dans deux minutes.

Sitôt arrivé, Thomas s'assoit auprès de la fillette. Il la brasse délicatement pour la réveiller. Denise ouvre légèrement les yeux, continuant à divaguer, puis sa tête bascule lourdement par-derrière. «Denise! Denise! Réveille-toi!», répète-t-il d'une voix douce. Il lui masse un peu les épaules, le cou, la tête.

— Apportez-moi une débarbouillette mouillée bien froide.

Il la lui applique sur le front, les joues, les oreilles. En dernier recours, Thomas ouvre sa valise et en sort des sels qu'il place sous son nez pour la réanimer. Denise sursaute, mais sa tête retombe encore lourdement. Il lui fait à nouveau respirer les sels et la voilà qui revient enfin lentement à elle, encore confuse mais réveillée. Thomas l'assoit, appuyant sa tête sur des coussins.

— Est revenue, déclare Thomas à Louis et Rose. Comme vous voyez, c'est pas si grave que ça. C'est ennuyeux, inquiétant même je l'admets, mais pas aussi impressionnant que ça en a l'air.

— Pauv'tite fille! De quoi ça peut ben dépendre? demande Rose, très énervée.

— Je le sais pas.

— L'autre jour, on a pensé que c'était à cause des cretons qu'a avait mangés.

Thomas hausse les épaules en refermant sa trousse :

— Peut-être ben que c'était ça…, dit-il en les regardant, confiant. Je suis convaincu que ça va passer. Vous allez voir. Ayez confiance !

Il remet son manteau et ses bottes :

— Fait que… Je me sauve, là, si je veux voir mes enfants un peu avant qu'y se couchent.

Louis et Rose le remercient. C'est une vraie chance d'avoir un médecin dans la famille. Ils se regardent tous les deux, plus calmes :

— Bon ben, Ti-Louis, t'as-tu faim ? demande Rose. Je t'avais gardé une assiette su'l poêle.

Louis la regarde, reconnaissant :

— J'aurais dû appeler, t'as raison. La prochaine fois, j'vas le faire, je te le promets.

— Ouais on verra... Bon ben, moi, j'vas aller laver les enfants pis les mettre en pyjama. Venez les enfants !

Au bout d'une quinzaine de minutes, Louis monte les retrouver. Il va d'abord embrasser ses garçons, puis il se rend voir Denise, couchée dans son lit, d'excellente humeur. Comme s'il ne s'était rien passé.

— Papa, demande-t-elle. C'est qui m'est arrivé tantôt ?

— Rien ma petite fille, rien. Papa est là. Tout va bien.

Il lui caresse le front.

— Elle a de la fièvre un peu, lance-t-il à Rose, revenue près de lui dans la chambre.

— Oui, je le sais. Ça lui a pris vers le souper. C'est peut-être à cause de ça…, dit-elle en soupirant. Bon ben, a va dormir pour la nuit, à présent. C'est fini.

— J'vas rester encore avec elle que'ques minutes, dit-il pour se rassurer. J'vas te conter une histoire, hen Denise ! Papa va te raconter l'histoire de la fée des bois.

— Ouiii !

— OK, répond Rose. Moi, j'vas aller lire un peu au lit.

Encore inquiète, elle regarde sa fille une dernière fois, le cœur gros. *Cette maladie, c'est trop dur*, songe-t-elle en détournant le regard. Elle sort sur la pointe des pieds pour se rendre jusqu'à sa chambre. Se déshabillant prestement, elle se met au lit, s'emparant aussitôt de son livre sur sa table de chevet. Son lit, un livre, la paix, elle ressent presque instantanément un bienfaisant soulagement. Elle vient de découvrir Colette, qu'elle adore. Presque autant que Zola, Balzac ou Hugo. Présentement, elle lit *La vagabonde*. Rose ouvre l'ouvrage et commence à lire un peu. Immédiatement, son imagination s'envole avec son héroïne, Renée, une femme qui a laissé son mari et qui est devenue artiste, actrice, pour gagner sa vie. Et il y a cet homme riche, Max, qui tombe amoureux d'elle. *Que c'est donc romantique !* se dit-elle. Mais Renée semble vouloir renoncer à cet amour… *Ah ! Mon Dieu !* Son cœur cogne dans sa poitrine au souvenir d'Émile Tremblay… Pourquoi résister ? Elle ne l'a jamais revu, mais elle en rêve depuis des mois… *Sans que ça fasse de mal à personne*, se dit-elle encore cette fois.

Un peu plus tard, Louis revient. Denise dort à présent comme un ange. Il reste appuyé contre le cadre de porte :

— Maman va de plus en plus mal, dit-il à Rose. Tu devrais aller la voir demain.

— Oui. J'vas y aller, certain, répond Rose en déposant son livre ouvert sur les couvertures. Je l'aime bien ta mère. Elle a toujours été bonne pour moi quand on restait avec eux autres.

— J'vas y aller souvent dans les jours qui viennent, prévient Louis, encore un peu sur la défensive. Je pense qu'a va mourir, ce sera pas long.

— C'est ben correct, Ti-Louis. C'est ta mère. Mais moi demain, faut que je lave. Et les enfants vont peut-être ben être malades…

— J'vas demander à Viola de venir passer la journée avec toi, décide Louis. J'vas y demander de venir plus souvent, pour faire le ménage pis t'aider avec les enfants.

— Cinq jours par semaine ? demande-t-elle, le regard suppliant. Ce serait pas de trop, plaide-t-elle en mettant ses mains sur son ventre, avec le bébé qui s'en vient.

— Quatre jours par semaine, ça va être en masse.

— T'es ben fin, Ti-Louis. Mais comment ce qu'on va payer ça ?

— Inquiète-toi pas ! J'vas m'organiser avec papa.

Toujours dans l'embrasure de la porte, il poursuit :

— Bon ben, c'est-tu correct de même ?

Rose lui fait signe que oui distraitement, déjà prête à reprendre sa lecture.

— Bon ben astheure, lance-t-il, j'vas retourner un peu en bas. J'ai toutes sortes d'affaires à noter de ce que Chayer m'a dit, pour demain, quand j'vas aller voir mon père. Bonne nuit, là! J'vas essayer de pas te réveiller tantôt quand j'vas revenir me coucher.

Le lendemain, comme d'habitude, Louis se réveille le premier. Il descend aussitôt en bas se faire un café. Il adore ces moments silencieux à se bercer tout seul dans la cuisine en attendant que les enfants descendent déjeuner. Il pense à Rose. On ne peut pas dire qu'il soit de bonne humeur envers elle ce matin. Ça s'est arrangé finalement hier, mais… Quel mauvais caractère elle a par moments! Les crises qu'elle lui fait depuis quelque temps… *Serait-elle hystérique?* Parfois, il se le demande. En tout cas, quand elle crie après lui comme hier, il déteste ça. Louis sent une révolte monter en lui, qu'il étouffe aussitôt en justifiant sa femme. Elle est fatiguée. Elle n'a pas une grosse santé. Elle est encore enceinte. *Mais ça lui donne pas le droit de me tomber dessus*, s'insurge-t-il à nouveau. On dirait des fois qu'elle ne pense qu'à elle et à ses besoins. Et le climat que ça fait dans la maison… Il soupire. *Ah! Ça sert à rien d'essayer de la changer*, songe-t-il, *j'ai jamais raison*. Il entend soudain les pas d'un enfant descendre les escaliers. C'est Denise.

— Viens ma fifille! Viens me trouver! dit-il en se tapant une cuisse pour l'inviter à venir s'asseoir sur lui. Comment ça va, là, à matin?

— Ça va bien, répond-elle, comme s'il ne s'était rien passé la veille.

Denise s'installe sur les genoux de son père. Chaque fois, c'est comme si elle oubliait complètement son mal. Aucun souvenir. Ils se bercent un peu tous les deux sans parler. Il lui met la main sur le front. Il semble que la fièvre soit passée.

— C'est que tu voudrais pour déjeuner à matin? N'importe quoi!

— Je veux des toasts au beurre de pinotes, répond la fillette.

— Juste ça? Je pourrais te faire des crêpes. Ou ben une omelette.

— Non non papa. Juste des toasts au beurre de pinotes.

— Avec un bon chocolat chaud, comme t'aimes.

— Ouiii.

Denise sourit, tout heureuse, et court chercher sa poupée oubliée dans le salon.

— Pauv'tite, lui dit-elle en lui peignant les cheveux avec la main. T'as dormi tu-seule su'l divan? murmure-t-elle. Viens avec maman.

Elle revient trouver son père, s'assoit à la table avec sa poupée qu'elle place devant elle. Tout à coup, on entend Claude à l'étage sauter du lit, puis Paul se mettre à pleurer.

— Reste là Denise! J'vas aller chercher tes frères pis je reviens tu-suite. Faudrait pas qu'y réveillent maman. Tu sais qu'y faut qu'a dorme le matin.

Louis monte les marches avec précaution et redescend presque aussitôt en tenant Paul dans un bras, Claude lui tenant l'autre main. Il étend Paul sur le comptoir et lui change sa couche, toute mouillée.

— Là t'es ben, hen, mon p'tit gars! Une belle couche propre! dit-il en l'assoyant dans sa chaise haute. Claude! Viens t'asseoir! Viens manger!

Claude arrive en courant. Il grimpe sur sa chaise tout seul.

— Bon, j'vas faire des toasts au beurre de pinotes pour tout le monde. Ça vous va-tu?

— Avec un ssocolat ssaud, ajoute Claude, excité.

— Oui, oui.

Louis adore ces moments passés avec ses enfants, le matin. Il a toujours aimé faire le déjeuner. Avec Rose, cela s'est arrangé de cette façon, sans que personne ne le décide vraiment, au grand déplaisir de son père, Georges, qui au début passait son temps à déclarer qu'il n'avait jamais vu une affaire de même. «C'est-tu une reine, ta femme, coudonc!» déclarait-il, ironique. Des phrases comme celle-là, Louis en a entendu plus d'une, de la part de ses sœurs aussi, surtout Héléna et Marie-Louise, toujours quelque chose à redire sur les habitudes de Rose. «A vient toujours ben juste de Sainte-Anne!» lançaient-elles parfois d'un ton méprisant pour signifier leur désaccord face à tous ces privilèges que Rose s'était octroyés avec le temps. «Des péteuses», disait Louis pour minimiser la situation. «Des jalouses», ajoutait Rose, en faisant comme si cela ne l'affectait pas, alors qu'en réalité, «les Bergeron», elle les aurait bien envoyés paître par moments.

Mais la bonne entente dans la famille était primordiale et ces petits différends se vivaient surtout en cachette, afin d'éviter d'envenimer les choses et de sauver les apparences en tout temps.

Vers huit heures et demie, Louis monte réveiller sa femme avant de quitter la maison pour aller travailler. Il doit passer chez la petite Viola sans faute. Chose promise, chose due.

Ce matin-là, Rose se rend voir sa belle-mère à la grande maison. Elle la trouve alitée, d'une maigreur qui fait peur. Marie-Louise est à son chevet, une broderie entre les mains. Rose s'assoit, un peu intimidée.

— Comment ça va, madame Bergeron? demande-t-elle pour la forme.

— Chus pas vargeuse, répond Emma d'une voix faible, avec un petit sourire forcé.

Rose répond machinalement à son sourire. Puis, après quelques secondes d'un silence embarrassant, elle se met à exprimer simplement ce qu'elle souhaite dire à sa belle-mère :

— Vous rappelez-vous toutes les marches qu'on faisait ensemble l'après-midi, madame Bergeron? Pis quand vous m'avez montré à cuisiner? Comment vous étiez patiente avec moi…

— T'apprenais bien, remarque Emma.

— En tout cas, je voulais vous dire merci pour toute ce que vous avez faite pour moi quand je suis venue rester ici.

Rose est émue.

— T'es ben fine, ma bru, de me dire ça. Mais ça serait-tu que tu sens ma fin dernière…

Rose rougit, mal à l'aise :

— Non, non. C'est pas ça que je dis.

— C'est pas grave, voyons… J'vas mourir, je le sais ben.

— Dites pas ça !

— Ben oui, maman, intervient Marie-Louise. Dis donc pas d'affaire de même !

Emma hoche la tête, sans parler.

— Maman est fatiguée, tranche Marie-Louise, se levant brusquement pour inviter Rose à sortir.

Au dernier moment, Rose se penche au-dessus de sa belle-mère et lui donne un court baiser sur la joue.

— Prends ben soin de mon Ti-Louis, hen ma belle Rose, lui murmure doucement la malade, pis de vos beaux enfants itou. Tu sais, Rose, faut pas trop se fâcher dans vie, ça rend malade, ajoute-t-elle en lui souriant un peu malgré son état.

Rose répond à son sourire avant de quitter la chambre en silence.

Ce même jour, en début d'après-midi, Alida se rend chez ses parents accompagnée de son mari. Pendant que Thomas reste dans la cuisine à écouter son beau-père maugréer contre le sort qui semble vouloir lui arracher ce qu'il a de plus précieux sur terre, Alida s'assoit près de sa mère :

— On va prier ensemble toutes les deux, maman ! On va dire un chapelet pour que tu guérisses.

Emma hoche la tête, impuissante :

— Pus besoin de prier pour ma guérison, murmure-t-elle à voix basse. Prie plutôt pour que le bon Dieu vienne vite me chercher ! Chus ben fatiguée.

— On va prier pour…, dit Alida en reniflant à quelques reprises. Pour toi maman, pour que le Seigneur te libère…

Elle se met à pleurer.

— Arrête de pleurer, voyons ! ordonne Emma avec un sursaut de vitalité. J'ai eu une bonne vie, de bons enfants, un mari extraordinaire. Chus prête à m'en aller de l'autre bord…

Serrant la croix de son chapelet entre ses doigts, Alida commence à réciter le *Je crois en Dieu*. Aussitôt, Tetitte et Marie-Louise la rejoignent pour mêler leurs voix à la sienne.

Le soir, Louis vient s'asseoir auprès de sa mère. Silencieux, il la regarde étendue dans son lit, alors qu'elle n'est plus que l'ombre d'elle-même.

— Mon Ti-Louis, dit-elle en ouvrant les yeux. Rose est venue me voir à matin. J'y ai dit d'être fine avec toi.

— Est fine, réplique Louis pour défendre sa femme.

Emma hoche la tête en silence en tendant la main vers son fils. Sans parler, Louis met sa main dans celle de sa mère :

— J'étais revenu pour toi, maman…

— T'es un bon fils mon Ti-Louis.

— Pas tant que ça…, dit-il en baissant les yeux. Tu sais maman, je serais jamais parti… Mais c'est arrivé de même.

— Tuttuttut… Arrête ça tu-suite mon garçon… Tetitte est là. A va s'occuper de votre père. Pis t'es juste à côté. Tout est ben correct de même.

— Merci maman.

Un silence paisible s'installe dans la chambre. Au bout d'un moment, la respiration d'Emma s'approfondit. Elle semble assoupie. Louis retire doucement sa main, se lève avec précaution et quitte la chambre.

À tout moment au cours de ces longues journées d'avril, Georges s'installe au chevet de sa femme. La plupart du temps, il reste là quelques minutes, jamais longtemps, en silence. Puis, il lui tapote le bras doucement :

— Pauv'vieille, lui dit-il en quittant la chambre, affligé. Tu vas t'en sortir, tu vas voir, ajoute-t-il chaque fois en essayant d'y croire.

À quelques reprises, Héléna est passée voir sa mère. Aujourd'hui, celle-ci ne réagit plus à sa présence. Elle semble inconsciente. La dernière fois aussi, elle n'a pas répondu lorsqu'elle lui parlait. À présent, Héléna pleure. Voir sa mère mourir lui fait de la peine, bien sûr, mais en même temps, c'est comme si elle s'était mise à ressentir à nouveau la déchirure éprouvée lors de la mort subite de son garçon, Pierre-Yves, l'automne passé, à huit ans, frappé juste en avant de la maison par une automobile qui roulait trop vite. Mort sur le coup. «Pleure pas ma fille! lui avait alors dit sa mère plus d'une fois, ton petit gars est ben là où y est rendu. Le bon Dieu s'occupe de lui.» Héléna regarde sa mère dormir et c'est comme si elle l'entendait le lui dire aujourd'hui encore. Au même moment, Marie-Louise vient la rejoindre dans la chambre:

— Pleure pas, Héléna! lui dit-elle. Maman va mourir en paix. A souffre tellement, depuis tellement d'années. Ça va être un vrai soulagement pour elle.

Deux jours plus tard, tôt le samedi matin, Denise descend à la cuisine rejoindre son père, assis comme d'habitude dans sa chaise. En l'entendant arriver, il place sa main devant ses yeux en reniflant à quelques reprises. Impressionnée, elle s'approche de lui:

— À cause tu pleures, papa?

— Ma mère est morte, répond-il, la voix étranglée.

C'est la première fois que Denise voit son père pleurer. Elle en est toute bouleversée. Jamais elle n'oubliera ce moment.

Chapitre 4

Cinq semaines plus tard, Georges surveille la construction de la petite chapelle familiale qu'il a décidé de faire construire sur le terrain qu'il a acheté, le plus beau du cimetière, à gauche de l'entrée principale, en bordure du chemin de terre qui mène à la rue Bégin. La petite bâtisse rectangulaire en briques ambrées est presque déjà achevée. Les ouvriers sont justement en train de terminer la toiture. Georges est bien conscient qu'il s'agit d'une situation exceptionnelle. Il lui a fallu d'ailleurs toute son influence à la ville pour avoir la permission d'entreprendre les travaux d'excavation à la fin d'avril, malgré la couche de terre gelée, et c'est un peu grâce à l'aide de son gendre, Jean Grenon, ingénieur civil qui multiplie les contrats avec la ville, que cela a été rendu possible. Des efforts considérables ont dû être fournis pour permettre de terminer la construction pour la fin de semaine suivante, lorsque tous ses enfants seront réunis pour la mise en terre officielle de leur mère, dont la tombe a été en attendant remisée au charnier commun, après les funérailles habituelles. La date limite de conservation d'une tombe au charnier est le 1er juin ; c'est ce qui a précipité les travaux.

Georges regarde tristement la petite porte de métal. Il se sent si seul. Il a perdu sa compagne, son amie, sa femme, celle que jamais personne ne pourra remplacer. Il fixe encore la petite porte, le cœur lourd. *Emma sera la première à la franchir,* songe-t-il. *Et c'est là que j'irai la rejoindre un jour. Notre dernière demeure*… Au-dessus de la porte, l'inscription «Famille Georges Bergeron» fabriquée en fer forgé par son fils Arthur lui redonne un peu de fierté. Il redresse les épaules, rassuré. Sans mauvaise surprise, la cérémonie officielle de mise en terre aura bel et bien lieu, ici, devant la chapelle familiale en compagnie de ses enfants dans quelques jours. Même son plus vieux, Pit, prospère médecin spécialiste exilé aux États-Unis, a exceptionnellement devancé son voyage annuel à Chicoutimi avec sa femme, Éva, et ses deux filles, Yvonne et Lucille, pour être présent. Ne pouvant rien faire de plus pour le moment, Georges décide de quitter les lieux.

Venu à pied au cimetière situé dans les hauteurs de la ville, il n'a plus maintenant qu'à redescendre tranquillement jusqu'à la maison. À soixante-dix ans passés, il est encore très énergique, contrairement à sa pauvre femme, si malade au cours des six dernières années de sa vie. *La vie est injuste*, songe-t-il. *La mort aussi.* Georges soupire et s'arrête un moment devant l'école normale des Sœurs du Bon-Pasteur. Une grosse bâtisse double, de cinq étages, où l'on forme depuis vingt ans les jeunes filles à l'enseignement. À droite, plus loin, il aperçoit le Petit Séminaire, là où deux de ses fils, Pit et Louis, ont étudié. Le regard flou, perdu dans ses pensées, il reprend lentement sa marche pour atteindre enfin un premier palier en pente très douce. La rue Bégin est très jolie à cette hauteur, bordée de petites maisons, quelques-unes en briques, la plupart en bois, au toit haut et escarpé fendu de deux pignons fenêtrés. Bientôt, il se retrouve encore à descendre une côte, plus à pic celle-là, qui va le mener jusqu'à la cathédrale. Chicoutimi étant construit sur les rives d'un fjord, la ville comprend des dizaines de pentes, de côtes et de paliers, et cela, les marcheurs peuvent rarement l'oublier. Il bifurque alors sur la rue de l'Hôtel-Dieu jusqu'à la rue Racine où une dernière côte l'attend, et non la moindre. Il se souvient d'avoir souvent fait ce trajet en *sleigh*, il n'y a pas encore si longtemps. Il lui fallait alors freiner constamment les chevaux pour les empêcher de dévaler les pentes trop rapidement. C'est un peu comme cela qu'il se sent, ce matin, sur les *brakes*, les orteils coincés au bout de ses chaussures, les mollets douloureux, les reins en compote à force de retenir son pas depuis qu'il revient du cimetière.

Rendu près de l'hôtel de ville, il se sent enfin chez lui. Il marche lentement, observant au passage les travaux de canalisation de la rivière aux Rats qui débutent. Quelle déception il a eue quand il a su ce que la ville voulait faire! Lui qui avait si longtemps souhaité faire du développement sur le bord de ce joli cours d'eau qui se jette dans le Saguenay. Plusieurs terrains à gauche de la petite rivière, de la rue Racine jusqu'au Saguenay, lui appartiennent. Il regarde les gros tuyaux qui serviront à faire circuler dorénavant la rivière sous la rue. C'est regrettable, bien sûr, mais, pour être honnête, il comprend maintenant leur décision de la recouvrir. Tout le monde y décharge ses égouts et y jette n'importe quoi depuis trop longtemps! L'été, certaines journées de grosse chaleur, les odeurs deviennent souvent intolérables aux alentours. *C'est la vie!* se dit-il en passant son chemin. *Avec le départ d'Emma, et la rue Racine qui change, c'est la fin d'un monde*, songe-t-il. *La fin d'une époque. Mon époque*, se dit-il en hochant la tête, les lèvres serrées. Il s'éloigne de quelques pas et c'est comme si son corps devenait tout à coup plus lourd, plus difficile à porter sur ses jambes fatiguées. Avec fierté, il redresse aussitôt les

épaules, avançant le cou bien droit, persuadé de son importance. *Y me reste encore ben des choses à faire avant de mourir*, se dit-il
en mettant le cap sur sa maison.

Trois jours plus tard, Georges est soulagé, satisfait de la
cérémonie au cimetière. Ses neuf enfants vivants étaient
là, avec gendres, brus et progéniture. Et même si la mort
d'Emma datait déjà de près d'un mois et demi, plusieurs
avaient encore les émotions à fleur de peau, surtout après le
petit discours du prêtre, au moment où la tombe a été intro-
duite dans le caveau sombre et humide de la petite chapelle
et que la porte en métal s'est ensuite refermée de façon on ne
peut plus définitive. Il aurait fallu être complètement insensible pour demeurer indifférent.

Maintenant que la réception qui a suivi est terminée, que
Tetitte et Éva sont dans la cuisine avec les enfants, Georges
est installé au salon avec Louis et Pit, son aîné. Ils parlent
d'affaires tous les trois, depuis déjà un bon moment. Rien
de vraiment nouveau, toutes des questions déjà discutées
et réglées avec Louis concernant quelques achats en vue.
Mais devant son grand frère, que le père considère comme
pratiquement égal au bon Dieu, Louis s'efface de bon cœur.
Il écoute son père reprendre presque tous les points déjà
discutés avec lui pour en arriver à quelques détails près aux
mêmes décisions.

Georges semble à présent avoir fait le tour :

— Bon ben, faut que j'aille en bas à l'épicerie que'ques
minutes, déclare Georges en déposant sa pipe dans le cendrier.
Astheure qu'y viennent de fermer, j'vas pouvoir aller *checker*
quequ'chose, ajoute-t-il en sortant du salon.

Pit et Louis continuent de fumer leur cigare, sans parler. Ils sont à l'aise ensemble, Louis ayant vécu plusieurs mois chez son frère Pit à Manchester en 1923, au moment où la vie avait basculé pour lui.

— Faut que je te parle, Ti-Louis! lance Pit finalement, brisant le silence.

Louis se tourne vers son frère qui le regarde, très sérieux.

— Ben envoye! Parle! Chus là.

Ancien colonel dans l'armée américaine, ayant dirigé un hôpital en Italie puis en France pendant la guerre, Pit n'a pas l'habitude de tourner autour du pot :

— Ce que j'ai à te dire c'est ben simple, Ti-Louis… Arrête de faire des enfants! lance-t-il à son jeune frère et filleul.

— Ben voyons, riposte Louis, surpris.

— Non, non! insiste Pit. Écoute-moi! C'est un bon conseil que je te donne. Faut que t'arrêtes de faire des enfants.

— Oui mais…

— Écoute-moi donc, je te dis, sainte-patate! continue-t-il. T'es pauvre, Ti-Louis, lui envoie-t-il tout de go. Pis ta femme a pas de santé, ajoute-t-il, sans plus de délicatesse.

Louis ouvre la bouche pour protester, mais Pit enchaîne sans lui en laisser le temps :

— Tu trouves pas que j'ai raison, Ti-Louis? Tu vas en avoir quatre d'ici le mois d'août. Tu trouves pas que ça commence à faire?

Insulté, Louis se lève, prêt à partir :

— Entouècas, t'es bête en batinse, toi, après-midi, réplique-t-il.

— Pars pas, là! Voyons donc! Comment t'aurais voulu que je te dise ça, rétorque Pit en adoptant subitement une intonation plus douce. C'est-tu vrai, oui ou non, que t'as pas d'argent?

Il secoue la tête de gauche à droite, le regardant, navré :

— Pis ta femme? C'est pas toi justement qui dis qu'a toujours une vesse de travers?

— J'sais ben, reconnaît Louis. T'as peut-être raison. Mais t'avais pas besoin de m'assommer de même, maudit batinse.

— Bah! minimise Pit, prêt à blaguer. Rassis-toi donc, là! On va pas se chicaner. Tu me connais, Ti-Louis. Chus faite de même. Je parle direct.

— J'ai ben vu ça, acquiesce Louis, encore un peu sous le choc. Pis c'est que tu fais de la confesse, pis des curés, proteste-t-il mollement en se rassoyant sur le bord de sa chaise.

— Viens pas me parler des curés qui défendent d'empêcher la famille! s'emporte Pit, un athée convaincu, en rupture notoire avec le clergé. Eux autres, y connaissent rien, clame-t-il. Moi, ton frère, chus docteur, pis je connais ça.

— Peut-être ben! Mais toi, tu crois en rien.

— *You bet* que je crois en rien, se rengorge-t-il. Pis toi? Tu vas-tu risquer de perdre ta femme pour avoir encore des enfants?

— Ben, si tu vois ça de même.

— Comment tu veux que je voie ça ? Ta femme, Ti-Louis, a pas de santé. Est toujours malade. A manque de mourir à chaque accouchement pis a voit pas le jour de s'en remettre après...

— Batinse que t'exagères, Pit ! C'est pas croyable !

— Tu penses ? dit Pit en le regardant, navré. Entouècas, tu feras ben comme tu voudras, mais tu pourras pas dire que je t'avais pas prévenu.

Pit sort une petite boîte de la poche de sa veste et la tend à son frère :

— Tiens !

— Des capotes ? fait Louis, surpris, en découvrant le contenu de la boîte.

— Bah ! Je te les donne. Moi, je peux m'en procurer tant que je veux aux États. Si tu veux, je peux t'en envoyer par la poste.

— Pis si Rose est pas contente ? argumente Louis.

— Voyons donc ! s'esclaffe Pit. Fais-moi pas rire, Ti-Louis ! Amanchée comme a l'est, chus sûr que Rose, a n'en veut pus pantoute des enfants.

— Peut-être ben mais... Comment ce qu'a va faire à confesse, hen ? Quand le prêtre va essayer de lui arracher les vers du nez pour lui faire dire comment ça se fait qu'a pus de bébé ? Sont pas fous les curés, y vont ben voir que ça marchait tempête notre affaire de famille pis que là, tout d'un coup, pschitt, comme par magie, pus rien.

— Rose a juste à dire qu'a comprend pas, qu'a sait pas trop, a juste à faire son innocente. A pourrait dire aussi que ça doit être la volonté de Dieu…

— Mais ce serait un sacrilège !

— Baise-moi le sacrilège Ti-Louis ! On est des hommes, pas des moutons. S'y faut mentir au curé pour se tenir deboute, ben, ce sera ça. Ce sera toute, pis ça finira là, sainte-patate.

— Ouais… C'pas à cause, reconnaît Louis encore un peu hésitant.

Pour vraiment se décider, il a besoin d'y penser par lui-même et de voir aussi ce que Rose va en dire. Il se lève :

— Bon ben, j'vas faire ce que je peux avec ça, mon frère. Astheure, faut que je m'en retourne à maison. Rose m'attend.

Chapitre 5

Mai 1930, un an plus tard…

D'un printemps à l'autre, quatre saisons se sont écoulées.
Une année complète. Une année rude. *Plus rude que tout ce que
j'avais pu soupçonner*, se dit Georges, assis dans la cuisine, tôt le
matin, la pipe à la bouche. Ses pires craintes n'étaient en fait
que le pâle présage de la tragédie qui s'est finalement abattue
sur le monde en octobre 1929. Un krach financier sans précédent à la Bourse de New York, correspondant à une perte
de dix fois le budget annuel américain évaporé en fumée.
Une situation sans issue, qui s'est dégradée à grande vitesse
partout dans le monde, provoquant un terrible appauvrisse-
ment généralisé et une crise sociale sans précédent. Depuis
des mois, l'argent est rare. Très rare. Les emplois tout autant.
À Chicoutimi, la situation est devenue dramatique en raison
de la fermeture définitive de la Pulperie au même moment,
jetant près de deux mille employés à la rue avant les Fêtes et
occasionnant, depuis, une série de fermetures d'entreprises
et de commerces en cascade.

Georges se lève pour ajouter une bûche dans le poêle.
Même si le printemps est arrivé, il ne fait pas encore très
chaud le matin. Sa fille Tetitte et ses petits-enfants vont
bientôt se lever. C'est son rôle de réchauffer la pièce avant le
déjeuner. Il se rassoit, rallume lentement sa pipe et se remet
à réfléchir. Il repense à son fils, Edgar, décédé subitement

en février dernier d'une péritonite. Il était le père de sept enfants et toute sa petite famille vivait pratiquement à ses crochets depuis toujours. Georges se sent triste tout à coup en songeant à son fils parti si vite, mais comme chaque fois, il se sent rapidement envahi par la colère en repensant à sa veuve, Bertha McLean, l'Anglaise de la Nouvelle-Écosse qu'il avait mariée là-bas et ramenée ici à son corps défendant. *Maudite engeance*, ne peut-il encore s'empêcher de se dire en rageant contre sa bru. Depuis des années, il payait une assurance-vie pour Edgar au cas où celui-ci décéderait et laisserait ses sept enfants orphelins. Il n'y a pas à dire, il avait vu juste. Il avait bien sûr nommé Bertha comme bénéficiaire. *Innocent*, peste-t-il encore contre lui-même en se revoyant, après les funérailles, aller voir sa belle-fille pour lui expliquer que, si elle lui laissait la gestion de son assurance, il les ferait vivre toute leur vie, elle et ses enfants, et qu'ils ne manqueraient jamais de rien. Louis l'accompagnait bien sûr pour traduire – Bertha n'ayant jamais voulu apprendre un seul mot de français en quinze ans, autre grande source d'indignation pour Georges. Bien que l'offre ait été tout à son avantage – le montant de l'assurance n'était pas très élevé –, Bertha l'avait aussitôt refusée. Très froide, elle lui avait fait dire sèchement par Louis : « J'ai pas besoin des Bergeron pour vivre. » Juste à y penser, Georges en est encore furieux ! Mais ce n'est pas tout ! À peine deux jours après avoir remisé son mari au charnier, elle avait empoché l'assurance-vie, ramassé vêtements et autres objets personnels et, sans aucune explication ni excuse, elle s'était sauvée chez elle en Nouvelle-Écosse par le train avec ses sept enfants. *Comment peut-on être aussi ingrate, aussi sans-cœur, aussi pas-de-génie ?* se demande encore Georges chaque fois qu'il y pense, sachant pourtant très bien que, même en se creusant la tête pendant des heures, il ne pourra tout simplement jamais comprendre un tel comportement. *Heureusement qu'Emma a pas eu à vivre ça*, se répète-t-il encore ce matin, perdre son fils en même temps que sept de ses petits-enfants, d'un seul coup, de manière aussi sauvage. Elle en aurait sûrement eu le cœur brisé.

Plus tard, cet après-midi-là, Louis se promène sur la rue Racine, sans but véritable. Comme tant d'autres, il a perdu son travail chez Dominion Fish & Fruit et vit uniquement maintenant grâce à la générosité de Georges, dont le coffre-fort bien garni est mis au service de ses enfants et petits-enfants qui en ont besoin. Louis a bien essayé au début de se faire embaucher dans quelques commerces encore ouverts, mais à quoi bon? Il n'y a aucun nouvel emploi à l'horizon, ni à Chicoutimi, ni dans les environs. Louis se promène donc sur la rue Racine tous les après-midi, s'arrêtant dans les endroits publics pour se tenir à l'affût des bonnes affaires pour son père, sentir le vent, écouter, questionner, flairer les opportunités. Il peut ainsi savoir quelles familles de Chicoutimi connaissent de grosses difficultés financières et lesquelles essayent de vendre, parfois à très bas prix, piano, bijoux, terrain, maison, chalet. Lorsque les conditions sont favorables, Louis avertit son père, qui s'arrange alors pour leur faire une offre. Le reste du temps, il flâne en ville, s'arrêtant une heure ou deux chez Richard Warren, son ami dentiste, dont la clientèle se raréfie de semaine en semaine. Il passe aussi chez son ami médecin, William Tremblay, pour voir s'il n'aurait pas un patient à qui il pourrait ajuster la vue et vendre des lunettes. Il se rend également chez son ami Chayer, l'avocat, qui lui confie bien des informations utiles et lui parle des procès qui avortent ou qui sont reportés faute d'argent pour payer les frais d'avocat.

Il rencontre aussi Émile Tremblay qu'il a revu plusieurs fois cet hiver à l'aréna en compagnie de Rose et avec qui il est de plus en plus lié. Depuis quelques mois, il fait d'ailleurs partie des amis, amies, cousins et cousines qui viennent passer la soirée chez eux le samedi soir.

Mais en l'invitant chez lui, Louis aurait-il pu imaginer qu'il laisserait ainsi entrer le loup dans la bergerie ? Comment juger… De nature confiante, Louis a depuis longtemps oublié l'émoi que Rose avait semblé ressentir lors de leur première rencontre. À l'aréna, cet hiver, elle n'a plus jamais laissé paraître quoi que ce soit qui aurait pu provoquer méfiance ou jalousie. Elle semble amicale, sans plus. N'est-elle pas sincère ? Joue-t-elle un jeu ? Comment Louis pourrait-il soupçonner quoi que ce soit ? N'est-il pas le type même du bon gars, mari attentionné, papa gâteau, au service de sa femme et de ses enfants, pratiquement jour et nuit ? Il ne pense pas au mal. Pourquoi y penserait-elle ? Émile est son ami et, s'il n'en tient qu'à lui, il deviendra leur ami à tous les deux, à lui et à Rose. N'est-il pas déjà en train de le devenir ? En toute bonne foi. Sans préjudices pour personne. Ni pour Émile ni pour lui ni pour Rose.

En ce moment même d'ailleurs, Rose a bien d'autres chats à fouetter que de se préoccuper d'Émile Tremblay. Avec ses quatre enfants et la bonne Viola qui ne vient plus que les avant-midi, elle est très occupée. Ce n'est pas tant les tâches de la maison qui l'occupent tellement que les projets qu'elle garde toujours en chantier. Quand ce n'est pas tricoter des chandails, des tuques, des foulards, des bas ou des mitaines pour ses enfants, coudre un costume pour elle-même ou pour Denise, c'est rembourrer un fauteuil, recouvrir un coussin ou réparer un cadre. Très adroite et la tête toujours pleine d'idées, Rose s'est mise dernièrement à la fabrication de meubles à l'aide de pâte à papier qu'elle fait elle-même dans sa cuisine avec des bandes de papier journal, de la farine et de l'eau qu'elle mélange avec ses mains. Patiemment, couche par couche, elle a réussi jusqu'à maintenant à construire une petite bibliothèque de quatre étages, qu'elle a enjolivée ensuite avec de la dorure. Tous ses livres y ont enfin trouvé leur niche dans le boudoir. Depuis quelques semaines, Rose s'est lancé le défi de construire un élégant faux foyer qu'elle compte placer bien en vue dans le salon. Elle complétera le tout avec une large tablette installée au-dessus afin d'y placer de jolies photos des enfants que Louis – toujours un peu atteint par la folie des grandeurs – a envoyé faire développer et encadrer à Paris dans le plus grand raffinement. Qu'aurait pu faire Georges? Sinon payer, comme d'habitude.

Cet après-midi-là, Rose en est à la finition de son faux foyer. Elle dispose d'un peu de temps. Denise est à l'école et les garçons font la sieste dans leur chambre. Elle se demande si elle va y ajouter de la dorure. Ça fait riche et c'est tellement beau. Elle prend une feuille de papier, dessine grossièrement l'ouvrage en quelques exemplaires et, à l'aide d'un crayon de couleur jaune, fait quelques essais. Elle opte finalement pour une large bande, qui fera comme un ruban décoratif, sur tout le contour. Tout en s'appliquant à peindre des lignes parfaites à l'aide d'un pinceau fin et d'une règle, Rose se met à rêvasser à Émile. *Viendra-t-il encore samedi prochain?* se demande-t-elle, songeuse. Elle est si contente lorsqu'il vient faire son tour. Toujours seul, sans sa femme. La première fois, malgré un certain émoi dû à la situation nouvelle, elle s'était rapidement sentie à l'aise, comme si c'était normal que cet homme et Louis soient ensemble auprès d'elle. Comme à l'aréna cet hiver… Quand elle y pense, c'est comme si Émile était entré dans sa vie pour combler un besoin sentimental, bien légitime selon elle, que sa vie de femme mariée et de mère de famille n'arrive pas à lui offrir. Depuis des mois, ne rêve-t-elle un peu tout le temps à lui, en lisant ou en travaillant, se rappelant un regard, un frôlement, un compliment, sans que cela porte réellement à conséquence ? Pourquoi y verrait-elle quelque chose de mal ? Ce n'est qu'un peu de séduction après tout. Ne joue-t-elle pas avec le feu ? Pas encore. Pas vraiment. Si peu… De toute façon, ne voit-elle pas cela régulièrement dans les romans ? Et puis ici, à Chicoutimi même, cela existe, une telle avec un tel, c'est bien connu. Et pourquoi pas ? De toute façon, peut-on empêcher un cœur d'aimer ? Ce n'est certainement pas elle qui le pourrait. Elle qui a tant flirté quand elle était fille, jamais vraiment sérieuse avec les garçons, se laissant aduler, admirer, complimenter, sans avoir besoin de donner grand-chose en retour. Quel plaisir elle ressentait alors, légère et désinvolte ! Libre… L'image de Louis lui revient. Elle secoue la tête, contrariée. Pourquoi souffrirait-il de cela ? Elle est sa femme et elle le restera jusqu'à sa mort, comme elle le lui a promis au pied de l'autel. Mais avec le recul, elle s'est bien aperçue que, d'une certaine façon, il l'avait embobinée. Comment aurait-elle pu résister à une telle entreprise de séduction, les fleurs, les chocolats, les cadeaux, les compliments, les déclarations d'amour, à profusion, tous les jours, pendant deux mois ? C'était comme un puissant fleuve d'amour et d'attentions de toutes sortes qui s'était alors déversé sur elle… Pour sûr, un tel étalage lui était monté à la tête. Louis n'avait eu ensuite qu'à lui passer la bague au doigt ! Et c'est ainsi que son sort en a été jeté pour la vie. Elle voyait tout cela clairement maintenant, mais à quoi bon ? Le mariage n'est-il pas de toute façon un coup de dé ? En ce sens, elle était bien tombée, du bon côté de la société, avec un homme bon qui la protège, la gâte et la fait rire. Elle l'aime, elle aussi, à sa façon. Il ne lui viendrait même pas à l'esprit de changer cela. Surtout maintenant qu'ils ont décidé, tous les deux, de ne plus avoir d'enfants. Avec le petit Maurice qui va avoir un an à la fin de l'été et les trois autres, sa famille est faite. Un vrai soulagement.

Rose entend cogner à la porte de la cuisine. *Ça doit être Tetitte*, se dit-elle en pensant à sa belle-sœur qui passe souvent faire un tour, quoique ce soit habituellement en avant-midi.

— Entre ! lance-t-elle, curieuse de connaître la raison de sa visite. Je suis dans le salon.

Elle entend la porte s'ouvrir et se refermer délicatement.

— C'est moi, c'est Émile, entend-elle d'une voix étouffée.

Rose sursaute et s'interrompt brusquement de peindre. Elle se lève, enlève prestement sa blouse de travail, replace ses cheveux et s'avance dans le corridor :

— Ben voyons donc ! s'exclame-t-elle, étonnée. Émile ! Mais c'est que tu fais ici en plein après-midi ? demande-t-elle en se frottant les mains devant elle, nerveuse. Ti-Louis est pas là.

— C'était toi que je venais voir, Rose, déclare-t-il en s'avançant vers elle.

— Ben voyons, balbutie-t-elle, dépassée par cette situation nouvelle tout à fait imprévue. Les enfants sont couchés en haut. Ç'a pas de bon sens que tu soyes là.

Faisant semblant de rien, Émile s'avance encore :

— Qu'est-ce que tu faisais ? demande-t-il en lui prenant les mains pour les embrasser. Mais t'as les doigts tout tachés de peinture ! s'exclame-t-il en riant un peu.

— Je peinturais le faux foyer, répond-elle en tournant la tête pour regarder son œuvre.

— Entouècas, ça t'empêche pas d'être belle.

Elle le regarde avec coquetterie :

— Tu trouves ? Ah mais..., ajoute-t-elle en se touchant le visage. Je suis même pas arrangée.

— Comment ça, pas arrangée ? Pas besoin…

Il lui fait un grand sourire :

— T'es tout le temps belle, Rose. Tout le temps…

— Faudrait au moins que je serre mes affaires, déclare-t-elle, en répondant à son sourire.

Elle remet le couvercle sur le pot de peinture et le ferme comme il le faut à l'aide d'un petit marteau. Après avoir mis son pinceau à tremper dans un cruchon de térébenthine, elle se tourne vers lui, un peu gênée :

— Bon ben, assis-toi un peu d'abord ! On va jaser.

Alors qu'elle prend place sur le divan, il vient aussitôt s'asseoir juste à côté d'elle :

— Ah! Rose! murmure-t-il en passant son bras derrière son cou sans lui laisser le temps de réagir. J'en pouvais pus d'être jamais tu-seul avec toi, poursuit-il d'un ton enflammé.

Il lui soulève le menton et contemple son visage tout près du sien pendant de longues secondes :

— Ma belle Rose! chuchote-t-il d'une voix chaude, en souriant. J'entends ton cœur battre. Moi aussi, y bat fort mon cœur. Tu l'entends-tu ?

— Oui, je l'entends, balbutie-t-elle.

Sans plus attendre, Émile pose ses lèvres sur celles de Rose et se met à l'embrasser passionnément, en la caressant partout à la fois.

— Enfin, réussit-il à dire en essayant de défaire son corsage, pour lui prendre un sein.

Rose est submergée par les émotions. Tout va si vite. Depuis un an qu'elle le connaît, il ne s'est jamais passé grand-chose. Bien des compliments, quelques déclarations d'amour à l'aréna quand ils se retrouvaient seuls quelques minutes, des regards enflammés, quelques caresses au passage pendant les soirées du samedi. Et maintenant… Elle essaie tant bien que mal de l'empêcher d'aller plus loin. Elle pense à Ti-Louis et se secoue comme elle le peut :

— Bon, bon… Émile. C'est assez là! T'as pas le droit de venir comme ça chez nous… Si fallait que quéqu'un arrive…

Elle tente de s'éloigner un peu de lui, retouchant ses cheveux avec les mains. Au même moment, la porte de la cuisine s'ouvre.

— Maman! Où ce que t'es? demande une petite voix enfantine. La maîtresse nous a donné congé…

— Mon Dieu Seigneur! C'est Denise! murmure-t-elle en se levant, rajustant sa tenue aussi vite qu'elle le peut. Je suis dans le salon, lance-t-elle d'une voix forte.

Denise arrive en courant avec une feuille dans les mains:

— Regarde maman!

Elle s'arrête aussitôt, figée dans son élan devant cet homme debout près de sa mère dans le salon. Elle le fixe quelques secondes, les lèvres serrées, puis jette un regard sévère sur sa mère dont les joues sont rouges et les cheveux décoiffés. Ne sachant plus quoi penser, elle se sauve en grimpant les marches jusqu'à sa chambre.

C'est qu'y fait là dans le salon avec maman, ce mautadit-là? se demande-t-elle, furieuse, en se jetant sur son lit. Bien sûr, elle l'a reconnu. Il vient le samedi soir depuis un bout de temps. *Le mautadit malavenant,* se répète-t-elle, fâchée. Son père a pourtant l'air toujours content de le voir arriver. *Pauvre papa,* songe-t-elle. *Je pourrais jamais lui dire ça...* Lui dire quoi? Elle ne sait plus quoi penser. Avec soulagement, elle entend ses petits frères se réveiller. La porte en bas s'est refermée et sa mère monte l'escalier en vitesse. Elle se tient à la porte de la chambre de Denise, avec un air désolé:

— C'était un ami de ton père, explique-t-elle en tentant de donner à sa voix un ton dégagé. Y voulait le voir, pis là y est reparti.

Denise regarde sa mère sans parler, les yeux remplis de reproche. Quand bien même elle essaierait de lui faire croire que c'était normal, tantôt ce qui se passait, elle était bien trop mal à l'aise pour que ce soit correct. Sa mère lui rend son regard sans rien ajouter. Se détournant de sa fille, elle se dirige vers la chambre des garçons qui l'appellent.

Chapitre 6

Rose marche lentement sur la rue Racine en tenant sa fille par la main. Quelques semaines ont passé depuis que Denise l'a surprise avec Émile. Embarrassées toutes les deux, elles n'en ont jamais reparlé. *A va oublier ça*, s'est dit Rose. *C'est juste une enfant.* Mais elle, va-t-elle réussir à oublier cette étreinte passionnée ? Rien n'est moins sûr. À tout moment, le souvenir de ce long baiser échangé dans l'intimité de son foyer ravive le trouble ressenti, faisant naître en elle une bouffée de sensualité qu'elle se reproche aussitôt d'éprouver. Pour toutes sortes de raisons, elle est inquiète. Pour elle, pour Louis, pour Émile. Elle ne l'a pas revu depuis ce fameux jour, mais Louis continue de le rencontrer en ville les après-midi et de lui parler. Ce n'est qu'une question de temps avant qu'il se présente de nouveau un bon samedi soir à la maison. Comment arrivera-t-elle à faire comme si de rien n'était ?

Heureusement, la vie continue et aujourd'hui, en ce bel après-midi de juin, Rose amène simplement sa fille visiter ses parents à Sainte-Anne, de l'autre côté de la rivière Saguenay. En ce moment même, elle n'a d'ailleurs en tête que la révolte qu'elle ressent d'être obligée de marcher jusqu'au traversier. Six sous pour son droit de passage à elle et deux sous pour Denise, *c'est pas ça qui va nous ruiner en tout cas*, se récrie Rose intérieurement, encore offusquée que son beau-père ait coupé dans les dépenses de taxi en raison de la crise. Si, au moins, il s'était contenté de vendre l'automobile de Louis, cela se comprendrait! Louis ne travaille plus, l'essence est rare et son coût, prohibitif. Mais les taxis... «Du gaspillage», a décrété Georges, ajoutant chaque fois à qui veut bien l'entendre que marcher n'a jamais fait mourir personne. N'est-il pas un modèle vivant de ce qu'il avance?

Sur le bateau ce jour-là, le chaud soleil de juin réchauffe Rose et Denise sans arriver toutefois à leur faire oublier le petit vent frisquet qui sévit toujours sur la rivière. Prévoyante, Rose a apporté ce qu'il faut, deux chandails de laine bien chauds, qu'elle a tricotés elle-même, qui s'agencent bien avec ce qu'elles portent et qui leur vont à ravir.

— Tiens-toi pas trop proche du bord, conseille-t-elle à sa fille. Tu pourrais attraper la grippe. Viens ici, à côté de moi! Vois-tu, ici c'est plus chaud, on a moins de vent.

Obéissante, Denise s'assoit sur un petit banc près de sa mère, le long du mur de la capitainerie. En montant à bord, Rose n'a pas manqué de saluer son beau-frère, Cyrias Pilote, pilote attitré du traversier depuis la retraite de son père, au nom prédestiné. Il est chanceux d'avoir gardé son emploi; le traversier est un service essentiel. Mais cela achève. Bientôt, dès le printemps prochain en fait, les travaux de construction du pont vont débuter. Depuis la mise en service du barrage d'Isle-Maligne à Alma en 1926, le gouvernement a enfin compris qu'un pont servant à relier les deux rives en toutes saisons est devenu une nécessité. Le débit de l'eau est devenu trop variable, retardant la construction des ponts de glace l'hiver, ce qui allonge beaucoup trop l'isolement du village de Sainte-Anne. Avec la crise qui sévit, un gros projet public comme celui-là s'avère essentiel. L'ouvrage, évalué à huit cent mille dollars, va amener du travail pour plusieurs hommes, les pères de famille en premier lieu. Louis espère se faire engager. Il a entendu dire que la compagnie responsable du projet sera une entreprise anglaise, la Dominion Company. Ils auront sûrement besoin d'employés bilingues.

Sitôt débarquées du bateau, Rose et Denise s'arrêtent comme d'habitude chez Mimine, la sœur de Rose, qui reste tout près du quai de Sainte-Anne, dans une maison mise à la disposition de son mari en tant que pilote du traversier. Rose et Mimine sont restées très proches l'une de l'autre. Leurs rencontres se passent toujours à peu près de la même façon. Elles parlent de la famille, de ce qui se passe chez l'une ou l'autre de leurs sœurs, de certains beaux-frères dont elles ont toujours quelque chose à redire ou à se moquer. Elles parlent aussi de leur jeune frère, Gonzague qui, à vingt-deux ans, semble ne jamais vouloir quitter les jupes de leur mère. Elles commentent la température et finissent toujours par s'épancher sur leurs petits ennuis respectifs de santé, surtout Rose qui a toujours quelque chose de possiblement plus grave, plus désagréable, plus douloureux que n'importe qui. Denise les écoute en s'occupant un peu de ses deux petits cousins de trois ans et un an, Léo et Gaby. Rose confie finalement à sa sœur ses inquiétudes à propos de la santé de sa fille :

— Denise est encore tombée en confusion l'autre soir en s'endormant.

— Pauv'tite fille, fait Mimine, compatissante.

— Ah! Selon le Dr Duperré, c'est pas si grave que ça… Mais c'est inquiétant quand même. Pis c'est ben contrariant aussi. C'est rendu que Ti-Louis pis moi, on ose pus sortir le soir. On a ben que trop peur qu'a fasse une crise pendant qu'on serait pas là.

— C'est sûr que ta gardienne, a saurait pas quoi faire.

— Entouècas, c'est un peu pour ça que je viens voir maman…

Elles entendent alors le *buggy* de leur père s'arrêter près de la galerie avec son attelage de deux chevaux. Il vient chercher Rose et Denise pour les ramener avec lui, tout en haut de la côte Sainte-Anne, chez eux, au coin de la rue de la Croix. Sa femme les y attend.

Après avoir salué sa tante, Denise s'assoit toute seule derrière son grand-père qui lui fait un bref salut de la tête. Elle ne se sent pas très à l'aise avec cet homme peu communicatif qui ne semble pas beaucoup aimer les enfants, et elle est soulagée de voir sa mère monter à son tour. De toute façon, les voyages en *buggy*, Denise craint toujours un peu cela. Depuis qu'elle est toute petite, elle a le mal des transports. L'été, en *buggy*, c'est pire. *Les chevaux sentent la crotte*, se plaint-elle chaque fois, et cela lui donne encore plus mal au cœur. Sa mère est habituée. C'est pratiquement depuis sa naissance que Denise vomit quand elle voyage. Elle n'avait pas encore un mois lorsque Rose l'avait amenée en train jusqu'à Kénogami chez sa belle-sœur, Jeanne, et elle avait vomi pendant tout le trajet. En automobile, par la suite, même chose, presque toujours malade. À tel point que Rose voyage toujours maintenant avec une débarbouillette humide, au cas où elle aurait à lui nettoyer ensuite la bouche.

Arrivées dans la cour arrière de la maison, Rose et Denise s'empressent de sauter par terre, secouant leurs vêtements, un peu dédaigneuses toutes les deux de toute la poussière soulevée par les sabots des chevaux.

— Grand-maman! s'exclame Denise en courant vers sa grand-mère, Louise, assise sur la galerie à les attendre.

— Ma petite-fille! répond celle-ci en ouvrant ses bras pour l'accueillir.

Elles s'embrassent et restent un moment serrées l'une contre l'autre. Rose regarde sa mère avec désapprobation:

— Vous auriez pu au moins vous mettre une robe qu'y a du bon sens su'l dos. Vous le saviez qu'on venait.

Denise se serre encore plus fort contre sa grand-mère. Elle déteste quand sa mère la critique ainsi, elle, si douce, si aimable, si gentille. Quelle importance comment elle est habillée? Quand sa mère est brusque avec elle, Denise sent son cœur s'attendrir. C'est à sa grand-mère qu'elle aimerait ressembler plus tard et non pas à sa mère, qui a tendance à rabrouer les gens et à leur envoyer leurs quatre vérités en pleine face.

— Inquiète-toi pas pour moi, ma petite-fille, fait la grand-mère, qui en a vu d'autres.

Elle se lève:

— Chus habituée à ta mère…, dit-elle en haussant les épaules. C'est ma fille!

Elle pénètre dans la maison, suivie de Denise et de Rose, et va vers le comptoir de cuisine. Elle saisit une boîte en fer-blanc qu'elle ouvre et tend à sa petite-fille :

— Tiens, ma belle Denise ! Prends-toi un bon morceau de sucre à crème !

Denise avance la main, mais reste hésitante.

— Oui, oui, prends-en deux, si tu veux !

Elle en offre un à sa fille :

— Tiens, Rose !

Elles restent là un moment toutes les trois à savourer leur friandise, puis Louise demande :

— Voudrais-tu colorier, ma belle enfant ?

— Oh oui grand-maman !

Denise s'assoit à la table. Devant elle, de grandes feuilles de papier et une trousse de crayons de couleur sont déjà préparées. Aussitôt, elle se met à dessiner un arbre.

— Bon ben astheure, Rose, paraît que tu voulais me parler de quequ'chose ? demande Louise à sa fille.

En quelques mots, elle explique à sa mère que Denise est encore tombée en confusion. Rose se fie énormément aux connaissances de sa mère. Elle connaît tous les remèdes et les recettes naturelles à base de plantes qui existent. Elle a tout appris de sa propre mère, qui était une sage-femme. On la demandait souvent pour soigner des gens ou aider lors des accouchements.

— Avait-tu mangé quequ'chose de lourd à digérer? demande-t-elle à Rose.

— Du rôti de porc, mais c'était pas la première fois qu'elle en mangeait.

— L'estomac est pas toujours dans le même état, explique-t-elle. Des fois, on digère moins bien des aliments qu'on digère normalement sans problème. Ça dépend de ben des affaires… Des fois, c'est le mélange de toute ce qu'on a mangé en même temps qui fait pas.

— Pauv'tite fille… c'est qu'on va faire avec ça? se lamente Rose.

— C'est peut-être son foie qui est lent.

La grand-mère ouvre la porte d'une armoire et en sort deux bocaux. Elle ouvre l'un des bocaux et en sort des fleurs de chardon séchées qu'elle enveloppe dans un morceau de papier qu'elle plie soigneusement.

— Tiens! Tu y feras boire des tisanes avec ça c'te semaine après souper. Si ça fait pas, ajoute-t-elle en indiquant le deuxième bocal, on essayera les racines de pissenlit la semaine prochaine.

Rose prend la petite enveloppe et la glisse avec précaution dans son sac à main:

— Merci maman. J'vas le faire sans faute. Mais sais-tu ce que j'ai pensé, moi? Je voudrais l'amener à l'ermitage de Saint-Antoine au Lac-Bouchette. On sait jamais. Des fois, un miracle, ça se peut…

— Ah ben! raille la grand-mère. Regarde donc qui c'est qui dit ça! On aura tout entendu! Toi qui ris tout le temps de ça…

— Pas tout le temps! se défend Rose. Là, c'est pas pareil. C'est pour guérir Denise.

La grand-mère regarde sa petite-fille avec tendresse :

— Ouais, c'est sûr que ça y ferait sûrement pas de tort. On sait jamais, comme tu dis.

Les deux femmes se mettent ensuite à parler de la famille, de la température, des petites nouvelles concernant les tantes de Rose, les sœurs de sa mère, toutes mariées à des hommes riches et qui vivent dans de grosses maisons. Ce qui surprend toujours Rose, c'est la grande humilité de sa mère qui n'a jamais un mot de jalousie envers elles. Dans le fond, Rose envie le bonheur de sa mère qui a fait un mariage d'amour avec son père, François, et qui s'est toujours contentée de la vie qu'ils ont menée ensemble. En ce qui la concerne, elle, la vie a l'air de vouloir devenir tellement plus compliquée...

— Pis toi, Denise, comment ça va à l'école? demande la grand-mère. Penses-tu d'avoir un beau bulletin de fin d'année?

— Oui, grand-maman.

— Ah! Denise a pas de problème de ce côté-là, confirme Rose. Elle apprend facilement pis elle adore sa maîtresse, Mme Gagné.

— Comment ça, une femme mariée qui enseigne ? La loi est-tu changée ?

— Non, non. C'est une veuve. En perdant son mari, a l'a retrouvé son droit d'enseigner.

— Ah oui ! C'est vrai. Toute une compensation !

— Voulez-vous voir mon dessin ? demande Denise.

Sans attendre la réponse, elle soulève la feuille devant elles. On peut y voir une maison, des arbres, des personnages. Les deux femmes la félicitent.

Lorsqu'elles se quittent finalement, tout le monde est de bonne humeur. Même le père, François qui, de bonne grâce, va les ramener au traversier, affiche un petit sourire aux lèvres. Il est vrai que le chaud soleil de juin peut dérider les plus coriaces.

Le soir dans leur chambre, Rose informe son mari de la recette de plante que sa mère lui a conseillé de faire boire en décoction à sa fille. «A va commencer demain et on verra bien.» Elle lui fait part également de son idée :

— Je veux monter au Lac-Bouchette pour prier saint Antoine de la guérir.

— Eh ben ! s'exclame Louis. Toi qui dis tout le temps que c'est juste des niaiseries ces affaires-là.

— Oui mais là, y me semble que c'est ce qui faut que je fasse, déclare Rose en commençant à se déshabiller pour la nuit. C'est le 13 juin, la cérémonie officielle de la fête de saint Antoine.

Louis regarde le calendrier :

— Ouais, ç'a du bon sens… Le 13, c'est vendredi de la semaine prochaine.

— Quoi ? lance Rose, alarmée. Es-tu fou ? Un vendredi ?

Elle le regarde, affolée :

— Moi, aller là, un vendredi 13 ? Jamais ! Eille ! C'est ben que trop malchanceux.

— Hé que t'es drôle avec tes superstitions ! s'esclaffe Louis. Pis, c'est que tu vas faire d'abord ?

— J'vas y aller quand même, mais un autre jour ! Penses-tu que Tetitte voudrait venir avec moi ?

— Je vois pas pourquoi qu'a voudrait pas y aller. Pendant ce temps-là, moi, je garderais les enfants chez papa.

Rose enfile sa chemise de nuit et s'assoit sur le bord du lit :

— C'est ben mieux de même dans le fond, se rassure-t-elle. Le jour de la fête, y aurait eu trop de monde. Là, on va avoir saint Antoine quasiment juste pour nous autres. On aura plus de chances d'être exaucées.

— C'pas à cause, répond Louis. Bon ben, je redescends, moi. J'vas aller écouter un peu la radio. On parle d'élection fédérale pour le mois prochain. Ça va barder, j'cré ben, avec la crise.

Il embrasse Rose qui s'installe dans le lit avec un livre.

— À demain ! J'vas faire attention quand j'vas remonter pour pas te réveiller.

Demeurée seule, Rose pense à son prochain pèlerinage. Elle y met bien des espérances. Bien sûr qu'elle y va surtout pour la guérison de sa fille, c'est la raison première, mais elle y va aussi pour que saint Antoine l'aide, elle. Depuis ce fameux baiser avec Émile, sa vie est devenue plus difficile. Avant cela, c'était comme un petit jeu de séduction entre elle et Émile, une petite amourette sans conséquence. Elle n'y voyait qu'un bel agrément de la vie. Mais là... «Saint Antoine, aidez-moi», murmure-t-elle en levant les yeux vers le plafond de la chambre. Peu portée à prier ni à se tourmenter très longtemps, Rose ouvre ensuite son livre et commence à lire.

Deux semaines plus tard, Rose et Denise débarquent du train à la gare de Lac-Bouchette, en compagnie de sa belle-sœur Tetitte et de Jean, son aîné. La journée est splendide. Elles font signe à l'un des conducteurs de carriole qui attendent les passagers de les amener jusqu'au site de l'ermitage. Georges leur a donné ce qu'il faut pour payer les trajets aller-retour. En arrivant, elles sont enchantées par ce qu'elles découvrent. Le site est maintenant beaucoup plus grand, plus imposant, depuis que les frères mineurs Capucins en ont pris la charge au cours des dernières années. Dès l'entrée, elles reconnaissent le calvaire sculpté par Louis Jobin et peint par Charles Huot, des artistes régionaux. On y voit Jésus sur la croix entouré des deux larrons. Devant eux se trouvent trois personnages présents au moment où Jésus rendait l'âme: Marie sa mère, l'apôtre Jean et la convertie Marie-Madeleine accroupie en pleurs au pied de la croix. Sans s'attarder, Rose et Tetitte entrent ensuite un moment dans la chapelle dédiée à Notre-Dame et qui est ornée de tableaux peints par Charles Huot représentant les principaux miracles attribués à saint

Antoine. Rose s'approche et regarde attentivement les détails des toiles en se disant qu'un bon jour, elle se mettra sûrement à la peinture.

— C'est beau, hen ! s'exclame Tetitte à voix basse.

— Très beau, admet Rose.

Les deux femmes sortent de la chapelle et s'engagent ensuite sur le chemin qui mène de l'autre côté du site. Elles marchent lentement à l'ombre des grands arbres, profitant de la fraîcheur qui y règne. Denise et Jean courent et sautillent au-devant d'elles, Jean essayant de s'accrocher aux branches des arbres afin d'impressionner sa cousine.

— Regarde maman, le grand escalier ! s'exclame Jean qui s'y élance aussitôt, suivi de Denise qui, hésitante, se tourne vers sa mère.

— Non, non, Denise, reste ici ! ordonne Rose à sa fille. On va juste le regarder.

Rose s'approche de l'affiche.

— C'est la Scala Santa, lit-elle, un escalier de vingt-huit marches qui reproduit celui que le Christ a monté lors de sa condamnation par Pilate. C'est nouveau, commente-t-elle. Y a été construit en 1926. C'est pour ça qu'on l'a jamais vu.

— On va-tu voir le chemin de croix en haut ? demande Tetitte.

— Pas besoin, répond Rose. On l'a déjà vu.

— Oui, mais c'est tellement beau, riposte Tetitte.

Il est vrai que les quarante-trois personnages en pierre calcaire grandeur nature sculptés par Rodolphe Goffin et Anselme Delwaide, des marbriers et sculpteurs belges installés depuis des années dans la région, forment un chemin de croix vraiment inspirant. Les quatorze stations racontent la passion du Christ, sa montée au Golgotha, ses trois chutes, la crucifixion, la mort, jusqu'à la mise au tombeau.

— Moi, c'est la grotte surtout que je veux voir, tranche Rose, autoritaire. On n'a pas autant de temps que ça, tu sais ben. Si on veut attraper le train de trois heures, faut avancer.

Elles se dirigent donc vers la grotte qui a été construite sur le modèle de celle de Lourdes, en six fois plus petite. Une statue de la petite Bernadette en prière à genoux devant celle de Marie, nichée au-dessus, confirme la ressemblance recherchée.

— Y a eu un vrai miracle ici, explique Rose aux deux enfants. Un monsieur qui, en se mettant les mains dans cette eau-là, a guéri d'un cancer. Par miracle, répète-t-elle.

— C'est quoi un miracle ? demande Denise, intriguée.

Rose retrouve ses réflexes de pédagogue, s'efforçant de bien expliquer :

— C'est quelque chose de positif qui arrive, comme une guérison mettons, mais qu'on peut pas expliquer. Dans ce temps-là, on dit que c'est un miracle.

Elle poursuit comme si elle s'adressait à une classe :

— Saint Antoine a fait des miracles toute sa vie. Quand y est mort, paraît que le jour même, des dizaines de miracles sont survenus un peu partout spontanément. C'est pour ça qu'il y a cet ermitage. Les gens viennent ici prier pour que saint Antoine fasse un miracle pour eux autres.

— Pis c'est pas juste pour des guérisons, ajoute Tetitte. Des fois, c'est pour trouver une job ou des fois c'est pour qu'y arrange quequ'chose qui va mal.

— Ouais c'est sûr, confirme Rose. Mais le plus souvent, les gens prient saint Antoine juste pour qu'y les aide à trouver quequ'chose qu'y ont perdu.

— Ça c'est vrai, confirme Tetitte. Tout le monde y demande de retrouver quequ'chose qu'y retrouve pus.

— Ah, soupire Rose. Y a ben de l'ouvrage, pauvre saint Antoine… Bon ben, venez les enfants! ajoute-t-elle. On va aller su'l bord de la grotte.

Il a plu fort la veille et l'eau s'est accumulée sur la pierre. Les deux enfants, excités, enlèvent leurs souliers et leurs bas et glissent leurs pieds sur l'eau qui recouvre le fond de la grotte. Après la marche et les jeux, la chaleur du soleil qui plombe fort sur eux, c'est un vrai bonheur de se rafraîchir ainsi. Ils s'amusent pendant quelques minutes à battre des pieds et à s'arroser un peu les jambes. *Si c'est l'eau de la grotte qui fait des miracles*, se dit Rose, *Denise va guérir certain, mouillée de même!* Inquiète de ne pas en faire assez, Rose fait une courte prière implorant saint Antoine d'accomplir le miracle attendu et de guérir sa fille de ses confusions.

— Je suis sûre qu'est guérie, affirme-t-elle tout à coup.

— Comment tu sais ça? lance Tetitte, sceptique.

— On dirait que j'ai senti quequ'chose par en dedans. Ça se décrit pas, mais je suis sûre.

— On aura tout vu, réplique Tetitte, qui a toujours trouvé sa belle-sœur extravagante.

Tetitte se lève et s'éloigne un peu vers la statue de saint Michel-Archange juchée sur un rocher un peu plus loin. *Celui-là, y est pas à prendre avec des pincettes*, se dit-elle en contemplant sa longue épée de combat qui terrasse le démon à ses pieds.

Restée seule un moment, Rose se souvient de son second désir tout aussi important pour elle et pour sa famille. S'écartant légèrement des deux enfants, elle trempe ses mains dans l'eau et se mouille discrètement les avant-bras. Avec ses mains encore humides, elle touche doucement son cou, son visage, sa bouche, s'adressant en même temps à saint Antoine : *Vous qui êtes le plus grand faiseur de miracles qui existe dans le monde entier !* lui déclare-t-elle dans son for intérieur. *Vous qui trouvez tout ce qu'on cherche, tout le temps !* poursuit-elle, inspirée. *Aidez-moi à trouver comment me sortir de cette histoire-là !* finit-elle par dire simplement.

Confiante, Rose revient ensuite auprès des enfants :

— Mettez vos souliers, là ! On va aller visiter la chapelle en haut de la grotte.

Elle aide Denise et Jean à s'assécher les pieds en leur expliquant que la chapelle qu'ils vont voir est une réplique plus petite de celle de Massabielle à Lourdes.

— On va pouvoir passer devant le chemin de croix! se réjouit Tetitte qui revient vers eux.

— Ben oui. C'est plaisant dans le fond, acquiesce Rose. Ça aurait été de valeur de venir jusqu'ici, pis de pas avoir tout vu.

Elle regarde la montre que Louis lui a prêtée avant de partir :

— On a une demi-heure, ajoute-t-elle. Après, ça va être le train, pis le retour à Chicoutimi.

Chapitre 7

Comme presque tous les samedis soir, Louis et Rose reçoivent du monde à la maison. Le mois de juillet est très chaud cette année, les deux derniers jours ont été particulièrement torrides. Depuis quelques heures, portes et fenêtres sont grandes ouvertes et un bienfaisant courant d'air de fin de soirée circule maintenant entre les pièces. L'ami de Louis, Chayer, est présent. Avec sa verve d'avocat, il disserte sur le thème de l'heure : les élections fédérales. Fernande Lessard, une amie du couple, est arrivée par surprise. Elle revient de voyage et raconte que son retour d'Europe en paquebot lui a fait vivre un vrai cauchemar. Elle a eu à affronter la pire tempête au monde, relate-t-elle, ce qui l'a jetée – pas seulement elle, mais également tous les passagers – au lit pendant deux jours, tous malades comme des chiens. Malgré tout, selon elle, la beauté des villes, des musées et des paysages découverts en Angleterre compensait amplement ce gros inconvénient. En l'écoutant, Rose se voit elle aussi un jour partir visiter les pays d'Europe. Elle ira c'est certain, elle s'en fait une fois de plus la promesse. Une autre amie du couple, Anna-Marie Laforest, une vieille fille excentrique, s'est installée au piano en arrivant. Elle joue des airs à la mode en participant de façon sporadique aux conversations, s'interrompant à tout moment pour s'esclaffer, recommençant ensuite à pianoter comme si de rien n'était. Rose la regarde, satisfaite. Elle est si heureuse d'avoir enfin un piano bien à elle. C'est le troisième que son beau-père entreposait dans leur maison après l'avoir saisi. Les deux premiers n'étaient restés que quelques semaines chacun. Chaque fois, malgré sa déception de le voir le reprendre, Rose ne disait rien. Mais la dernière fois, dès que son beau-père est arrivé et qu'il a fait mine de regarder le piano, Rose s'est brusquement opposée, insistant pour le conserver afin de faire suivre des cours à sa fille. Devant la volonté de sa bru, Georges n'a pu que s'incliner. Rose a vu cela comme une victoire. Depuis quelque temps, elle commence à reconnaître sa force. Elle a du caractère, celui d'une reine qu'ils disent pour se moquer, mais justement… Elle ne s'en laisse plus imposer par tout un chacun comme lors de son arrivée dans la famille Bergeron alors qu'elle n'avait que vingt ans.

Depuis son pèlerinage le mois dernier, les choses vont mieux pour Denise et c'est un grand soulagement pour elle. Aucune crise depuis le jour où la fillette a trempé ses pieds dans l'eau de la grotte. Les tisanes de sa mère ont peut-être aidé, mais elle voit plutôt cela comme un miracle de saint Antoine dont la statue, achetée par Louis à l'oratoire Saint-Joseph en plein voyage de noces, trône depuis ce jour sur la tablette au-dessus du faux foyer dans le salon. Elle se sent sous sa protection. D'ailleurs, pour elle aussi, cela va mieux. On dirait que saint Antoine a réglé son gros problème en faisant tout simplement disparaître Émile de sa vie et de celle de Louis. C'est un fait! Elle ne l'a plus jamais revu depuis, ni ici ni ailleurs. Détendue, un verre de gin à la main, Rose n'en est donc que plus étonnée de le voir soudain surgir dans l'embrasure de la porte, habillé comme une carte de mode, un gros bouquet de fleurs dans les mains et un sourire un peu gêné aux lèvres. Aussitôt, Louis s'élance vers son ami, heureux de le revoir après plusieurs semaines d'absence, ignorant le trouble que sa présence fait naître chez sa femme.

— Viens! Rentre Émile! fait-il. Où ce que t'étais passé, veux-tu ben me dire?

— J'ai eu ben de l'ouvrage, explique-t-il. Pis faut dire que ma femme pis moi, on était partis au chalet avec les enfants depuis que'ques semaines.

— Ouais… Toi, la crise, ç'a pas l'air trop pire, ironise Louis.

— Ah mais tu sais, quand on vend de la bière…, répond-il d'un ton moqueur. On en vend autant quand le monde travaille pus. Faut dire qu'y ont juste plus de temps pour boire, s'esclaffe-t-il.

Ils rient tous les deux, imité par Chayer et les autres.

— Entouècas, on est ben contents de te voir, hen Rose!

— Oui, oui, fait-elle en lui prenant les fleurs des mains. Merci, ajoute-t-elle en se forçant à sourire. Bon ben, astheure, j'vas aller les mettre dans l'eau si on veut pas qu'a meurent.

Rose est contente de pouvoir aller se réfugier quelques minutes toute seule à la cuisine pour se remettre de la forte émotion qu'elle a éprouvée en revoyant Émile. Elle s'appuie au comptoir, alors que son cœur bat la chamade. Que va-t-elle donc pouvoir faire? Elle s'est juré que les choses n'iraient pas plus loin avec lui, qu'il fallait que cela redevienne comme avant et c'est la seule chose qu'elle doit s'efforcer de faire.

Elle commence à enlever lentement le papier qui enveloppe les fleurs et, peu à peu, elle se met à respirer un peu mieux, jusqu'à ce qu'elle entende quelqu'un arriver derrière elle.

— Je voulais te dire, Rose…

Émile parle à voix basse et c'est comme s'il essayait de recréer entre elle et lui cette intimité forcée qui la met tout à l'envers.

— Parle pas, réplique Rose sans se retourner, continuant de jouer machinalement avec les fleurs.

— Non, non, insiste Émile, contrit, faut que je te dise…

Sans parler, Rose marche vers la salle à manger pour y récupérer un vase en verre taillé qui trône au centre de la table. Elle revient, ouvre le robinet et remplit le vase d'eau, gardant ses yeux fixés sur celui-ci.

— Je m'excuse d'être venu l'autre après-midi, Rose. C'était pas correct de ma part.

Silencieuse, Rose pose le vase sur le comptoir et y met les fleurs.

— Je suis allé trop loin… Je recommencerai pus, promis.

Rose sent son cœur cogner dans sa poitrine. Elle sait bien que sa volonté n'est pas vraiment en harmonie avec ce qu'elle ressent. Mais c'est sa volonté qui doit gagner.

— On peut juste être amis, toi pis moi, finit-elle par dire sans le regarder. Pas plus que ça, jamais. Pis en plus, va tout le temps falloir que Ti-Louis soye avec nous autres.

— Promis, ma belle Rose.

— Va jamais falloir qu'on soye toué deux tu-seuls, t'as-tu compris ? insiste-t-elle.

— Oui, j'ai compris. J'vas juste être ton ami.

— Notre ami, précise-t-elle, à moi pis à Ti-Louis. Pas plus !

— Promis, répète-t-il.

— Bon ben astheure, retourne avec les autres dans le salon, ordonne-t-elle. J'vas revenir tu-suite après. Là, faut que j'aille aux *closets*.

Réfugiée aux toilettes, Rose se sent comme une étrangère en repensant à ce qui vient de survenir. C'est pourtant elle qui a parlé, qui a dit à cet homme qui la trouble que rien d'autre que l'amitié ne pouvait être envisagé entre elle et lui. Seule à présent, elle se rend compte que le pire est passé. Elle a fait ce qu'il fallait qu'elle fasse. Elle se lave les mains et lève les yeux sur son reflet dans le miroir. Ce visage déçu qui la regarde, c'est elle. Lentement, elle s'essuie les mains, se demandant comment elle pourra réussir à tenir ferme la position qu'elle vient de prendre, malgré ces émotions qui l'habitent quand il est près d'elle. Elle soupire. On verra bien… Peut-être que l'amitié va réellement s'imposer après tout… Et puis… *Perdre le nord*, se dit-elle, *c'est pas mon genre !* Trop raisonnable. Elle hausse les épaules, se forçant à sourire à son reflet avec désinvolture. Elle retouche légèrement sa coiffure, se remet un peu de rouge à lèvres, en étale un peu sur ses joues pour se redonner des couleurs, et retourne dans la cuisine prendre la petite collation qu'elle a préparée pour ses invités afin de l'apporter au salon.

Au salon, les hommes discutent, boivent, fument. L'atmosphère semble électrique. Rose dépose l'assiette de pain et fromage sur la table à café devant les hommes :

— Servez-vous, lance-t-elle avec un beau sourire à son mari, sans même jeter un coup d'œil à Émile.

Sur le piano, elle retrouve son verre de gin et s'assoit près d'Anna-Marie qui placote de choses et d'autres avec Fernande tout en pianotant. Les hommes parlent fort et on ne peut s'empêcher de les entendre. Depuis la fin du mois de juin, la campagne électorale bat son plein. Malgré le manque d'intérêt de plusieurs en raison de l'été qui dure si peu longtemps et dont tout le monde veut profiter au maximum, les gens souhaitent du changement. Le taux de chômage a doublé depuis l'année passée dans la province. Il s'établit à près de 15 % depuis le printemps et il semble augmenter sans cesse. Au Saguenay−Lac-Saint-Jean, c'est pire. À Chicoutimi, encore bien pire. La pauvreté est véritablement installée dans la ville. Presque huit hommes sur dix n'ont plus d'emploi. Au fédéral, les libéraux de Mackenzie King sont au pouvoir depuis 1921. Ce sont eux qui endossent actuellement, dans l'opinion publique, la responsabilité de la crise qui sévit partout dans le monde. Empêtrés dans différents scandales après presque dix ans de règne, ils vont d'une gaffe à l'autre, laissant le chef des conservateurs, Richard Bennett, prendre toute la place dans l'espérance des gens. En début de campagne, Bennett a promis, la main sur le cœur, qu'il donnerait du travail à tous les Canadiens, « *dût-il en périr s'il échouait* ». Une déclaration qui a fait mouche. Il a aussi promis d'instaurer une politique protectionniste pour les cultivateurs, très populaire au Québec, notamment dans la région du lac Saint-Jean, qui connaît l'un des pires étés depuis sa fondation. Et que dire des provinces de l'Ouest, où l'agriculture est au cœur des préoccupations de la majorité des gens ? Bennett promet de suspendre toute forme d'immigration. Le vote aura lieu lundi, dans deux jours. C'est la première fois que la radio joue un rôle dans des élections. Depuis un mois, les Canadiens ont pu entendre des messages, des débats et des discours politiques, de la part des candidats locaux et nationaux. Le comté de Chicoutimi est libéral depuis 1917. C'est Alfred Dubuc, bien connu comme fondateur de la Pulperie, dorénavant fermée, qui est député libéral indépendant depuis 1925. Le Parti libéral va encore lui opposer un candidat, les conservateurs aussi, bien sûr, mais la popularité de Dubuc est grande. Il est presque assuré d'être réélu.

— Si Bennett est élu, on va se ramasser dans l'opposition, s'inquiète Louis. Y me semble que ce serait ben mieux d'être du bon bord si on veut que le gouvernement nous aide, plaide-t-il.

— C'est sûr que s'y font des programmes pour aider le monde, y pourront jamais exclure certaines parties du pays, juste parce qu'y auront pas voté du bon bord, déclare Chayer.

— Pas en pleine crise, c'est sûr, admet Louis.

— Entouècas, nous autres, on n'est pas dans misère, déclare Émile, manifestement soulagé d'avoir pu conserver son travail de gérant de la Molson. Vous autres non plus, visiblement ! ajoute-t-il en levant son verre à la compagnie.

— Je te dis que c'est pas ce que nous raconte mon beau-frère, le Dr Duperré, réplique Louis, sérieux tout à coup. Lui, des pauvres, y voit juste de ça depuis quasiment un an.

Le manque de nourriture, de soins, de chauffage dans les maisons, ça cause toutes sortes de maladies, des grippes, des pneumonies. Des cas de tuberculose, y'en a en masse. Des morts, surtout des enfants. Pis en plus, y a quasiment pus personne qui est capable de le payer…

— Faudrait que le gouvernement se grouille le cul pis qu'y aide le monde, lance Chayer. Pas juste le fédéral, mais le provincial aussi.

— Ouais, acquiesce Louis. Faudrait qu'y donnent de l'argent au monde. Ç'a pas de bon sens, ces temps-ci, le monde crève. Y'ont pus une maudite cenne. Pis c'est l'été, c'est moins dur. Imaginez-vous quand ça va être l'hiver !

— Faudrait qu'y partent des chantiers de travaux publics, ça presse, plaide Chayer. Pas rien que le pont de Sainte-Anne, là ! D'autres gros projets d'envergure, partout dans ville, pour faire travailler le monde.

— C'est dans ce temps-là qu'un gouvernement sert à quequ'chose, reconnaît Émile.

— Entouècas, y'en a qui vont en profiter en batinse ! confie Louis. Je pense à mon beau-frère, Jean Grenon, qui va avoir ben des contrats de la ville pis du gouvernement. Lui, la crise, ça va être *you bet*, mon tit-pet.

— Ton père, y a pas l'air trop dans misère non plus, hen mon Ti-Louis, ironise Émile.

— C'est vrai qu'on est chanceux de l'avoir, la famille, concède-t-il. Pis j'ai rien d'autre à dire su ça.

Louis se lève pour se servir un autre verre. De loin, Rose a entendu la fin de la discussion. Louis a raison. Ils sont vraiment chanceux d'avoir le père de Louis pour les faire vivre, et d'avoir aussi le Dr Duperré pour les soigner gratuitement, et combien d'autres privilèges dus à l'indépendance financière et à la générosité du père de Louis. Ses parents se débrouillent bien aussi, avec le jardin que sa mère cultive et le grand sens du ménagement qu'elle a toujours eu. Une qualité inestimable en ces temps difficiles, dont Rose a heureusement hérité. Elle fait de petits miracles tous les jours. Elle coud, tricote, reprise, fait du neuf avec du vieux, du petit avec du grand, utilise au mieux les vêtements qu'on lui donne. Dans la cuisine, le beurre, la crème, la viande sont devenus des aliments rares et très coûteux, mais elle a le tour de faire beaucoup avec peu et de réussir à préparer des repas appétissants tous les jours. Elle jette un coup d'œil à Louis, très animé, si heureux quand la maison est pleine de monde. Elle est très attachée à lui. Jamais elle ne pourrait le laisser, ni lui ni les enfants. Tout le reste ne pourrait être qu'égarement et illusion…

Vers minuit, alors que tout le monde est parti, Louis et Rose montent se coucher en laissant la maison tout en désordre. On fera ça demain, soupire Rose. Ils sont de bonne humeur. La soirée s'est bien déroulée et pourquoi s'embêteraient-ils à nettoyer et à ranger alors qu'ils tombent de sommeil ?

Chapitre 8

Louis arpente la rue Racine, désœuvré. L'élection d'un gouvernement fédéral conservateur n'a finalement pas changé grand-chose à Chicoutimi où, sans surprise, Dubuc a été réélu. Aucun changement en vue. Pas encore du moins, ni ici ni ailleurs, au Québec comme au Canada. *Rien de nouveau là-dans*, se dit-il en se dirigeant vers le bureau de son ami dentiste, Richard Warren. Des gouvernements qui cherchent à se faire élire, promettant mer et monde la main sur le cœur, à trente-six ans, Louis en a vu d'autres. *C'est qu'y va falloir faire pour qu'un vrai changement survienne?* se demande-t-il. Il hausse les épaules, avançant d'un pas plus rapide. L'été s'achève déjà, l'automne semble même vouloir s'installer en avance cette année. Seulement le 20 septembre aujourd'hui et déjà les bouleaux derrière la maison ont viré au jaune pendant la nuit. Les feuilles avaient l'air de frissonner tantôt quand il est sorti de chez lui, alors qu'un petit vent frais l'accueillait, charriant de bonnes odeurs d'humus et de terre mouillée.

Remontant son col, glissant son chapeau un peu plus bas sur ses oreilles, Louis poursuit sa marche vers le haut de la rue Racine. Comme lui, peu d'hommes ont repris le chemin du travail. La plupart s'occupent à différents travaux d'entretien autour de la maison; ils rendent service autour d'eux ou errent par moments dans la ville, s'arrêtant dans les garages, les commerces, les petits restaurants du coin ou les tavernes, à la recherche de leurs semblables. Selon Louis, cette situation ne pourra pas se prolonger indéfiniment, sinon les dommages seraient trop grands. Heureusement, quelques grandes entreprises régionales, le bois, l'aluminium, semblent encore tenir le coup, mais pour combien de temps encore…

Arrivé devant la clinique de son ami, Louis se heurte à une porte verrouillée. Il regarde sa montre : deux heures. *Y a dû fermer faute de patients,* se dit-il en tournant les talons. Lentement, il continue sa promenade vers la cathédrale, qu'il redécouvre une fois de plus, juchée sur sa butte, étant ainsi à ses yeux encore plus saisissante d'élévation. Est-il en état de péché mortel ? Il se le demande régulièrement depuis qu'il empêche délibérément la famille. Certes, il ne fait pas de cauchemars la nuit, mais il se sent toujours un peu mal à l'aise de dissimuler cet acte de transgression, très grave selon la religion catholique, lors de ses confessions. Est-ce la même chose pour Rose ? Il ne le pense pas. Dès le départ, elle a facilement accepté l'idée de ne plus faire d'enfant. Elle a même semblé ravie de mettre fin à cette série de grossesses qui semblait ne jamais devoir finir. « Quatre en ligne en cinq ans, combien encore et jusqu'à quand ? » s'était-elle écriée. Sa mère en avait eu douze en vingt ans. C'était peu dire. Sa belle-mère en avait eu quatorze en dix-huit ans. Et c'était sans compter leurs fausses couches… Ce n'était pas ainsi que Rose envisageait sa vie. Elle avait donc sauté sur la proposition de Louis en profitant dès lors pour espacer les relations sexuelles, déjà rares selon Louis. Il avait alors sorti la petite boîte de condoms pour expliquer qu'il existait d'autres moyens que l'abstinence. Rose avait d'abord fait la moue, puis baissé les yeux en signe d'assentiment. En réalité, depuis ce jour, Rose avait en quelque sorte pris le contrôle des relations matrimoniales. Ne l'avait-elle pas toujours eu ? De toute façon, qu'aurait-il pu faire d'autre... Quatre enfants, c'était déjà pas mal. Surtout maintenant, avec la crise... *Mais est-ce que je suis en état de péché mortel pour ça ?* Louis se le demande encore. Surtout lorsqu'il se trouve comme maintenant au pied du long escalier menant au parvis de la cathédrale. Il se sent parfois si petit, si écrasé, si misérable devant cette façade imposante, qu'au moins pendant un instant, chaque fois, même seulement quelques secondes, il se croit vraiment perdu et voué aux foudres de l'enfer pour l'éternité. C'est fugace, bref, passager, une sensation seulement, une crainte, une peur irraisonnée inculquée depuis l'enfance qui le fait alors douter de leur décision. Aussitôt, une voix s'élève dans sa tête, une voix obstinée qui discrédite alors toutes ces croyances, se moquant d'elles, les qualifiant d'obscures, d'idiotes, sans queue ni tête, tous ces toujours, jamais, le ciel, l'enfer, le jeûne le vendredi, l'obéissance aveugle aux prêtres, la messe obligatoire, les processions, les cérémonies à n'en plus finir et, surtout, ne jamais au grand jamais empêcher la famille même au prix de tuer la mère et de laisser derrière sa dépouille dix orphelins. Ah ! Pit a bien raison, dans le fond. Cette religion les fait tous ressembler à un troupeau de moutons. *On est comme le petit saint Jean-Baptiste qui se fait couper la tête sans dire un mot,* se dit-il. *C'est nous autres ça. Pas de tête sur les épaules, comment ce qu'on pourrait penser par nous-mêmes, réfléchir, se questionner, se défendre, devenir des individus libres ?* Louis quitte la place, furieux. *Ah ! L'Église ! Y nous veulent pas intelligents,* conclut-il en lui-même, *y nous veulent crédules pis ignorants. Pis surtout coupables.* Il retourne sur ses pas et fonce tête baissée vers les magasins. En arrivant devant chez Carrier, il heurte malgré lui une femme qui, perdant l'équilibre, se retrouve affalée par terre, tenant encore fermement ses paquets.

— Excusez-moi madame, balbutie Louis, aussitôt occupé à aider sa victime à se remettre debout. C'est impardonnable de ma part, poursuit-il poliment.

— Bon, bon, bon, Ti-Louis. Pas besoin d'en mettre autant.

Cette voix. Il la reconnaîtrait entre mille. Émilie Jean. Sa première blonde.

— C'est toi ! fait Louis, mal à l'aise.

— Ben oui, c'est moi, comme tu vois.

— Mon Dieu Seigneur ! Je t'avais pas reconnue.

Louis se sent dans ses petits souliers.

— Tout est de ma faute, bredouille-t-il. Je marchais trop vite, je regardais pas où ce que j'allais.

— J'ai ben vu ça. Tu m'es rentré dedans. Bang ! Comme un train, dit-elle en se mettant à rire. En tout cas, ça me fait plaisir de te voir quand même.

Soulagé, Louis rit un peu lui aussi :

— Toute une rencontre, oui ! Après tant d'années. C'est que tu deviens ? Restes-tu toujours avec tes parents ?

— Avec ma mère. Mon père est mort ça fait trois ans. Je prends soin d'elle. Pis je magasine comme tu vois.

Elle hésite :

— Ben… c'est pas mal ça. Pis toi ?

— Chus marié, répond-il en la regardant fièrement. J'ai quatre enfants. Je reste en arrière de chez mon père. C'est Tetitte qui s'en occupe surtout. Ma mère est morte l'année passée.

— Bon ben…, dit Émilie en serrant ses sacs contre elle. C'est ben beau tout ça, lance-t-elle, mais faut que je me sauve astheure. Ma mère dort un peu l'après-midi, tu comprends, fait que j'en profite pour sortir.

Elle sourit :

— Mais faut pas que j'exagère, par exemple. Quand a se réveille, a veut que je soye là, juste à côté d'elle.

— Ben sûr, vas-y. Faut que j'y aille moi aussi.

Louis reprend sa marche, plus lentement cette fois, envahi par un flot de souvenirs. Émilie Jean. Quelle surprise ! Il ne l'avait pas revue depuis plus de dix ans. Dire qu'elle aurait pu être sa femme ! Juste à y penser… Il lève les yeux au ciel, soupire un bon coup, puis poursuit sa route vers la côte Bossé. Combien de temps est-il sorti avec elle au juste ? Un an, deux ans ? Tranquillement, il s'était dit qu'il était temps de parler mariage. Mais juste au moment où il s'était enfin décidé, elle lui avait dit non, lui expliquant très sérieusement qu'après avoir bien réfléchi, elle avait décidé de rester célibataire encore un peu. Elle ne pouvait pas se décider, elle avait fait allusion à d'autres hommes qui lui tournaient autour, elle préférait attendre. C'est dire qu'ils ne s'étaient pas quittés en bons termes. Jusqu'à ce jour, ils ne s'étaient d'ailleurs jamais reparlé. *Vieille fille, va !* songeait-il avec un certain dédain les rares fois où il repensait à elle sachant que, finalement, elle ne s'était jamais mariée. Un an plus tard, il avait commencé à fréquenter Angéline jusqu'à ce qu'elle meurt le jour même du mariage. Ah! Juste à y repenser… Il ne pouvait s'empêcher de se dire, par moments, qu'elle l'avait rejeté, elle aussi, à sa manière. C'est pour cela qu'avec Rose, il avait agi très vite. Pas de niaisage. Deux mois, en tout et pour tout, pour se rencontrer, se fiancer et se marier. Ils ne se connaissaient pas, a-t-il réalisé par la suite assez vite, mais les dés étaient jetés. Et, tout bien considéré, c'était parfait comme ça.

Rendu près de l'hôtel de ville, Louis cherche encore inconsciemment du regard la petite rivière aux Rats, disparue sous terre depuis des mois. *C'était plus beau avant*, conclut-il chaque fois. Il passe devant chez sa sœur Marie-Louise. Ce n'est pas lui qui irait faire un tour chez elle cet après-midi. Avec ses allures collet monté, ses bonbons aux patates… Non merci. Pas aujourd'hui. Il passe ensuite devant la forge de son frère Arthur. Il est sûrement là, devant sa fournaise, mais c'est bien trop chaud là-dedans. Louis ne se sent pas le goût de se retrouver dans une telle chaleur. En plus, il ne sait jamais dans quel état il le trouvera. De mauvais poil, plus souvent qu'à son tour depuis quelque temps. Il passe son chemin et s'arrête un moment devant la façade de la maison familiale. Il pourrait aller voir son père. Mais qu'aurait-il de neuf à lui dire ? Autant donc aller retrouver Rose et les enfants. Il tourne dans la petite ruelle qui va jusqu'à la maison. Denise doit bientôt revenir de l'école. Un élan de fierté lui monte dans le cœur. Sa chère fille qui a eu six ans la semaine dernière, déjà en première année, ses trois garçons, sa femme, sa famille. Peut-il y avoir quelque chose de plus important pour lui…

C'est sur ces pensées heureuses que Louis monte sur la galerie de la maison. Dès l'ouverture de la porte, une atmosphère survoltée l'accueille cependant.

— Ah! Ti-Louis! Te v'là enfin!

— Batinse, Rose! Laisse-moi au moins le temps de rentrer! C'est qu'y a qui va pas encore?

— Mes bagues. J'ai perdu mes bagues.

— Comment ça tes bagues? Tes bagues de fiançailles pis de mariage?

— Ben oui, mes bagues, répond-elle d'un ton sec. De quelles bagues tu veux que je te parle?

— Eille! Change de ton, ou ben ça fera pas, riposte-t-il sur le même ton.

— Oui, mais là…, dit Rose en reniflant, le visage défait. Mes bagues… J'ai beau chercher partout. À matin j'ai rien dit, j'ai prié saint Antoine… À midi, je priais encore… Mais là, je le sais pus quoi faire, lâche-t-elle finalement avant de se mettre à pleurer.

— Où ce que tu les avais mis hier?

— Je le sais pus, je te dis…

— Bon, bon, bon, dit Louis en s'avançant vers sa femme. Calme-toi là. On va les retrouver tes bagues. Eille! C'est plein de diamants ces petites affaires-là, ça vaut cher, blague-t-il.

— C'est pas le temps de faire des farces, Ti-Louis.

— Ben voyons donc! fait-il. C'est toujours le temps de rire un peu. D'ailleurs, c'est pas toi la première qui est toujours en train de se moquer de toute?

— Oui mais là, c'est pas le temps.

— OK, OK, répond-il sérieusement. Où ce que t'étais hier quand tu les as enlevées?

— En haut dans les *closets*, comme d'habitude je suppose. Mais j'ai beau regarder…

— Viens, on va y aller ensemble.

Il se tourne vers ses garçons, Claude et Paul, qui les regardent depuis tantôt, silencieux.

— Vous autres, restez icitte! Pis surveillez votre petit frère.

Une fois dans la salle de bain, une patiente reconstitution des faits permet à Rose de se souvenir enfin de l'endroit où elle avait déposé ses bagues la veille. Exceptionnellement sur la tablette au-dessus de la toilette. Elle les a sûrement fait tomber ce matin lorsqu'elle a pris une serviette pour essuyer un dégât. Louis se penche, regarde autant qu'il le peut dans la toilette, rien.

— Maudite affaire! s'exclame-t-il, contrarié. On n'a pas le choix. Faut faire venir un plombier!

— Comment ce qu'on va payer ça?

— On verra.

L'arrivée d'Isidore Boucher, quinze minutes plus tard, avec son coffre à outils à la main, se fait pratiquement sous les applaudissements de la famille au complet. Les garçons sont excités. Denise, revenue de l'école, essaie de les calmer de son mieux. Rose donne à chacun une pomme, leur enjoignant d'être sages, avant de suivre Louis et le plombier en haut.

— Bon ben là! Laissez-moi travailler tranquille, ordonne le plombier sur un ton sans appel.

Poliment, il les invite à sortir, prétextant les odeurs, le trouble, les saletés.

Au bout d'une vingtaine de minutes, le voilà qui ressort, un petit sourire de satisfaction aux lèvres :

— C'est-tu ça que vous cherchiez ?

— Ouiii! fait Rose, reconnaissante. Ah! mes bagues!

Elle les prend délicatement, les passe à l'eau, les essuie et les enfile aussitôt à ses doigts, s'étirant les mains devant elle, faisant miroiter ses diamants.

— Ah! Vous êtes fin vous là! Un sauveur!

— On n'est pas docteur, mais on opère, fait-il, sérieux, en ramassant ses outils.

— On sait pas quoi faire pour vous remercier, explique Louis. Comment je pourrais vous payer ça ?

— Deux piastres, ça va faire.

— OK, c'est beau. J'vas vous trouver ça. Mais vous auriez pas besoin de vous faire ajuster la vue par hasard ?

Le plombier s'arrête un moment pour réfléchir :

— Ben j'ai un de mes garçons qui a de la misère à l'école. La maîtresse a dit à ma femme qu'a pensait qu'y voyait pas comme y faut su'l tableau en avant.

— Ben, voilà ce qu'on va faire, propose Louis. Vous allez me l'envoyer tu-suite pis j'vas y ajuster la vue. J'ai pas mal de lunettes icitte dans un tiroir. Chus pas mal sûr qu'y en a une qui va y faire. Ben, si vous êtes d'accord, j'vas y donner. Change pour change. Les bagues, les lunettes. C'est que vous pensez de ça ?

— C'est ben correct de même. J'aurais aimé mieux de l'argent, mais je sais qu'y est rare ces temps-citte, c'est effrayant.

Il les regarde, reconnaissant :

— En fin de compte, si mon petit gars peut voir comme du monde, ça va être parfait.

Plus tard, une fois les enfants endormis, Louis et Rose terminent leur soirée dans la cuisine. Ils mangent une petite collation avant de monter à leur tour se coucher.

— Tu les aimes tes bagues, hen, Rose ?

— C'est sûr, voyons donc !

Louis la regarde d'un drôle d'air :

— Pis moi, tu m'aimes-tu un petit brin aussi ?

— Ben voyons donc, toi ! On parle pas de ça, ces affaires-là !

— Quand même… Dis-moi lé donc…

— Ben oui niaiseux, je t'aime. T'es mon mari.

— Ouais… Va falloir que je me contente de ça, ç'a ben de l'air, fait Louis en riant un peu. Tu regrettes-tu de t'être mariée avec moi?

— À cause tu dis ça? fait Rose en haussant les épaules. Ben non voyons! T'es drôle, toi, à soir, avec tes questions. On est mariés, c'est toute. Comment tu voudrais qu'on change quequ'chose à ça?

Rose prend une dernière bouchée et se lève pour ramasser les assiettes et les verres. *J'ai rien à cacher*, se répète-t-elle depuis tantôt, ressentant toutefois une certaine nervosité. Cherchant à changer de sujet, elle l'interpelle en le pointant du menton:

— Bon ben, arrête de niaiser là, Ti-Louis, pis rends-toi utile!

— C'est que tu veux que je fasse? se plaint-il. Y est tard là!

— Va en bas me chercher le linge su'a corde! Y est sec. On va le plier toué deux su'a table avant d'aller se coucher. Ça va m'en faire moins pour demain.

Louis revient bientôt les bras chargés de vêtements de toutes sortes.

— Mets ça là! lance-t-elle en désignant un coin de la table.

Lentement, ils se mettent à plier les vêtements, Rose passant machinalement derrière Louis, pour reprendre certains habits, pas assez bien pliés à son goût.

— Dans le fond Ti-Louis, c'est un peu ça le mariage, tu trouves pas ? On travaille comme ça, comme à soir, toué deux ensemble su'a même affaire, pis on fait de notre mieux.

— Pis l'amour là-dans ? réplique Louis, malgré lui.

Rose regarde par terre quelques secondes sans parler :

— Y'en a ben manque de l'amour dans cette affaire-là, tu trouves pas ? Nous autres, les enfants, la famille… Y'en a ben manque, répète-t-elle en lui mettant une pile de vêtements pliés dans les bras et en se chargeant d'une deuxième.

C'est ainsi qu'ils montent l'un derrière l'autre sans faire de bruit, tenant chacun leur chargement avec précaution et c'est l'image de leur petite compagnie à l'œuvre qui sauterait aux yeux d'un passant qui viendrait fouiner par la fenêtre. Deux associés travaillant à la bonne marche de leur foyer, par moments en harmonie, à d'autres moments un peu cahin-caha. Pour le meilleur et pour le pire.

Chapitre 9

L'année 1930 s'achève. *Enfin!* soupirent plusieurs personnes, espérant très fort une embellie pour l'année qui vient. Du travail et de l'argent, c'est tout ce que le monde souhaite. Cela semble peu, mais c'est énorme ces temps-ci, car rien de concret ne se profile encore à l'horizon pour la majorité des chômeurs qui vivent un grand dénuement. Pour venir ajouter à la morosité du temps, il a été très difficile cette année, même rendu au début du mois de décembre, de construire un pont de glace fiable pour relier Chicoutimi à Sainte-Anne. Avec le barrage d'Isle-Maligne en amont et les changements de niveau d'eau fréquents, la glace ne finit plus par prendre. La pollution rejetée directement dans la rivière par la nouvelle aluminerie d'Arvida y est certainement aussi pour quelque chose. C'est un problème connu, il y a quatre ans que cela dure, mais les gouvernements n'ont jamais été prêts à se décider ensemble à bâtir un pont. Cet hiver, les conséquences de ce retard sont flagrantes. Déjà que les affaires sont à leur plus bas niveau, ce manque de communication entre les deux rives ajoute une difficulté qui met la patience des plus optimistes au défi. La seule bonne chose qu'aura provoquée la crise finalement, c'est le début des travaux de construction du pont qui se fera sans faute au printemps, ont promis les politiciens. Plusieurs hommes y travailleront, les pères de famille en priorité. Ce n'est pas trop tôt.

Pour plusieurs locataires sans travail, la misère est grande. Certains d'entre eux ne réussissent plus à payer leur loyer chaque mois. Comment faire autrement ? Même avec la meilleure volonté du monde ! Le peu d'argent sur lequel on peut mettre la main sert prioritairement à l'achat de quelques victuailles avec lesquelles les mères de famille font des miracles tous les jours pour nourrir leur nombreuse marmaille. Dans ces conditions, comment un propriétaire pourrait-il seulement songer à mettre un locataire dehors à cause d'un défaut de paiement ? Pour Georges, en tout cas, c'est impossible. Ce serait laisser croire qu'il est un sans-cœur, un avare, un gratteux ou pire encore… Comment pourrait-il se regarder ensuite dans le miroir ou même penser se présenter devant son Créateur le jour de sa mort ? Dieu ne lui pardonnerait jamais ce manque de charité.

Mais malgré sa bonne volonté, Georges a l'impression qu'un certain locataire abuse de sa magnanimité. Il est patient – du moins le croyait-il encore naïvement jusqu'à récemment –, mais c'était avant de faire affaire avec Napoléon Gagné, un locataire de la rue Sainte-Anne, sur le point de le rendre fou. Il est barbier pourtant, il travaille de son salon donnant sur la rue. Il est célibataire, la jeune quarantaine, et vit avec sa mère. Il devrait pouvoir payer ce qu'il lui doit. Mais c'est comme si la crise justifiait tous les abus. Il a dû savoir par d'autres locataires que Georges dispensait certains pères de famille de payer jusqu'à ce que les choses s'arrangent pour eux. Et il a dû se dire : *Pourquoi pas moi ? Ce serait que justice ! Si les autres payent pus, moi non plus je paye pus. Na !* Comme un enfant. Toujours est-il que depuis trois mois, il se défile sans arrêt. Louis s'est déjà rendu plusieurs fois chez lui pour lui réclamer son dû, inutilement. Georges lui-même en est à sa troisième visite.

Mais… Il a toujours une bonne raison pour ne pas payer. Ou bien il ne répond pas ou alors il est trop occupé pour parler ou alors il faut qu'il s'en aille vite quelque part, donnant l'impression d'avoir le feu au derrière.

— Ça se passera pas de même à matin, murmure Georges en montant silencieusement les marches de son logement. Y a ben beau s'appeler Napoléon Gagné, y gagnera pas çartain avec moi à matin.

Georges est levé depuis l'aurore. Il a pris son déjeuner en vitesse et s'est empressé de venir au logement de son locataire récalcitrant, persuadé que, si tôt le matin, il ne pourrait pas cette fois lui faire faux bond.

— C'est à matin, mon Napoléon, que tu vas rencontrer ton Waterloo, murmure-t-il entre ses dents avant de frapper de son poing sur la porte avec autorité.

Après quelques minutes, il voit surgir dans la fenêtre le visage interloqué de son locataire.

— Envoye! ordonne Georges. Ouvre la porte! Faut qu'on se parle! Ça presse.

— Chus en pyjama, répond l'autre en grimaçant et en secouant la tête de gauche à droite, énervé. Revenez plus tard!

— M'as t'en faire, moi, bon-yenne, des revenez plus tard. Ouvre la porte, Napoléon Gagné, ou ben je l'ouvre avec ma clé, t'as-tu compris là?

— Câline de bine, monsieur Bergeron! Fâchez-vous pas, là! Je l'ouvre, je l'ouvre.

Il déverrouille la porte et l'ouvre très grand.

Georges entre et referme la porte aussitôt. Se retrouvant face à son propriétaire, Napoléon avale sa salive, étouffant un petit rire nerveux :

— Vous allez me faire peur, vous là, à matin !

— Eille, le jeune ! Chus pas venu icitte pour faire des farces, rétorque Georges d'un air pas commode, en se tenant face à son locataire qui le regarde, les yeux écarquillés. Chus venu parler. T'es parlable, hen, mon Napoléon ? ajoute-t-il, en le toisant de haut.

— Ben oui, c'est sûr.

— Bon ben, parlons d'abord !

Georges attend quelques secondes.

— C'est pas ben ben compliqué ce que j'ai à te dire, lance-t-il en tendant sa main ouverte devant Napoléon. Je veux la balance de mes loyers d'octobre pis novembre. Pis en plus, je veux celui de ce mois-citte au complet.

— Oui mais là… Monsieur Bergeron. C'est la crise…

Le locataire renifle deux ou trois fois :

— Je travaille quasiment pus, se plaint-il. J'ai pas d'argent. Vous pouvez comprendre ça, vous ?

— Ah ! la maudite crise ! s'écrie Georges. On peut-tu y en mettre su'l dos à celle-là ! Mais je t'ai vu, mon bon-yenne, ajoute-t-il en le pointant avec son index. Tu travailles. T'as encore des clients.

— Oui, mais c'est juste assez pour manger, moi pis ma vieille mère.

— Bon, bon, bon, arrête… Tu vas me briser le cœur.

Excédé, Georges se sent de plus en plus impuissant. Il ne peut toujours bien pas lui arracher son argent par la force. Et si c'était vrai qu'il n'en avait pas… Il soupire. Il a pensé à quelque chose l'autre jour qui pourrait peut-être régler son problème :

— Ouais… Ben d'abord, on va faire une affaire ensemble, toi pis moi, propose-t-il d'un ton plus accommodant. Au lieu de me payer en argent, tu vas me payer en travaillant.

Le locataire l'écoute en silence, l'air rébarbatif.

— T'es barbier, toi. Tu rases des barbes, tu coupes les cheveux. Tu coiffes-tu aussi ?

— Des fois. Quand y a des femmes qui me le demandent.

— Bon ben c'est ça ! À partir d'astheure, tu vas couper les cheveux de ma famille, pis coiffer ma fille pis deux de mes brus. Comme ça, ça va rembourser ce que tu me dois pis payer une partie de tes prochains loyers.

Il regarde son locataire, triomphant :

— C'est-tu une bonne idée ça, mon Napoléon, ou ben si c'en est pas une ?

— Ouais, c'pas à cause, c'est une idée, répond Napoléon, qui sent qu'il est en train de se faire avoir. Mais vous êtes une moyenne gang, les Bergeron, proteste-t-il pour la forme. Comment j'vas faire, moi ?

Il hoche la tête, perplexe :

— Câline de bine, monsieur Bergeron, j'vas travailler juste pour vous autres.

— Ben voyons donc ! réplique Georges. Tu iras dans les maisons, mettons, un après-midi par semaine, pis, ben, tu t'occuperas des cheveux du monde, de la barbe des hommes aussi.

— Oui mais…

— Y a pas de oui mais, Napoléon Gagné, le coupe sèchement Georges. On va t'attendre chez nous, avec Tetitte pis ses petits gars, en plein c't'après-midi, aujourd'hui même. La semaine prochaine tu vas aller chez Ti-Louis, mon garçon, pis l'autre semaine chez Arthur mon autre garçon.

— C'est-tu toute ?

— À cause, c'est pas assez ? demande Georges. Je pourrais rajouter ma fille Alida, a l'a sept enfants.

Georges éclate de rire :

— Non, non. Une femme de docteur, même en pleine crise, ça reste ben indépendante, dit-il en riant encore un peu. Bon ben, comme ça, on va t'attendre c't'après-midi. Vers trois heures et demie.

Il ouvre la porte et se retourne avant de sortir :

— C'est que tu penses de ça, hen, mon Napoléon ? C'est le *fun* de gagner, hen !

Cet après-midi-là, les choses vont comme sur des roulettes. Arrivé avec son attirail, ses accessoires et ses produits, Napoléon Gagné a vite fait de couper les cheveux des deux petits garçons de Tetitte, Yvan et Bernard, qui ne vont pas encore à l'école. Avec délicatesse, il donne ensuite quelques coups de ciseau pour la forme à la chevelure de la toute petite Marguerite, pâlotte et fragile de santé, qui voulait absolument être traitée comme ses frères. Il s'exécute ensuite avec beaucoup de savoir-faire sur les cheveux de Tetitte qui en avait grand besoin. Veuve depuis près de deux ans, elle est ravie de recevoir soudainement autant d'attention d'un homme, même d'un étranger. Dès son retour de l'école, Jean s'installe sur la chaise. Finalement vient le tour de Georges. Les cheveux, la barbe, les poils aux oreilles, au nez, aux sourcils, Georges en ressort rafraîchi et assez content.

— Dans le fond, monsieur Bergeron, c'tait une bonne idée votre affaire, déclare le barbier en passant le balai autour de la chaise.

— Je le savais, réplique Georges, orgueilleux.

— Je pense que j'vas essayer d'offrir ce service-là, ajoute Napoléon en ramassant les cheveux avec la pelle à ordures. Ouais… je pense que j'vas offrir d'aller couper les cheveux du monde dans les maisons. Je chargerai pas cher, mais au moins j'vas me faire un peu d'argent.

Georges se rengorge :

— Dans vie, mon petit gars, c'est quequ'chose que j'ai appris ben jeune, lui confie-t-il en allant le reconduire jusqu'à l'entrée. Si on s'écrase quand on a un problème, on n'est pas mieux que mort.

Il esquisse un petit sourire :

— Pis là, toi, astheure, tu le comprends, hen mon Napoléon ! Faut se servir de nos problèmes pour avancer dans vie. Entouècas, moi, se vante-t-il en lui ouvrant la porte, ç'a toujours fini par être payant.

La semaine suivante, vers le milieu de l'après-midi, notre barbier coiffeur se présente chez Louis et Rose, tel qu'entendu avec Georges. Le même manège recommence. Claude, Paul et Maurice se font couper les cheveux sans regimber. Louis passe ensuite, barbe, cheveux, poils follets, il en ressort impeccable. Rose s'assoit finalement sur la chaise. Avant même que Napoléon ait eu le temps de brandir ses ciseaux, les recommandations et conseils fusent :

— Mes cheveux sont beaux, faites-y ben attention ! Doucement, j'ai une rosette ici. Je veux pas de raie au milieu, pis pas trop courts. Pis faites-moi pas de toupet ou je sais pas ce que je vous fais.

— Voyons donc, madame Bergeron ! Faites-moi un peu confiance ! dit-il en lui passant la main dans les cheveux. C'est vrai qu'y sont beaux. Vous allez voir, j'vas vous faire quequ'chose de vraiment *swell*.

— Ouais… Peut-être ben ! répond-elle sèchement. Mais pas trop de changement ! Pis fais ben attention de pas me faire de coches mal taillées !

Napoléon se met enfin au travail, s'appliquant de son mieux, vantant abondamment la chevelure de Rose, ses belles boucles naturelles, d'un beau brun foncé, avec des reflets presque noirs. Après un petit moment, rassurée et flattée,

Rose devient tout sourire, entièrement soumise aux mains expertes de son coiffeur. Avec raison. Une fois la coupe terminée, Louis regarde le résultat, admiratif :

— T'es belle rare, ma femme !

Rose se lève et se dirige vers le miroir au-dessus du buffet dans la salle à manger. Elle sourit à son reflet, satisfaite :

— C'est vrai que je suis belle, constate-t-elle. Merci, dit-elle au coiffeur.

La porte s'ouvre sur Denise qui revient de l'école. Le temps de se déshabiller, elle regarde de travers cet étranger installé dans la cuisine, les ciseaux encore à la main. Anxieuse, elle voudrait bien passer son tour. Ce qu'elle souhaite, c'est avoir les cheveux longs et frisés, et ce drôle de barbier ne lui dit rien qui vaille.

— Viens icitte, ma petite fille ! lui dit-il en faisant rouler son index dans sa direction. Viens icitte que je te coupe ça, moi, ces petits cheveux-là !

Denise regarde sa mère, suppliante :

— Ah maman ! Je veux pas y aller.

— Denise ! Arrête de niaiser ! Va t'asseoir tu-suite ! Y va pas te raser la tête quand même.

— Oui mais…

— Pas de rouspétage ! Envoye !

Devant le visage buté de sa mère, Denise se résigne à s'asseoir, s'attendant au pire.

— A l'a pas hérité de vos cheveux celle-là ! dit-il à Rose en passant sa main dans les cheveux de Denise.

Rose hausse les épaules, condescendante :

— Les cheveux de mon mari.

Denise regarde par terre, mortifiée.

— J'vas y faire une belle petite coupe, vous allez voir, déclare le barbier.

Il soulève le menton de la fillette qui boude.

— Tu vas voir, ma petite fille ! lui affirme-t-il, ça va te renforcir les cheveux. Après y vont devenir plus épais.

En deux temps trois mouvements, Napoléon reproduit presque intégralement la coupe qu'il vient de faire à ses trois frères, bien qu'il laisse les cheveux de Denise un peu plus longs. Lorsque celle-ci découvre son reflet par la suite, elle est si blessée dans sa fierté de jeune fille qu'elle court se réfugier en larmes sur son lit. Quand elle pense qu'il va revenir à la maison tous les mois, elle se sent au désespoir. Une fois le barbier reparti, Rose monte avec une pile de serviettes à ranger :

— Arrête de pleurer, là ! crie-t-elle à sa fille de la salle de bain. C'est simpe ça, pleurer de même pour rien.

Très douillette pour elle-même, Rose peut parfois se montrer très dure devant la peine des autres. C'est comme si, par moments, il lui manquait quelque chose pour ressentir réellement ce que les autres éprouvent :

— Arrête! ordonne-t-elle à nouveau en entendant Denise pleurnicher de plus belle.

Rose s'avance dans l'embrasure de la porte :

— Y vont repousser tes cheveux, voyons donc! lance-t-elle, d'un ton plus doux cette fois. Pis peut-être ben que c'est vrai qu'y vont être plus épais…

— Pis frisés aussi? murmure Denise en reniflant.

Rose hausse les épaules, sceptique :

— Ça me surprendrait, mais… On sait jamais.

Elle s'avance un peu vers sa fille qui la regarde avec un petit air suppliant :

— Maman. Tu peux-tu me faire une robe? Y me semble que ça me consolerait…

— Ouais…, répond Rose en hochant la tête. Je te dis, toi! T'en profites hen!

— Une belle, là, maman, continue Denise, avec des belles manches, là, pis un beau petit col à mode.

— Ben oui, ben oui. J'vas t'en faire une robe, fatigante, dit Rose en retournant vers l'escalier. Bon ben je descends, là. Pis arrête de pleurer! C'est niaiseux.

Denise s'assoit sur le bord de son lit, reniflant encore un peu. Elle aura une robe neuve au moins. Mais cela ne fera pas repousser ses cheveux trop courts qu'elle ne peut s'empêcher de tâter avec ses doigts. Elle, si fière, comment fera-t-elle pour se présenter ainsi à l'école demain…

— Ma fifille ! fait Louis qui apparaît à son tour dans l'embrasure de la porte. C'est quoi cette grosse peine-là ?

— J'ai pus de cheveux, chus lette, répond Denise en se remettant à pleurer.

— Comment ça lette ?

Louis s'assoit à côté de la fillette sur le bord du lit :

— Voyons donc Denise ! T'es belle comme un cœur.

— Non, chus pus belle. Mes cheveux…

— Comment ça ? Tes cheveux ! Voyons donc ! T'es belle comme un cœur, reprend-il avec conviction.

— Tu trouves ? demande-t-elle finalement, fixant sur lui ses grands yeux bruns bordés de longs cils foncés qui lui donnent, depuis qu'elle est toute petite, une expression câline toujours un peu langoureuse.

— Comme un cœur, je te dis.

Il est vrai qu'avec ses cheveux coupés à la garçonne, son front haut et la jolie forme de sa tête arrondie sur la nuque, Denise offre une allure tout à fait charmante.

— Pis que j'en voye pas un penser le contraire, ajoute le père aimant, qui se met à boxer, les poings devant lui, comme s'il se battait avec un ennemi invisible. C'est pas mêlant, je sais pas ce que j'y fais.

Denise éclate de rire :

— Ah papa! dit-elle en se blottissant contre lui. La prochaine fois, tu l'empêcheras de me couper les cheveux comme un petit gars, OK?

— Promis, déclare Louis, solennel. Pis aie pas peur! Y va avoir affaire à moi, le malavenant, s'y pense qu'y va venir faire pleurer ma fille à tout bout de champ, menace-t-il. La prochaine fois, ça se passera pas de même, c'est moi qui te le dis.

Il refait quelques mouvements de combat avec les bras et ils rient tous les deux.

— Bon ben, envoye astheure! lance Louis en se remettant debout. On va descendre, là. Faut aller aider ta mère avec le souper pis les enfants.

Chapitre 10

Trois mois plus tard.

En cette année 1931 déjà bien entamée où l'hiver a été particulièrement dur, le carême devient comme un simple prolongement du régime de privations installé dans les maisons depuis le début de la crise. Ces longs quarante jours de sacrifices viennent naturellement s'ajouter aux restrictions déjà vécues en denrées de toutes sortes, y révélant toutefois une connotation religieuse faite de pénitences et d'expiation pouvant convaincre les croyants les plus impressionnables que la crise possède en elle-même un aspect utilitaire servant à châtier et à stimuler les âmes trop tièdes. Des secours concrets proviennent en grande partie des congrégations de religieuses qui, pour soutenir et consoler leur monde, ont mis sur pied des soupes populaires en certains endroits stratégiques de la ville. De l'aide directe est aussi offerte aux familles les plus démunies par les bénévoles de la Saint-Vincent de Paul. Des messes et des neuvaines collectives sont également dites à l'intention de la reprise du travail. Le dimanche, des invocations en chaire à la divine Providence et à son infinie Miséricorde jettent dans les âmes des semences d'espoir qui, pour certains, deviennent un moteur pour améliorer leur avenir, pour d'autres, une consolation permettant de se résigner au mauvais sort qui s'acharne sur eux.

De tout temps, la débrouillardise et l'ingéniosité ont été les meilleurs instruments de survie de l'homme. Dans les temps actuels, certaines personnes se révèlent en être abondamment pourvues alors que d'autres semblent en manquer cruellement. Au milieu de ces deux extrêmes, par bonheur, se tiennent la plupart des gens, suffisamment habiles et inventifs pour trouver mille et une façons de s'en sortir, même plongés dans une mer de difficultés. Mais que serait alors la vie sans le rire qui adoucit tout…

Car même très courageuse, une population si durement éprouvée a besoin de se détendre et de lâcher la bride par moments. C'est ainsi que la mi-carême survient, surtout en ce temps de crise qui semble ne jamais devoir se terminer, comme une bienfaisante oasis en plein désert, permettant à ceux et celles qui le désirent de fêter et de se réjouir pendant trois jours au cœur même de cette longue période de privations et de pénitences qu'est le carême catholique. Cette année-là, la mi-carême tombe le 19 mars, correspondant comme toujours au quatrième jeudi après le mercredi des Cendres. Pendant trois soirées consécutives, les rues de la ville vont devenir un terrain de jeu pour ceux qui souhaitent embarquer dans la folie de la mascarade.

Comme chaque année, Louis et Rose ont bien l'intention d'en profiter. Rose a d'ailleurs commencé tôt à confectionner les masques et les déguisements qu'ils revêtiront ce soir pour courir la mi-carême de maison en maison. Chapeaux en tout genre, masques fabriqués à la main en papier mâché, capes de couleur, vieux manteaux ou vêtements loufoques, certains peuvent porter, s'ils le souhaitent, plusieurs costumes dans la même soirée, passer à deux ou trois reprises dans les mêmes maisons, changer leur voix, transformer leur démarche, imiter une personne connue afin de confondre et de mystifier les gens, le but ultime de tous étant de ne pas se faire reconnaître.

Dès sept heures, une fois la gardienne arrivée pour la nuit, Louis et Rose enfilent leurs déguisements et leurs masques, prêts à partir. Arrive pour se joindre à eux leur amie, Anna-Marie Laforest, déjà accoutrée d'un vieux manteau de fourrure de sa mère et de son petit chapeau assorti que toute la ville a vu sur sa tête pendant quarante ans. Elle semble toute fière de montrer son costume.

— Batinse que tu ressembles à ta mère, Anna-Marie! s'écrie Louis en éclatant de rire. Je pense que tu mystifieras pas grand monde à soir.

— Pas sûre, moi, affirme-t-elle en mettant un loup devant ses yeux.

— C'est pire, fait Rose en éclatant de rire elle aussi. On jurerait ta mère Joséphine avec ses lunettes su'l nez.

Après un gros fou rire qui annonce une soirée joyeuse, les voilà tous les trois qui sortent, dans la noirceur tombée, sous les rires excités des enfants en pyjama, surpris une fois encore de voir leurs parents redevenir des enfants l'espace de quelques soirées d'hiver. Ce soir, nos trois amis font une tournée à pied dans les rues aux alentours. Demain, ou plus sûrement samedi, selon l'état des troupes, ils traverseront à Sainte-Anne en carriole sur la rivière pour y poursuivre la mi-carême.

Une fois dehors, le petit groupe n'a pas besoin d'aller bien loin sur la rue Jacques-Cartier pour apercevoir aussitôt une lanterne allumée devant la porte d'une première maison. C'est le signal convenu pour y cogner et y entrer sans plus de cérémonie. Déjà un reel de violoneux leur envoie le signal qu'ils sont attendus. Affublé d'un gros manteau de drap noir, d'un masque tout blanc dont déborde de tous côtés une énorme barbe blanche et coiffé d'un chapeau melon, Louis fait rire juste à le voir. Il entre le premier en giguant et en chantant sur la musique. Les deux femmes le suivent l'une derrière l'autre.

— Salut les mi-carêmes ! lance Louis d'une voix contrefaite en s'emparant du verre de caribou qu'on lui tend.

Rose, le corps enveloppé d'une large cape rouge, a le visage complètement dissimulé derrière un élégant masque multicolore orné de quelques plumes d'un bleu très vif.

— Salut les mi-carêmes, répète-t-elle d'une drôle de voix aiguë en acceptant elle aussi un verre de caribou.

— Pis moi ? bégaye Anna-Marie, qui se pointe derrière eux.

En l'apercevant, toute l'assistance déjà un peu pompette éclate de rire.

— Anna-Marie Laforest ! C'est toi ! On t'a reconnue, hurle tout le monde à l'unisson.

— Vous vous trompez, répond-elle en imitant à la perfection la voix de sa mère. Chus pas moi, chus ma mère déguisée en moi, conclut-elle en pouffant de rire. Bon ben, donnez-moi à boire, Seigneur du bon Dieu ! Je me meurs de soif !

Ils boivent rapidement leur verre et ressortent en chantant dans le noir. Ils vont ainsi de maison en maison, reçus chaque fois avec un petit verre, de la musique ou une chanson, parfois un bout de sandwich ou un morceau de fromage, de plus en plus excités et joyeux. Ils suivent le trajet des lanternes allumées. Comme chaque année, ils ont gardé pour la fin une maison bien connue de la rue Morin où ils savent que les visiteurs ont droit à toute une mise en scène. Les nouveaux venus sont invités à s'intégrer dans un décor de carton-pâte et à improviser quelque chose. Louis, pas mal allumé déjà, toujours prêt à rire, se place en avant de la scène et se met à giguer et à chanter d'une voix de stentor, sur un air bien connu de la Bolduc :

— *Mes amis, je vous assure que le temps est bien dur. Il faut pas se décourager ça va bien vite commencer. De l'ouvrage y'va en avoir pour tout le monde cet hiver. Il faut bien donner le temps au nouveau gouvernement.*

Tout en chantant, Louis fait de grands gestes de déni avec ses bras, agitant sa tête dans tous les sens. Sa barbe pend maintenant sur sa poitrine, son masque est tout de travers, provoquant un climat d'hilarité générale.

— Allez ! Tous en chœur avec moi pour le refrain ! ordonne-t-il comme un chef d'orchestre, se tournant vers le violoneux et le joueur de cuiller qui l'accompagnent depuis le début : *Ça va v'nir pis ça va v'nir. Décourageons-nous pas. Moi j'ai toujours le cœur gai et j'continue à turluter !*

Excités, les gens présents, tous un peu ivres, n'en peuvent plus de rire. C'est comme un défoulement collectif qui fait tellement de bien. Restée avec Anna-Marie dans l'assistance, Rose rit comme une folle.

— Arrête, Ti-Louis ! J'vas faire dans mes culottes ! lui crie-t-elle, dévoilant ainsi son identité, ce qui décuple les rires de tout le monde.

Louis enchaîne aussitôt en continuant de giguer, le visage tout en grimaces :

— *Pis j'ai un bouton su'l bout de la langue, chante-t-il la langue sortie, qui m'empêche de turluter, pis ça me fait bé gué gué gué. Gué bé gué gué gué gué.*

Il lâche finalement le dernier *bébébébébébégayer* en projetant ses bras et son corps vers l'arrière. Déséquilibré, il tombe à la renverse, entraînant avec lui une partie du décor. Rose n'en peut plus de rire. Pliée en deux, elle sent qu'elle n'arrive plus à se retenir. Un peu de liquide s'échappe. Heureusement, elle a mis tellement de culottes et de collants en double qu'il est vite absorbé. Elle entend les gens crier :

— Ti-Louis Bergeron, Rose, Anna-Marie Laforest ! On vous a reconnus. Le jeu est fini !

— Ouais, c'est nous ! confirme Louis, assis par terre, en arrachant ce qui lui reste de masque.

Deux hommes lui tirent les bras afin de le remettre sur pied. Trop lourd, il les fait basculer sur lui dans un immense éclat de rire.

— On a-tu du *fun* ou ben si on n'a pas ! s'exclame-t-il finalement une fois debout.

La soirée s'achève dans l'euphorie. Nos trois amis sortent dans la rue, Rose continuant de chanter et de giguer en riant à en perdre le souffle. C'est ainsi qu'ils reviennent lentement chez eux dans les vapeurs d'une joyeuse ivresse.

Le lendemain matin, houlala, Rose se trouve pas mal moins guillerette.

— Aaah, se lamente-t-elle en descendant lentement les marches de l'escalier en robe de chambre, une main sur le front, tenant très fort la rampe de l'autre.

Louis la regarde arriver, l'air moqueur. Déjà levé depuis deux bonnes heures, il a pour sa part vite chassé son léger mal de tête par un bon café et un copieux déjeuner avec les enfants.

— Maudite boisson, lâche-t-elle en se laissant tomber sur sa chaise.

— T'as rien qu'à pas boire! déclare-t-il.

— Oui mais… Mautadit, j'ai rien pris. Trois verres pas plus.

— Je le sais ben, répond Louis. Mais tu portes pas ça, l'alcool, ma pauvre Rose. Faudrait pas que t'en prennes pantoute.

— Oui mais, ce serait ben que trop plate.

— C'est que tu veux que je te dise, fait Louis en haussant les épaules. Endure astheure!

— Ah Ti-Louis! Dispute-moi pas à matin! lance-t-elle en se prenant la tête, affligée. Tranche-moi donc une patate à place! Envoye! Tu le sais comment ça va me faire du bien.

Louis secoue la tête, incrédule:

— Pas encore c'te vieille recette de grand-mère à matin, proteste-t-il pour la forme.

Chaque lendemain de veille, c'est pareil. Louis doit couper une pomme de terre crue en tranches. Il les donne à Rose qui les place sur son front, retenues par un bandeau de tissu.

— Ça fait déjà du bien, affirme-t-elle cette fois encore, les tranches de pomme de terre installées sur son front.

— Voire! lance-t-il, hochant la tête, sceptique.

— Oui, oui, affirme-t-elle. Ça fait du bien. Les patates, ça tire le mal. C'est ben connu.

— À Sainte-Anne, oui, c'est ben connu, raille-t-il.

— Commence pas Ti-Louis à rire du monde de Sainte-Anne à matin, s'offusque Rose.

Denise écoute tout cela sans parler. Ce n'est pas la première fois qu'elle entend les moqueries de son père sur la famille de sa mère, ou sur un autre sujet. Mais même si elle adore son père et qu'elle s'entend mieux avec lui, elle ne peut alors s'empêcher de prendre le parti de sa mère. C'est comme si elle percevait à ce moment toute la faiblesse de sa mère à se défendre devant les arguments toujours si bien amenés de son père. Dans le fond, elle donne souvent raison à son père, mais elle se sent alors en quelque sorte obligée de protéger sa mère, la percevant comme une pauvre enfant sans défense.

— Ah papa ! Laisse maman tranquille ! Est malade à matin.

— C'est ben de sa faute, réplique-t-il.

— Papa ! Voyons !

Denise le regarde, déçue, faisant appel à son bon cœur. Louis secoue la tête :

— OK, c'est bon, j'arrête.

C'est ainsi que toute la journée, Rose peut soigner son mal de tête, se lamenter, gémir, pignocher dans son assiette, faire la sieste si elle le souhaite, pendant que Louis s'occupe de la maisonnée, des repas, des enfants, du ménage, faisant son possible pour que sa femme soit prête dès le lendemain soir à repartir de plus belle avec lui pour courir la mi-carême de l'autre côté de la rivière Saguenay.

Le lendemain soir, tout est parfait. Comme à l'accoutumée, Louis a loué une carriole avec un cheval dans l'après-midi afin de traverser le pont de glace jusqu'à l'autre rive. Ce soir-là, sur la rivière, le spectacle est majestueux. La lune est brillante, le ciel, nuit d'encre et le froid, pas trop mordant. À la mi-mars, on sent déjà la neige ramollir et se transformer en gros sel sous les patins. Il ne reste que quelques semaines avant que le pont fonde dans les eaux glacées et que le traversier recommence ses allers-retours. La construction du pont devrait d'ailleurs commencer au même moment. Sous ses couvertures de fourrure, le couple glisse vers le petit hameau faiblement éclairé, niché près de la rive entre deux caps imposants. Au passage, ils rencontrent d'autres carrioles remplis de gens costumés qui courent comme eux d'une rive à l'autre pour fêter. Depuis qu'elle est toute jeune, Rose a toujours vu ses parents recevoir les mi-carêmes et elle imagine à l'avance les nombreuses lanternes qui éclairent déjà les rues de son cher quartier. Elle s'est juré d'être très prudente ce soir avec l'alcool. Une gorgée seulement de temps en temps, pas plus. Ils passent d'abord chez Mimine et son mari, Cyrias Pilote, déguisés en princesse et en prince, qui les attendent afin de poursuivre l'un derrière l'autre leur montée jusqu'aux alentours de la rue de la Croix. Une fois en haut du cap saint Joseph, les deux couples laissent leurs carrioles sur le terrain de leurs parents et marchent ensuite vers les maisons éclairées. Il y a un côté familial dans cette tournée, arrêtant chez une sœur, une tante, un cousin. Malgré cela, ils réussissent tout de même à ne pas se faire reconnaître trop rapidement. Vers neuf heures, ils arrivent à la maison familiale. Louis entre le premier en boitant et lance d'une voix contrefaite :

— Salut les mi-carêmes !

— Salut Ti-Louis, lui répond aussitôt sa belle-mère en le reconnaissant.

— Batinse, madame Gauthier ! Comment vous avez fait ça ?

— Aaah ! fait la mère de Rose en écartant les mains comme un prêtre en chaire palabrant sur le mystère de la Trinité.

Elle sourit aussitôt à ses deux filles et à son gendre Cyrias qui entrent derrière Louis, encore masqués. La maison est déjà pleine de monde. Chacun sait que Mme Gauthier aime

recevoir les gens qui fêtent. Son mari, François, plus bougon-
neux de nature, s'est retiré on ne sait trop où. Profitant d'un
moment d'inattention, Louis grimpe au deuxième étage et,
aidé de Gonzague, le jeune frère de Rose, se change des
pieds à la tête. Nouveau manteau, nouveau masque, nouveau
chapeau. Une fois redescendu, il attend le bon moment pour
s'adresser à sa belle-mère et la confondre enfin :

— Jejeje chechecherche les *closets*, déclare-t-il en bégayant
d'une voix haut perchée.

— Ti-Louis, je t'ai reconnu, lance Mme Gauthier en
pouffant de rire.

— Comment vous faites ? questionne Louis qui ne s'avoue
pas encore battu.

— Aaah ! fait-elle en levant les yeux en l'air.

Recommençant le même manège, Louis revient cette fois
costumé en bûcheron, un chapeau de fourrure sur la tête et
un masque lui couvrant entièrement le visage.

— Tiens Ti-Louis, lui dit sa belle-mère en lui tendant aussitôt une assiette de sandwichs. Mets ça su'a table !

— Ah ! vous ! fait Louis, frustré. C'est pas juste. Je joue pus.

La soirée se poursuit par un festin, des chants et de la danse
jusqu'à ce que, quelques heures plus tard, les gens quittent un
à un, la plupart adoptant une tête d'enterrement en songeant
au carême qui reprend dès le lendemain pour encore dix-huit
jours. *Vivement Pâques, le 5 avril prochain*, se disent-ils en montant
dans leur carriole.

Chapitre 11

C'est le beau mois de mai qui débute. Tetitte et Georges sont assis à la table de la cuisine. Ils viennent tout juste de terminer leur déjeuner. Georges observe sa fille du coin de l'œil. Elle semble aller un peu mieux depuis quelques jours. Elle a retrouvé l'appétit malgré ses traits encore tirés :

— Arrête de penser à ça, Tetitte. Tu te fais de la peine pour rien.

— Je pense pas à ça, répond-elle en se levant de table.

Georges allume sa pipe et se berce lentement en silence. Il a déjà connu ce qu'elle vit. Perdre un enfant. C'est si difficile à accepter. Cela fait un mois maintenant et il sait bien que seul le temps saura la guérir.

— Est à l'abri ta petite fille dans notre chapelle familiale, déclare-t-il, essayant maladroitement de la consoler. Est avec ta mère pis avec ton frère, Edgar.

— Oui, oui, je sais ça papa, c'est ben correct de même, acquiesce Tetitte qui ramasse machinalement les assiettes et les tasses du déjcuner.

Malgré elle, elle ne peut s'empêcher de repenser encore à ce qui s'est passé une semaine avant Pâques. C'est le cœur brisé à jamais, après s'être endormie malgré elle de fatigue à ses côtés, qu'elle avait découvert à l'aube sa fille unique chérie,

Marguerite, morte dans son petit lit de la pneumonie dont elle souffrait depuis une dizaine de jours. Le Dr Duperré l'avait pourtant examinée la veille au soir. Mais, bien qu'alarmé par les symptômes aigus, il n'avait pas osé dire le fond de sa pensée de peur que, s'il nommait ses inquiétudes à voix haute, elles ne se matérialisent malgré lui. C'était si jeune pour mourir, deux ans et deux mois. Tetitte lui en voulait encore de ne pas l'avoir avertie de la gravité de l'état de sa fille. Elle s'en voulait aussi de s'être endormie. Elle en voulait surtout à Dieu de lui avoir pris sa seule fille. Mais, en même temps – comment faire autrement – elle se résignait de plus en plus.

Ce qui est fait est fait, se répète-t-elle encore une fois ce matin. *La mort a frappé*. Mais ses épaules affaissées la trahissent. Elle a le cœur encore si lourd, c'est comme une roche dans sa poitrine qui appesantit tout son corps. Ce qui lui fait encore plus mal quand elle y repense, c'est d'avoir perdu le dernier cadeau que lui avait fait son défunt mari. S'étant rendu compte de sa grossesse seulement après sa mort, elle avait en effet vécu cette naissance d'une petite fille après trois garçons comme une immense faveur posthume. Maintenant, il n'y avait plus rien à faire. C'était ainsi. La vie, la mort. Se soumettre au destin. Que faire d'autre ?

— Parle-moi-z'en pus par exemple, OK papa ? demande-t-elle en se dirigeant vers la porte.

S'adressant à ses deux plus jeunes :

— Venez-vous-en, vous autres ! On s'en va chez votre oncle Ti-Louis.

Elle revêt un manteau de printemps et habille ses deux garçons avec des vestes de saison.

— Faut que j'aille montrer un point de tricot à Rose, explique-t-elle à son père.

— Tu m'enverras Ti-Louis! fait Georges en rallumant sa pipe. Faut que j'y parle.

— Bon ben, Fleurette va s'occuper du ménage! ajoute Tetitte. Pis inquiète-toi pas! J'vas revenir préparer le dîner.

— Chus pas inquiet, affirme Georges.

Quelques pas seulement séparent les deux maisons. Une fois dehors, Tetitte respire un bon coup. Il fait beau depuis quelques jours, l'air est doux. Il n'y a pas encore de feuilles dans les arbres, mais la terre est bien sèche et quelques vivaces montrent déjà le bout de leur nez. Cela fait du bien. Rendue chez son frère, elle laisse Yvan et Bernard jouer avec Claude et Paul, déjà dehors à les attendre. Aussitôt, les quatre garçons se mettent à courir vers le terrain voisin où passe un petit train transportant du bois de l'extérieur vers l'intérieur d'une petite usine. Excités, ils le regardent passer, s'imaginant en train de le conduire. Ils courent ensuite un peu plus loin pour jouer avec des bâtons. Tetitte les laisse à leurs jeux.

— Ti-Louis! Papa veut que t'ailles le voir, déclare-t-elle en entrant dans la maison avec son sac à tricot sous le bras.

— J'y allais justement faire un tour, répond Louis en sortant.

— Bon ben rentre Tetitte, pis ferme la porte, s'énerve Rose, qui a peur des courants d'air comme de la peste.

— Ben oui, ben oui. Je rentre, là.

Les deux femmes se rendent aussitôt dans le boudoir où Rose a laissé son tricot en plan hier soir. Sans se soucier de l'envergure de son projet, elle a choisi un modèle de costume complet pour Denise, jupe et chandail, à tricoter à la broche en laine très fine. Faire un pouce de longueur lui prend pratiquement une heure. Elle s'est arrêtée hier dans son élan, incapable de réaliser les torsades sur le devant exigées par le patron.

— Donne-moi ton tricot! lance Tetitte. J'vas te le montrer une bonne fois pour toutes. Tu vas voir, c'est facile.

Rose s'assoit sur le canapé juste à côté d'elle.

— Bon ben, observe bien ce que je fais. J'vas avoir besoin d'une troisième broche, du même point, sans bout. Une petite.

Rose lui tend la broche:

— Tiens!

Tetitte commence à tricoter deux mailles, puis elle place trois mailles sur la petite broche qu'elle laisse derrière, tricote les trois autres, puis revient sur les trois mises de côté, tricote deux autres mailles et reprend le même manège, trois mailles sur la petite broche qu'elle tricote après en avoir tricoté trois autres, puis deux normales et ainsi de suite. Elle tricote ainsi tout un rang, puis passe le tricot à Rose qui, après quelques essais-erreurs, réussit enfin à faire un rang complet.

— Ah que je suis donc contente! J'ai enfin compris.

— Pour le moment, tu peux pas encore voir la torsade, explique Tetitte, mais ça va venir ben beau, tu vas voir, quand tu vas avoir fait un p'tit bout.

Tetitte sort son ouvrage et se met elle aussi à tricoter. Elle a entrepris de faire des chandails pour ses trois garçons avec des dessins dans le dos. Des animaux. Un chien, un chat, un lapin. Un gros projet pour essayer de se changer les idées. Rose se lève et retourne dans son fauteuil habituel. Elles parlent de choses et d'autres pendant un moment sur un ton léger, jusqu'à ce que Tetitte se confie :

— Je te dis que c'est pas toujours facile ces temps-citte…

— Avec ton père ?

— Non, non.

Tetitte hésite. Sa belle-sœur n'est pas un modèle d'empathie, elle le sait bien, mais elle a soudainement envie d'en parler un peu.

— Je parle de Marguerite, dit Tetitte en baissant la tête, son chagrin prêt à sourdre. C'est pas drôle entouècas, j'te dis, de perdre sa fille.

— C'est sûr. Pauvre toi !

— Non, murmure Tetitte, les yeux pleins de larmes, c'est pas facile.

— Était jeune, déclare Rose, très concentrée sur son travail.

— C'est que tu veux dire ?

— Ben… Y me semble qu'à deux ans, c'est moins pire.

— Moins pire que quoi ? demande Tetitte, qui a lâché son tricot, abasourdie.

— Ben je sais pas trop, répond Rose. Ce serait pire me semble si Denise mourait. A va avoir sept ans à fin de l'été.

Tetitte ravale son sanglot et ramasse ses affaires :

— Comment tu peux me dire une chose pareille, Rose ?

— Ben voyons ! C'est que j'ai dit ?

Gaffeuse, Rose n'a pas conscience d'avoir blessé sa belle-sœur qui se dirige maintenant vers la porte de la cuisine. Elle a l'impression de n'avoir dit que la vérité :

— Ah ! Tetitte ! Va-t'en pas voyons ! proteste-t-elle.

— C'est mieux que je parte, réplique Tetitte, une boule dans la gorge. On se reprendra une autre fois, lâche-t-elle avant de refermer la porte derrière elle.

De retour chez elle, Tetitte tombe sur son frère encore assis dans la cuisine avec son père.

— Tu reviens ben de bonne heure, remarque Louis, étonné de la voir revenir si vite.

— Fallait que je vienne faire le dîner, répond-elle sans le regarder. J'vas aller à ma chambre un petit peu avant, ajoute-t-elle avant de s'élancer dans l'escalier.

— Ta femme a dû y faire de la peine, remarque Georges, suspicieux. On la connaît. Est tellement pas délicate des fois.

— Bon ! C'est de la faute à Rose astheure, répond Louis, qui s'offusque au fond pour la forme, connaissant le manque de tact de sa femme. Bon ben… J'vas aller voir ça par moi-même, ajoute-t-il en faisant mine de se lever.

— Oui, mais j'ai pas eu le temps de te parler de la maison des Vézina à côté. J'ai entendu dire qu'ètait à vendre.

— Oui, oui. Est à vendre. Chayer me l'a confirmé hier. Je m'apprêtais justement à t'en parler. Deux mille cinq cents piastres pour toute la patente, la grosse maison, les bâtisses, les terrains autour, la petite usine, le petit train, toute.

— Bon ben j'achète toute. J'vas essayer de toute revendre par lots. Ça va être payant.

— Pauvre Georges Vézina, soupire Louis. Mourir de même à trente-neuf ans, en pleine gloire. Eille! Y avait la tuberculose avancée pis y jouait pareil. C'est pas croyable. Y allait cracher du sang dans le vestiaire entre les périodes, pis y retournait su'a patinoire pour goaler. On verra pus jamais ça, un héros pareil.

— Ouais… C'est pas pour rien qu'y ont faite un trophée à son nom tu-suite l'année d'après. Y serait fier en bon-yenne de voir ça.

— Certain! Un trophée à son nom qu'y remettent au meilleur goaleur de l'année, depuis quatre ans maintenant. C'est certain que personne pourra jamais l'oublier.

— Entouècas, pour astheure, tu vas me trouver tout ce qu'y faut pour racheter ça à ses parents. Deux mille cinq cents piastres? C'est ça qu'y veulent, c'est ça qu'y vont avoir. Pis *cash* à part de ça.

— On pourrait faire de la démolition cet été.

— On verra ça après. J'ai que'ques petites idées.

Georges regarde son fils avec une esquisse de sourire :

— Peut-être ben que Lessard va vouloir acheter la maison pour débâtir pis agrandir son magasin, avance-t-il. Pis je connais un gars qui se cherche un local pour ouvrir une buanderie. Dans la petite usine, on sait jamais…

— Ouais… Ça marche ton affaire, toi ! répond Louis en regardant son père avec une certaine admiration.

— Peut-être ben, acquiesce Georges, mais y a rien de faite encore. Commençons par le commencement. T'as de l'ouvrage mon garçon ! Envoye ! Grouille ! Faut pas se faire voler ça !

Le samedi suivant, Louis a de quoi fêter. Il a travaillé pour son père toute la semaine et la transaction a bel et bien été signée. Comme d'habitude, des amis, cousins, cousines sont à la maison pour boire, chanter, faire de la musique toute la soirée. Il est encore tôt. Denise profite de la fête pour s'exercer au piano en compagnie des adultes. Vers huit heures, Émile arrive, de bonne humeur, une caisse de bières sous le bras.

— Ah ! Te voilà mon ami ! s'exclame Louis en se levant pour l'accueillir, empoignant la caisse pour aller la porter dans la cuisine.

Rose s'avance alors vers lui, un peu gênée, mais avec des étoiles à la place des yeux :

— Viens ! Rentre, dit-elle, abaissant son regard, subitement mal à l'aise d'avoir laissé ainsi percer sa joie.

— Toujours la plus belle, lui déclare Émile en lui baisant la main, sous le charme.

Louis revient en lui tendant une bière décapsulée et un verre :

— Viens t'asseoir ! dit-il en s'assoyant lui-même dans son fauteuil. On te voit pas assez souvent, hen Rose !

— Ben là, vous allez me voir deux jours de temps si vous voulez, lance Émile, excité.

— Comment ça ? demande Louis.

— Je viens pour vous inviter à mon nouveau chalet de pêche, explique Émile. Toute une fin de semaine, précise-t-il en les regardant à tour de rôle. C'est que vous pensez de ça ?

Louis se sent très tenté par la proposition. Il regarde Rose :

— C'est que t'en penses, toi ?

— Ben… Je sais pas trop.

Rose est inquiète. Elle ne se sent pas très à l'aise d'accepter. Que fait-il de ses sentiments ? Que se passerait-il pendant deux jours…

— Envoye, Rose ! plaide Louis.

— Ça serait quand ? demande-t-elle finalement.

— La semaine prochaine, répond Émile. On partirait le samedi matin pis on reviendrait dans l'après-midi du lendemain. Envoyez ! On va avoir tellement de *fun*. Pis oubliez pas que vous allez revenir icitte avec ben de la truite. Vous saurez pas quoi en faire tellement vous allez en avoir.

— Je trouve ça vite, déclare Rose encore hésitante.

— Pas tant que ça! proteste Louis. Dans le bois, d'icitte une coupe de semaines, ça va être le temps des mouches noires pis des maringouins. On peut pas attendre.

— Bon ben, envoye, d'abord, c'est correct, finit par dire Rose.

Les deux hommes se mettent aussitôt à discuter des détails du voyage. Rose s'approche de Denise, encore assise sur le banc du piano. Elle a cessé de jouer depuis quelques minutes pour écouter la conversation. Mécontente, elle fait de gros yeux à sa mère qui choisit de faire comme si de rien n'était. Rose rappelle simplement à sa fille qu'il est l'heure de monter se coucher avec ses frères. C'est elle ce soir qui est responsable de les mettre au lit, comme cela arrive de plus en plus souvent le samedi. Même un peu fâchée contre sa mère, Denise prend son rôle d'aînée très au sérieux. Obéissante, elle monte aussitôt à l'étage, laissant passer ses trois petits frères devant elle. Consciencieuse et autoritaire, elle s'occupe de faire faire les derniers pipis, mettre les pyjamas, brosser les dents, sans oublier de mettre une couche et une culotte de protection imperméable à Maurice qui n'a pas encore deux ans et qui s'échappe encore la nuit. Après avoir bordé et embrassé ses frères, Denise se retrouve seule dans sa chambre de fille. Comme elle aurait aimé avoir une sœur! Elles pourraient parler... Avant de s'endormir, pendant un long moment, elle entend les garçons jacasser et rire dans leur chambre, alors que d'en bas lui parvient le bruit légèrement assourdi des gens qui discutent et de leurs nombreux éclats de rire.

Le lendemain matin, la petite Denise ouvre la porte de sa chambre et l'odeur de boisson, de bières et de cendriers remplis de mégots lui monte tout de suite au nez. *Si au moins y se ramassaient avant de se coucher le samedi soir!* se dit-elle comme à chaque lendemain de veille. Elle a en horreur cette odeur qui envahit ses narines! Et tout ce désordre de bouteilles et de verres qui traînent partout! *Yeurk!* ne peut-elle s'empêcher de se récrier tout bas, se promettant que jamais au grand jamais elle ne fera vivre cela à ses enfants. Quelle que soit l'heure où elle ira se coucher une fois mariée, jamais elle n'ira au lit sans avoir d'abord tout ramassé, servante ou pas dans la maison.

En bas, comme d'habitude, son père est déjà levé. Assis dans la cuisine, il boit une tasse de café.

— Ça sent mauvais, lui dit-elle en se pinçant le nez avec dédain.

— Pas tant que ça, répond-il, un peu moqueur.

Denise hausse les épaules et commence machinalement à ramasser les cendriers qui débordent de mégots et les bouteilles de bière, certaines encore à moitié pleines, qui traînent un peu partout dans la maison. Avec ses petites mains, elle peut en transporter très peu à la fois. Son père se joint à elle pour vider les cendriers dans la poubelle et les passer à l'eau. Montée sur un petit banc devant l'évier, Denise rince les verres, vide les bouteilles une à une afin que son père les range dans la caisse. Ils entendent bientôt Claude et Paul descendre l'escalier. Louis monte vite chercher Maurice, encore incapable de descendre les marches tout seul. Il ne faudrait pas qu'il réveille Rose. De retour en bas, il lui enlève sa couche et l'installe dans sa chaise haute.

— Bon ben, dit-il à ses enfants, j'vas vous faire des toasts pis du chocolat chaud.

— Ouiii !

Il sort le pain qu'il coupe en tranches épaisses et il en place deux à rôtir, une dans chaque petite porte du grille-pain vertical. Une tranche d'un côté, une seconde tranche dans l'autre qu'il faut changer de bord.

— Denise ! Viens m'aider à surveiller le toaster pour pas que le pain brûle ! Sois très prudente là, lui dit-il en lui remettant deux carrés de tricot pour manipuler les portes.

Claude, cinq ans, regarde son père, curieux.

— Toi, Claude, tu vas apporter les assiettes sur la table, dit Louis en déposant cinq assiettes sur le comptoir à sa portée.

Le petit Paul, trois ans et demi, suit son frère des yeux.

— Toi, Paul, tu vas apporter le pot de confitures aux fraises sur la table.

— Oui papa, répond l'enfant, déjà sérieux pour son âge.

Louis lui met le pot entre les mains :

— Tiens-le fort, là ! Oui comme ça…

— Les toasts sont prêtes ! s'écrie Denise.

— Bon ben astheure, allez vous asseoir à vos places. J'vas vous servir.

Louis beurre les toasts généreusement, les coupe en deux et en donne un morceau à chacun de ses enfants.

— Je veux du beurre de pinotes, dit Denise.

Son père lui apporte le pot en même temps que les trois chocolats chauds pour les plus vieux et un petit gobelet de lait pour le plus jeune. Denise étend un peu de beurre d'arachide sur le pain de Maurice qu'elle coupe en tout petits morceaux, puis elle en met une bonne couche sur son pain. Elle sourit, se rappelant que, le mois passé pour la première fois, c'est elle qui est allée faire remplir le pot par l'épicier comme sa mère le lui avait demandé. Le commis a ouvert un gigantesque bocal rempli de beurre d'arachide dont le délicieux arôme s'est répandu dans toute l'épicerie. À l'aide d'une grosse cuiller, il a rempli le pot à ras bord.

— Je mets ça su'l compte de la famille, lui a dit l'épicier locataire du grand-père, en la laissant repartir.

Ce matin-là, en déjeunant, Denise chantonne de bonheur. Malgré l'odeur de fête de la veille qui s'estompe maintenant, le dimanche est sa journée préférée. C'est son père qui cuisine toute la journée, souvent une omelette le midi, du poulet rôti et de la purée de pommes de terre le soir. Il est de bonne humeur et il raconte toutes sortes d'histoires, des blagues, des anecdotes. L'hiver, il patine avec eux. Il les amène avec lui visiter un oncle, une tante, faire une promenade. Parfois, des cousines de sa mère viennent les visiter dans l'après-midi, certaines arrivent avec leur valise et passent finalement la semaine. Denise adore le dimanche, aussi, surtout, parce que c'est ce jour-là que sa mère lui frise les cheveux et qu'elle peut porter ses plus beaux vêtements tout au long de la journée.

Chapitre 12

Pendant que des milliers de familles s'enlisent dans des difficultés matérielles et sociales toujours plus importantes sans que les gouvernements ne leur apportent encore presque aucune aide, un petit groupe de personnes bien nanties semble vivre dans un monde à part. Comme homme d'affaires dont tous les risques sont minutieusement calculés et dont le sens de l'économie n'est plus à démontrer, Georges Bergeron est du nombre. Qu'il en fasse profiter toute sa famille est tout à son honneur. Plusieurs hommes dont l'emploi demeure essentiel, fonctionnaires et autres, sont aussi du nombre.

Émile Tremblay, gérant de la brasserie Molson, fait également partie de ces privilégiés. Non seulement il a conservé son emploi, mais il a de plus reçu un petit héritage au cours des derniers mois, ce qui lui a permis d'améliorer encore son ordinaire, même en pleine crise. Certains pourraient se sentir mal à l'aise ou éprouver quelques scrupules devant cette situation, mais certainement pas Émile Tremblay. C'est à croire qu'il n'a pas conscience des nombreuses privations et vexations vécues par la population qui l'entoure. Il est vrai qu'il vit dans une rue cossue de Chicoutimi où admettre un problème financier correspondrait à dévoiler son pire secret de confession à un journaliste.

Entourés de professionnels et de notables en tout genre, Émile fait partie de la haute «peteuserie» de Chicoutimi et, comme tel, il se doit de toujours «péter un peu plus haut que le trou», comme le veut l'expression consacrée. Il a donc acquis au cours des derniers mois un petit chalet tout équipé dans les territoires de pêche privés du petit parc de la Galette pour un prix dérisoire, le propriétaire ayant eu besoin de toute urgence d'un peu de liquidités. Afin de compléter son bonheur, et pour rendre service à un autre propriétaire aux prises avec un loyer inoccupé depuis longtemps, il a loué un petit logement en ville, une garçonnière, où il rêve d'amener Rose un jour. D'ici là, chalet et garçonnière devraient pouvoir lui apporter toute la quiétude et la liberté d'action dont il a besoin pour s'évader de sa vie de famille accaparante avec femme et six enfants. Depuis longtemps, il lui est assez facile de justifier ses absences en prétextant des relations à entretenir avec des clients importants, en dehors des heures de travail, de préférence en soirée ou les fins de semaine. Il compte bien continuer d'en profiter.

C'est ainsi qu'il se sent tout à fait à l'aise en ce beau samedi matin de mai de laisser femme et enfants bien à l'abri à la maison pour venir chercher ses amis, Louis et Rose, et les amener à la pêche jusqu'au lendemain. La simple idée de pouvoir passer la nuit sous le même toit que Rose, même dans deux pièces séparées, lui donne des papillons dans le bas du ventre depuis une semaine. Il va la voir en robe de chambre, au naturel, et quoi d'autre encore. Il imagine toutes sortes de choses. Il se sent excité et heureux.

— Bon ben, êtes-vous prêts? demande-t-il en entrant par la porte de la cuisine.

En le voyant, Denise le dévisage d'un air maussade, se lève de table et déguerpit dans le salon. Rose s'avance vers lui, énervée :

— Bonjour, Émile ! Oui, oui. On arrive, là.

— J'arrive, crie Louis en remontant à la course l'escalier du sous-sol, tenant ses vieilles bottes dans les mains. Je le savais que je les avais encore, explique-t-il en les déposant dans l'entrée à côté de la valise que Rose a préparée pour la fin de semaine.

— J'ai laissé rouler l'auto pour qu'a reste chaude, fait remarquer Émile. C'est encore frette à matin. Faudrait pas que Rose prenne froid.

Rose lui fait un sourire et s'adresse à Viola qui gardera les enfants pendant leur absence :

— Tu pourras appeler ma belle-sœur à côté en cas de besoin. Le numéro de téléphone est là. Pis comme je t'ai dit tantôt, y a ma cousine Albertine qui va venir souper pis coucher avec vous autres à soir. A va t'aider, tu vas voir. Est ben smatte.

Rose s'arrête un moment, avec l'impression qu'elle n'a pas tout dit :

— Ah oui ! Oublic pas que Denise doit pratiquer son piano ! C'est son examen cette semaine.

Elle hausse le ton :

— Hen Denise que tu vas pratiquer ! Ah celle-là ! ajoute-t-elle en soupirant. Est pas contente à matin.

Rose se tourne vers ses garçons qui la regardent tristement :

— Claude pis Paul sont grands maintenant, y vont bien faire ça. Hen les garçons que vous allez bien faire ça !

Elle se tourne vers Maurice qui fait la lipe.

— Bon ben, allons-nous-en astheure, avant qu'y me fasse changer d'idée celui-là ! lance-t-elle en sortant d'un pas décidé. Oublie pas de t'occuper de Maurice, ajoute-t-elle en s'adressant à Viola, sortie avec elle sur la galerie avec la valise. Y est encore petit.

Dans l'automobile, Louis insiste pour que Rose monte à l'avant. Il ne l'imagine pas toute seule en arrière pendant des heures, elle se plaindrait certainement tout le long. Ils partent donc vers Bagotville, puis Grande-Baie, s'engagent sur la route du petit parc, traversent le petit village de Ferland, puis celui de Boilleau, pour arriver finalement en fin d'avant-midi à destination.

Dès qu'ils descendent de l'automobile, l'odeur inégalable de la forêt les accueille au son des corneilles et des petits oiseaux.

— Ah mais… C'est ben beau ! s'écrie Rose qui fait quelques pas vers le lac qu'elle aperçoit un peu plus bas entouré de montagnes.

— Je savais que t'allais aimer ça, affirme Émile en s'approchant d'elle.

Louis se précipite jusqu'au bord du lac :

— Penses-tu qu'on va pouvoir se baigner ? demande-t-il en trempant sa main dans l'eau. Maudit batinse qu'est frette ! s'exclame-t-il en la retirant aussitôt.

— Au mois de mai comme ça, c'est normal, le lac vient juste de caler, réplique Émile.

— Ah mais… C'est pas dit que je me baignerai pas pareil, déclare Louis en bombant le torse.

Émile retourne vers l'auto et commence à sortir les boîtes de provisions et les bagages de ses invités :

— Viens m'aider Ti-Louis ! On va apporter le stock dans le chalet.

Il ouvre la porte et dépose son chargement dans l'entrée. Louis arrive derrière, suivi de Rose, impressionnée :

— Ç'a l'air confortable même si c'est pas ben grand, dit-elle.

— Vous allez prendre la chambre, explique Émile. Moi, j'vas coucher icitte, su'l divan, devant le foyer.

— Ben voyons ! riposte Louis, gêné.

— Je vous ferai toujours ben pas coucher par terre, dit Émile en regardant Rose, moqueur. Hen Rose ! T'aimerais pas ben ça coucher par terre…

Rose secoue la tête, sans répondre, déjà occupée à ouvrir sa valise dans la chambre.

— J'avais apporté du pain, du beurre, du fromage, des cretons pis de la bière pour dîner, lance Émile à voix haute en commençant à sortir les victuailles sur la table. Ma femme nous a fait un beau gâteau en plus. C'est que vous pensez de ça ?

Sans se faire davantage prier, les trois amis s'installent autour de la table et mangent de bon appétit.

— À soir, on va manger de la truite, déclare Émile. La truite qu'on va avoir pêchée cet après-midi, moi pis Ti-Louis. C'est nous autres qui va la préparer pis la faire cuire. Toi, Rose, t'auras rien à faire.

— Tant mieux, répond Rose. En fin de semaine, mon plan c'est de lire autant que je veux.

— Ben oui. C'est sûr. Tantôt, tu t'assoiras dehors près du lac pour lire.

Rose passe finalement un après-midi de rêve. Bien installée dans une chaise confortable près du quai, le corps à moitié recouvert d'un gros duvet de plumes, elle lit le roman qui la passionne depuis quelques jours, *La cousine Bette* d'Honoré de Balzac. Il s'agit de l'histoire d'Adeline Hulot. Aux prises avec des problèmes conjugaux, celle-ci fait venir près d'elle sa cousine, Lisbeth Fischer, pour l'aider. Mais Bette est une femme détestable, aigrie, laide et jalouse qui semble n'avoir qu'un but dans l'existence : faire le malheur de sa cousine et de son entourage. Captivée par sa lecture, Rose ne voit pas le temps passer. Elle se demande toutefois s'il est possible, dans la vraie vie, d'être une personne aussi méchante, cruelle et manipulatrice que cette Bette. En tout cas, elle, Rose, elle ne connaît pas de gens comme cela. Elle pense tout à coup à sa belle-sœur, Marie-Louise, tellement malavenante par moments, cherchant toujours à se montrer supérieure.

Oui mais… Elle secoue lentement la tête, songeant qu'elle avait été très bonne avec sa mère malade. *Non, ça se peut pas quelqu'un d'aussi méchant que Bette,* conclut-elle. *Mais bon, c'est un roman !*

Vers la fin de l'après-midi, les deux hommes reviennent après trois heures passées sur le lac en chaloupe. Excités et satisfaits, ils ramènent une chaudière pleine de truites.

— Si t'avais vu ça, Rose ! lance Louis en descendant sur le quai. Ça mordait continuellement. On avait quasiment juste le temps de rapâter pis de jeter notre perche à l'eau pour que ça morde.

— Bah ! tempère Émile. On a quand même attendu que'ques fois.

— Quasiment pas, rétorque Louis. Faudrait que tu viennes avec moi, Rose. À soir après souper.

— Je sais pas trop, répond Rose.

— Demain matin d'abord, après déjeuner. Faut que tu voyes ça par toi-même. T'en reviendras pas.

— Ça va dépendre de la température, mais je dis pas non.

— *You bet !*

Émile fait quelques pas vers les toilettes, situées au bout du terrain derrière :

— Inquiétez-vous pas, dit-il en se retournant. Y a un pot de chambre en dedans. On va le mettre dans votre chambre.

Il fait un clin d'œil à Rose :

— Faudrait pas que tu soyes obligée de sortir en pleine nuit, hen !

Vers six heures, ils mangent les truites que Louis a arrangées et fait cuire sur le poêle à bois avec bien du beurre, du sel et du poivre. Les hommes prennent de la bière et commentent l'actualité.

— Le pont, le maudit pont ! lance Louis, excédé. Ça fait trente-cinq ans qu'on en parle. Eille ! On rit pas ! En 1896. J'avais un an.

Louis éclate de rire :

— Pis toi, Rose, t'étais même pas née. C'est le député Honoré Petit qui avait présenté ce projet-là à l'Assemblée nationale. Pis là, en 1931, ça niaise encore.

— Y était fin M. Petit. Sa femme aussi. C'étaient nos voisins. J'aimais tellement ça aller là, se rappelle Rose, songeuse.

— Je pense qu'avec la crise, reprend Émile, le gouvernement pourra pas faire autrement que d'arrêter de niaiser. Ça prend un pont, estifi. Pis au plus sacrant à part de ça.

La discussion se poursuit entre hommes. Rose se tient légèrement sur ses gardes. Elle boit très peu, une gorgée de bière pour trois gorgées d'eau. S'il fallait qu'Émile la voie se lever demain matin avec un mal de tête ou, pire, avec les tranches de patate sur la tête. Elle imagine la scène et se retient de rire. Elle se lève, ramasse un peu les assiettes et se tourne vers eux :

— Bon ben c'est assez, là, les hommes! Ça va faire les grandes discussions! Sors les cartes, Émile, qu'on joue!

La soirée se passe dans le plaisir du jeu jusqu'au moment d'aller dormir. D'excellente humeur, les trois amis vont se coucher, non sans avoir eu quelques fous rires en s'apercevant le portrait en pyjama et en robe de nuit.

* * *

Le lendemain matin, Louis se lève très tôt. Il s'habille en silence et sort rapidement dehors. Il a souvent entendu dire qu'il n'y avait pas de meilleur moment pour pêcher que le matin, à l'aube. Ce lac devant lui, c'est comme une invitation. Avec précaution, il détache la chaloupe et embarque prudemment. Empoignant les rames, Louis fait doucement glisser son embarcation vers l'endroit où les poissons abondaient hier. Une légère brume flotte au-dessus de l'eau, des oiseaux chantent dans les bois à intervalles réguliers, comme s'ils se répondaient. Entre ces chants, un silence saisissant.

Une fois rendu au lieu recherché, Louis jette doucement l'amarre et fixe ensuite un ver de terre au bout de son hameçon. Il hésite ensuite à lancer sa ligne à l'eau. Il se sent si heureux, ainsi, au milieu du lac, entouré de montagnes et de forêt, sous ce ciel bleu rosé embrasé à l'est par la rougeur flamboyante du soleil qui se lève. Il n'ose plus bouger. Il se sent tout petit dans ce temple ouvert, à la fois isolé au milieu de nulle part et immergé dans le grand tout. Ici, en ce moment même, il a l'impression qu'il ne pourrait jamais être plus heureux, tous ses sens en harmonie avec ce qui l'entoure, imprégné jusque dans son âme par tant de beauté sacrée.

Pendant ce temps au chalet, réveillé par le bruit de la porte, Émile s'est levé discrètement après le départ de Louis. Après un bref passage aux toilettes, il revient à l'intérieur. Il a vu Louis s'éloigner vers le milieu du lac, et il se sait seul dans le chalet avec Rose, dont la présence dans la chambre à côté le tourmente plus qu'il n'aurait pu l'imaginer. Depuis son réveil, tout son corps est en émoi. Il sent son sang s'agiter et bouillonner en lui. Que pourrait-il faire ? Incapable de s'en empêcher, il entrouvre la porte de la chambre avec précaution, espérant au moins voir Rose dormir. Ne percevant aucune réaction de sa part, il s'enhardit et s'avance très doucement vers le lit près duquel il s'agenouille sans faire de bruit. La lumière du jour entre en rayons lumineux sur le visage et le cou de Rose endormie, illuminant son teint. *Comme elle est belle*, se dit-il en la contemplant couchée sur le dos, ses cheveux étalés sur l'oreiller, un de ses bras replié, sa main le touchant presque. Sa chemise de nuit est à moitié ouverte et pendant quelques minutes, il demeure hypnotisé, les yeux fixés sur sa poitrine qui se soulève à chaque respiration. Il peut percevoir son cœur battre à travers les veines de son cou qui se gonflent de façon régulière, la chaleur de sa peau dégageant une odeur légèrement parfumée qui l'enivre. Délicatement, il avance sa main pour dégager un peu plus sa poitrine afin de pouvoir mieux voir la naissance de ses seins. En réaction, Rose bouge un peu et sa main vient heurter l'épaule d'Émile penché sur elle. En ouvrant les yeux, elle sursaute en découvrant son ami si près d'elle.

— Émile ! s'exclame-t-elle en remontant les couvertures sur sa poitrine. C'est que tu fais là ?

— Pardon, Rose, pardon, marmonne-t-il, pris en flagrant délit. J'ai pas pu m'empêcher de venir te regarder dormir.

— Où ce qu'y est Ti-Louis ? demande-t-elle, inquiète, en se redressant légèrement.

— Y est en chaloupe au milieu du lac.

— Oui, mais là…, dit Rose en ramenant davantage les couvertures sur elle. Ç'a pas de bon sens que tu soyes là, dans chambre, avec moi, voyons donc.

— Je te trouve trop belle, Rose, lance Émile, le regard éperdu. C'est pas de ma faute, je peux pas m'empêcher de t'aimer, avoue-t-il.

Il saisit sa main et se met à l'embrasser avec passion, laissant ses lèvres caresser son poignet, son bras, toujours plus haut, son épaule.

— Tu peux pas me demander de pas t'aimer Rose, c'est trop dur, déclare-t-il de sa voix grave qui la touche jusqu'au plus profond d'elle-même.

Plus troublée que jamais, Rose peine à résister. Émile est si beau, si séduisant, si passionné, comment rester de marbre face à un tel embrasement ? Langoureusement, elle s'abandonne un moment aux baisers de cet homme qui l'embrasse avec fougue dans le cou, les épaules, la poitrine.

— Ah ! ma belle Rose ! Si tu savais comment j'ai rêvé à ce moment-là, murmure-t-il en l'étreignant très fort. J'avais tellement besoin de te serrer dans mes bras, murmure-t-il. T'es tellement belle, tellement belle.

Rose roucoule sous les compliments. Elle n'arrive pas à reprendre ses esprits. Le corps ramolli, les sens en émoi, elle se sent bouleversée par autant d'admiration et de passion.

— On n'a pas le droit, Émile, proteste-t-elle mollement.

— Non, Rose. Dis pas ça! lance Émile en la regardant, les yeux pleins de larmes. Tu pourras jamais m'empêcher de t'aimer. C'est impossible, tu comprends? J'vas toujours t'aimer. Toujours. T'es la femme de ma vie, comprends-tu ça? Même si je vis jusqu'à cent ans, j'vas encore t'aimer.

Rose est touchée, flattée, émue. Mais comment pourrait-elle répondre à autant d'amour? Elle est mariée et très attachée à son Ti-Louis, qui l'aime lui aussi et la traite comme une reine. Ce n'est finalement qu'au prix d'un effort surhumain qu'elle réussit à se reprendre, consciente que son mari peut revenir à tout moment:

— Arrête Émile! Arrête! Voyons donc!

Se dégageant de son emprise, Rose le repousse de toutes ses forces:

— S'y fallait que Ti-Louis arrive! lance-t-elle, affolée.

— Y est au beau milieu du lac. On a encore du temps, insiste Émile. Envoye Rose! On aura jamais une aussi belle occasion.

Rose le fixe, l'air fâché:

— On peut pas faire ça à Ti-Louis, voyons donc!

— Ah Rose…

— Y a pas de «ah Rose…» Sors tu-suite de la chambre, Émile Tremblay!

Penaud, Émile se relève et la regarde tristement:

— T'es dure, Rose. T'es dure avec moi qui t'aime tellement.

Rose s'assoit sur le bord du lit, s'empare de sa robe de chambre et s'en enveloppe comme pour se protéger.

— C'est mieux que tu sortes pour tu-suite, Émile, dit-elle en le regardant, hésitante. On en reparlera une autre fois.

— Promis Rose? On va se revoir?

— J'ai pas dit ça, rétorque Rose.

— T'as dit qu'on allait en reparler.

— Peut-être ben! Ah! Je sais pas trop. Tu me mêles toute. En tout cas, là, faut que tu sortes d'ici pis ça presse. J'ai pas envie que Ti-Louis nous pogne ensemble. Tu vois-tu ça? Ça lui briserait le cœur.

— Pis moi, mon cœur?

— On verra ça une autre fois. Envoye! Vite, sors, ça presse!

À son retour, Louis est d'excellente humeur. Il a pêché quelques truites qu'il souhaite ajouter à leur déjeuner:

— Ouais… t'es de bonne heure su'l piton à matin! lance Louis en apercevant sa femme assise dans un fauteuil devant le foyer, les yeux rivés sur son livre.

— C'est dur de dormir avec les oiseaux qui arrêtent pas de chanter, déclare-t-elle sans le regarder. Un vrai concert!

— Entouècas, moi, je me suis levé, y faisait pas encore vraiment clair, explique Louis en se dirigeant vers la cuisine. C'était tellement beau su'l lac, de bonne heure de même, c'est pas croyable.

Arrive alors Émile, qui vient de l'extérieur. Excité, il parle fort pour se donner une contenance :

— Je viens juste de voir un renard en sortant des *closets*. Un beau petit renard ben roux. Y m'a fixé que'ques secondes, pis y est parti en courant dans le bois. C'était la première fois que j'en voyais un de proche comme ça.

— Moi, à matin, j'ai vu des huards, un hibou, un aigle, un castor. T'en veux-tu d'autres ? lance en riant Louis, de la cuisine.

Rose continue de faire semblant de lire. Mal à l'aise, elle n'arrive pas à se concentrer et évite de regarder Émile. Cherchant à s'occuper, Émile sort un vieil attirail de pêche qu'il se promet de réparer depuis des mois et il se met au travail sans tarder.

Dans la cuisine, Louis fait cuire les truites dans une quantité extravagante de beurre. Il a sorti le pain, les cretons et le fromage et concocte tout un déjeuner.

— Avez-vous faim ? questionne-t-il en élevant la voix.

— Oui, répondent Émile et Rose.

— Bon ben, venez-vous-en d'abord ! C'est prêt.

Attablés tous les trois, ils mangent sans trop parler, au début. Louis, dévorant littéralement le contenu de son assiette, ne perçoit rien d'étrange là-dedans :

— J'avais faim, je me mourais, déclare-t-il entre deux bouchées.

Il regarde sa femme en souriant :

— Pis toi, Rose, tu t'es-tu décidée à mettre tes culottes pis tes bottes pis à venir pêcher avec moi su'l lac après déjeuner ?

Rose saute sur l'occasion pour se détendre et se rapprocher de son mari :

— Oui, certain, Ti-Louis, répond-elle, l'air excité. On pourra pas dire que j'vas m'être faite des culottes pour rien. Eille ! Ma première paire de culottes à vie !

— Tu penses ! ironise Louis. Moi je dis que c'est pas mal toi qui portes tout le temps les culottes dans le ménage, ajoute-t-il en éclatant de rire.

— Niaiseux ! Je veux dire des vraies culottes.

— Bon ben, va les mettre d'abord, qu'on te voye avec, rétorque Louis, repu, se passant la main sur le ventre. Toi Émile, tu vas-tu venir avec nous autres ? demande-t-il ensuite.

— Non, non. C'est mieux que vous soyez juste toué deux dans la chaloupe. J'vas vous attendre icitte. J'ai de l'ouvrage, ajoute-t-il en faisant un geste de la main pour indiquer son attirail de pêche.

À son retour, Rose fait sensation avec son pantalon bien taillé au-dessus duquel elle a revêtu un beau chandail de laine écru.

— Ouais, t'es chic ma femme.

— Rose est toujours chic, ne peut s'empêcher de dire Émile en se levant de table.

— Chic et belle, précise Louis fièrement. Même pour aller à pêche.

Mais tout le monde sait que l'habit ne fait pas le moine, tout comme le plus beau pantalon ne fait pas la pêcheuse. Ce qui devait être une belle séance de pêche se transforme vite en un petit tour de bateau tranquille autour du lac, Rose se plaignant presque constamment de la dureté du bois pour ses fesses, de la saleté de l'eau stagnante dans le fond de la chaloupe, des dégoûtants vers de terre et des pauvres poissons se débattant au bout des lignes. De retour au quai, Rose peut poursuivre sa lecture pendant des heures, alors que les deux hommes se mettent d'accord pour attraper et rapporter à la maison le plus grand nombre possible de poissons.

De retour à Chicoutimi vers quatre heures, Louis et Rose sont accueillis comme des héros. La maison est pleine de monde. Viola, Albertine et Tetitte discutent dans la cuisine. Denise et ses trois frères, qui jouaient par terre avec leurs cousins, leur sautent littéralement dessus :

— Maman, papa ! s'écrient-ils, tout heureux.

— On est arrivés ! font les deux parents en chœur.

Louis dépose la caisse de truites sur le comptoir de la cuisine, puis il la vide dans l'évier.

— Avez-vous déjà vu de la belle truite de même ? demande-t-il, enthousiaste.

— Doux Jésus ! Vous en avez ben ! s'exclame Tetitte.

— Inquiète-toi pas ! lance Louis. J'vas vous en donner un bon paquet. Vous allez pouvoir en manger, toi, tes petits gars pis papa.

Louis s'installe au comptoir et commence à diviser les prises. Il prépare également un petit paquet pour Viola et sa mère :

— Tiens ma belle fille ! T'as ben travaillé.

— Oui, renchérit Rose en lui ouvrant la porte. T'es ben smatte. Merci ben pour la fin de semaine ! Tu mangeras ça avec ta mère. Tu vas voir, c'est pas mal bon.

Elle se tourne vers Albertine :

— Veux-tu rester coucher encore à soir ? Tu pourrais manger de la truite avec nous autres tantôt.

— Ben sûr que je veux.

Une fois dans son lit, après avoir mis les enfants au lit et avoir installé confortablement sa cousine, Rose peut enfin repenser à la scène qu'elle a vécue ce matin avec Émile. Louis est déjà endormi à côté d'elle, épuisé par sa longue journée. *C'est-tu vraiment arrivé ?* se demande-t-elle encore une fois. Oui, sans l'ombre d'un doute, son corps tressaillant dès qu'elle revit en pensée les baisers troublants, les caresses et les paroles échangées. *Mon Dieu !* supplie-t-elle intérieurement. *C'est que j'vas ben pouvoir faire avec ça ?* Déroutée, elle regarde Louis, bienheureux, qui ne se doute de rien, et elle se sent tout à coup exaspérée en le voyant aussi débonnaire, aussi confiant. Pourquoi lui a-t-il présenté cet homme, aussi ? Elle ne demandait rien, elle. Elle lui en veut de l'avoir exposée à sa convoitise. Elle lui en veut d'être aussi naïf. Comment peut-il ne pas s'apercevoir de ce qui se passe ? Franchement ! Il devrait être jaloux et chasser Émile de leur vie. Au contraire, il ne fait que l'exposer encore plus. En tout cas, elle, Rose, c'est certain qu'elle serait jalouse à mort. Jamais elle ne permettrait qu'une autre femme vienne constamment les voir, se dise leur amie tout en s'amourachant de Louis. Elle revoit dans sa tête Albertine, d'autres cousines qui viennent coucher et passer quelques jours à la maison, ses amies, Fernande, Anna-Marie. Non, vraiment, aucune ne lui semble une rivale. Le visage d'Émile lui réapparaît, tout beau, implorant son amour. *Mais pourquoi est-il entré dans notre vie ?* se répète-t-elle encore une fois sans trouver de réponse… *C'est pas de ma faute*, se défend-elle. *J'ai rien faite. J'ai aucun reproche à me faire.* Ce n'est finalement qu'après une longue série de blâmes distribués dans sa tête à parts égales à son mari et à Émile qu'elle réussit enfin à retrouver un peu de quiétude et à s'endormir doucement du sommeil du juste.

Chapitre 13

Le mois de juin 1931 semble s'écouler lentement sous le ciel bleu, blanc et parfois gris de la petite ville de Chicoutimi. Mais sous la calme surface d'une résignation courageuse fomente toutefois un vent de révolte. Il est vrai que, sur une population totale d'environ douze mille personnes, plus des trois quarts des chefs de famille sont depuis des mois – voire depuis plus d'un an – au chômage sans recevoir aucune autre forme d'allocations que l'aide ponctuelle des bonnes œuvres.

Un bon lundi matin, le 22 juin très précisément, sous l'inspiration de prêtres catholiques, souvent également à la tête des syndicats ouvriers, près de neuf cents hommes bien décidés à se faire entendre se rassemblent devant l'hôtel de ville pour manifester. Sensible aux difficultés croissantes de sa population, le maire, Jules Tremblay, se montre rapidement solidaire. Sorti sur le parvis de l'édifice municipal, il annonce, en y mettant le plus de conviction possible, que la construction du pont va commencer très bientôt et qu'il y aura du travail pour des centaines d'entre eux. Arrivé en renfort à ses côtés afin de calmer les esprits échauffés, le député provincial, Gustave Delisle, corrobore ses dires haut et fort dans une spectaculaire envolée où il fait du début des travaux de construction du pont sa principale promesse électorale à venir.

En réalité, cela fait des mois que le projet de construction de cinq ponts au Québec, dont celui de Chicoutimi, est annoncé et voté en chambre. Mais qu'est-ce qui peut bien retarder autant le début des travaux ? Le fédéral bien sûr, car si ce n'était que du gouvernement libéral à Québec, selon les affirmations de ses représentants, il y a longtemps que toute la province serait au travail à construire et à rénover les infrastructures. Le fédéral repousse en effet constamment le commencement des travaux, du moins à Chicoutimi, en raison des plans qui doivent prévoir les besoins précis de navigation sur la rivière. De plus, cinq projections d'itinéraire du pont ont été présentées. L'une débute de l'autre côté du bassin et arrive à gauche du présent quai de Sainte-Anne. Une autre part de l'avenue Morin et arrive à droite du présent quai. Une autre part de l'hôtel de ville et arrive au même endroit. Une autre part de la rue Lafontaine et arrive à droite du ruisseau Micho, en bas de la côte menant au cap Saint-François. Une dernière débute à la rue Sainte-Anne et se dirige pratiquement en ligne droite sur les lieux du présent quai. Aucune décision n'a encore été prise. La situation n'a-t-elle pas assez duré ? Personne ne pourra endurer un autre hiver sans travail ni aide financière. Des décisions doivent être prises.

Mais la lenteur des gouvernements est proverbiale et il semblerait que ce soit la consternante réalité, même en temps de crise. Des semaines d'attente sont en effet encore nécessaires avant que l'itinéraire soit enfin choisi et approuvé par les gouvernements provincial et fédéral. Le pont prendra naissance sur la rue Sainte-Anne à Chicoutimi et se rendra en ligne droite sur l'autre rive, au village de Sainte-Anne. Il portera d'ailleurs le nom tout indiqué de pont de Sainte-Anne.

Au Québec, des élections sont dans l'air. Tout au long du mois de juillet, Taschereau laisse planer la possibilité d'un scrutin dans les plus brefs délais. Depuis des mois, il insiste sur la nécessité d'avoir un mandat fort pour aller négocier avec le gouvernement fédéral de l'aide concrète pour le Québec. Selon lui, les travaux d'infrastructures sont une bonne façon de stimuler l'économie et de faire travailler la population en temps de crise, mais des mesures systémiques doivent également être mises en place pour apporter de l'aide concrète aux familles.

Ce n'est finalement que le 30 juillet que Taschereau passe de la parole aux actes et déclenche des élections qui auront lieu le 24 août prochain. Comme par hasard, dès le lendemain de cette annonce, le député Delisle annonce enfin à ses concitoyens que les travaux pour la construction des approches du pont vont commencer dix jours plus tard. Voilà certainement une excellente façon de se faire réélire !

Les travaux d'approche du pont sont confiés à l'entreprise locale Desantis, Gagnon et Tremblay, qui commence simultanément sur les deux rives dès le 10 août. Le soir du scrutin, l'élection du Parti libéral est confirmée avec une très forte majorité de députés élus, soit soixante-dix-neuf contre onze seulement pour le Parti conservateur de Camillien Houde. Le règne des libéraux dure pourtant depuis 1897, sans interruption, Taschereau étant premier ministre depuis 1920. Rien ne semble être en mesure d'y mettre fin. Encore une fois, aucune femme n'a pu participer au scrutin, un projet de loi en ce sens ayant encore été rejeté en mars dernier, malgré le fait que le Québec soit la seule province à encore refuser le vote aux femmes. Pour plusieurs progressistes, le rôle de la religion catholique, qui confine les femmes canadiennes-françaises à la maison, est pour beaucoup dans cette situation.

Dès la fin du mois de septembre, les approches du pont du côté de Chicoutimi, d'une longueur de six cent vingt pieds, sont presque terminées, alors que l'achèvement de celles de la rive nord, d'une longueur de huit cent cinquante pieds, est prévu pour la fin du mois d'octobre. C'est la firme A. Janin & Cie qui a été choisie pour la construction des piliers de béton à quinze pieds dans le lit de la rivière et à quarante-cinq pieds sous la surface de l'eau à marée haute. Elle construira les planchers et les trottoirs par la suite. C'est la Dominion Bridge qui est chargée de bâtir la structure de métal du pont. Les trois entreprises travaillent de front par moments.

Le gouvernement donne aussi le coup d'envoi à un grand nombre de travaux publics, faisant travailler des milliers de chômeurs qui reçoivent en échange des allocations de subsistance. À Chicoutimi, on parle de la construction d'un nouvel hôtel de ville, de l'agrandissement du port, de la construction de murs de soutènement le long du Saguenay, de l'aménagement de la promenade Rivière-du-Moulin, sans compter des travaux de voirie de toutes sortes, réfection d'égouts, aqueducs, trottoirs, nivellement et pavage de rues, nivellement de côtes qui vont améliorer grandement les infrastructures de la capitale régionale. Toute cette effervescence économique entraîne un afflux d'étrangers dans la ville, provoquant de belles opportunités pour les hôteliers et les restaurateurs qui souffraient depuis si longtemps de la crise.

Chez Georges Bergeron, c'est le branle-bas de combat. Bien décidé à profiter de cette manne à sa façon, Georges s'est résolu à redonner une vocation de petit hôtel à sa maison familiale, vocation qu'elle avait déjà eue pendant quelques années avant qu'il en fasse sa résidence. Située sur la rue Racine, à quatre cents pieds seulement des travaux, la maison dispose en effet de huit chambres. En excluant les trois occupées par lui-même, sa fille Tetitte et ses trois petits-fils regroupés dans une seule, il reste cinq grandes chambres libres que Georges a mises à louer dès l'annonce du début des travaux. Plusieurs travailleurs, surtout des ingénieurs, des contremaîtres et des ouvriers spécialisés, ont déjà réservé les chambres libres. Tetitte leur offrira le déjeuner et le souper. La bonne entretiendra leurs vêtements et aidera Tetitte pour le ménage.

Pour Georges, dans les circonstances, prendre des pensionnaires est une affaire qui va de soi. Il suggère d'ailleurs à certains de ses enfants d'en faire autant. Arthur, Marie-Louise et Louis surtout, qui vivent en ville, à proximité de la rue Sainte-Anne, et qui auraient bien besoin d'un petit surplus. Il assume depuis trop longtemps toutes leurs factures d'épicerie, l'achat des vêtements, des fournitures scolaires, et quoi d'autre encore ! Poussés par leur père, Arthur a rapidement trouvé preneurs pour une chambre à deux lits, alors que Marie-Louise a accepté d'accueillir de façon ponctuelle un inspecteur en charge de surveiller les travaux.

D'abord réticent à l'idée de partager son intimité avec des étrangers, Louis n'a toutefois pas eu à en discuter bien longtemps avec Rose pour qu'elle saute immédiatement sur l'occasion de faire quelque revenu. Lasse de toujours devoir s'en remettre à son beau-père pour chaque sou dépensé, elle aura enfin un petit pécule qui la rendra plus indépendante. C'est humiliant à la longue de vivre aux crochets de quelqu'un qui se croit légitimement en droit de demander une justification pour le moindre achat.

Un bon matin de septembre, sur les conseils de Georges, deux contremaîtres anglais frappent à la porte de la petite maison. Rose accueille avec moult sourires, gestes invitants et quelques mots décousus les deux hommes qui se présentent sous les noms de M. Cradish et M. Lyman. « Bonjour, entrez, bienvenue ! » Leur offrant une bonne poignée de main, Louis leur explique dans un anglais impeccable — quand même rare dans ce coin de pays qui vit presque entièrement en français — une série d'avantages à demeurer chez eux : une chambre tranquille, des déjeuners copieux servis tôt le matin, un souper trois services, deux salles de bain dont une complète à l'étage, l'entretien de leurs vêtements, etc. Le seul hic, c'est qu'ils devront partager une seule chambre avec deux lits jumeaux. Condition qui ne semble aucunement les dissuader. Sans hésiter, ils prennent la chambre, s'entendent sur un prix et s'installent immédiatement.

Denise et ses petits frères sont très excités, même si cela ne change pas grand-chose à l'étage. En tant que fille unique, Denise occupe une chambre, ses trois petits frères en occupent une autre et leurs parents ont la plus grande. Ils sont habitués de voir la quatrième chambre occupée d'une semaine à l'autre par des gens de la famille, des amies ou des cousines de passage. Ce sont maintenant des hommes qui parlent une langue étrangère. Denise est fascinée de voir son père discuter dans cette langue avec ces deux hommes. Le matin surtout, pendant qu'il prépare le déjeuner pour tout le monde, une longue conversation s'établit chaque fois et c'est pour elle comme une mystérieuse musique qu'elle cherche à déchiffrer sans y parvenir.

— Moi aussi je veux parler anglais, confie-t-elle un bon samedi matin à son père, une fois les deux hommes partis travailler. Je veux pas être comme maman qui sait pas dire un mot. Je veux être comme toi.

Louis la regarde, flatté :

— D'abord va falloir que t'apprennes, lui répond-il.

— Tu peux-tu me le montrer, toi ? demande-t-elle.

— Va falloir que tu prennes des cours avant, c'est sûr. Mais après ça, j'vas te faire pratiquer.

— Merci papa. T'es fin. Merci merci merci.

Denise monte vite s'habiller. Une jolie jupe en lainage bleu, un chemisier blanc et un chandail rouge que sa mère lui a tricoté, un bandeau à fines rayures bleu et rouge dans les cheveux, des collants bien chauds, ses beaux souliers vernis qu'elle adore, elle se sent belle. Un coup d'œil dans le miroir lui confirme son impression. Quelques minutes plus tard, elle redescend en courant :

— Je m'en vas chez mon oncle Arthur, déclare-t-elle à son père en passant dans la cuisine en coup de vent. On s'en va voir les travaux, moi pis Esther, lui explique-t-elle une fois dehors, déjà installée sur sa bicyclette.

Son père, qui l'a suivie sur la galerie, lui crie avant de la voir s'introduire dans la ruelle qui donne sur la rue Racine :

— Fais attention, Denise ! Approche-toi pas trop des machines ! C'est pas un jeu cette affaire-là.

Ses paroles se perdent dans le vent. Louis hausse les épaules. De toute façon, il va aller les rejoindre tantôt. Il revient dans la cuisine où ses trois garçons jouent.

— Je veux y aller moi aussi, déclare Claude, qui adore se rendre là-bas avec son père.

— Moi aussi, je veux y aller avec vous autres, réclame Paul.

— Oui oui, acquiesce Louis. On va y aller tantôt.

— Ma si, veux, jargonne Maurice en écho.

— Non. Pas toi, t'es trop petit. Tu vas rester avec ta mère.

Au même moment, Viola arrive. Depuis l'arrivée des pensionnaires, elle vient chaque matin tout ramasser, faire la vaisselle et les chambres. Louis lui laisse la place et monte aussitôt réveiller Rose, Maurice dans les bras, les deux plus vieux le précédant dans l'escalier :

— Bonjour la belle Rose, murmure-t-il en entrant dans la chambre. Y est neuf heures. Faut que tu te lèves.

Rose s'étire et prend ses aises. Les garçons restent un peu à l'écart, regardant leur mère de loin. Ils savent qu'elle n'apprécie pas trop les débordements, surtout le matin quand elle vient juste de se réveiller. Louis dépose Maurice près de Rose.

— Bon ben, j'vas aller habiller Claude pis Paul, moi. On s'en va voir les travaux, explique-t-il.

— Où ce qu'y est Denise ? demande-t-elle en s'assoyant sur le bord du lit pour mettre ses pantoufles.

— Est déjà partie là-bas avec Esther.

— Ah la petite fameuse! Si a pense qu'a va faire tout ce qu'a veut, celle-là! Tu la surveilleras, quand tu seras rendu là-bas.

— Oui, oui. Inquiète-toi pas!

— Pis t'a ramèneras avec toi après.

— Oui, oui.

Chez Georges, Tetitte en a plein les bras depuis des semaines. Avec cinq pensionnaires, par moments sept ou huit lorsqu'ils sont deux par chambre, elle se sent de plus en plus harassée par tout le travail et toutes les demandes. Elle se contenterait bien de faire les repas.

Un lundi matin, alors que ses deux plus vieux sont partis pour l'école, que le plus jeune joue par terre avec ses camions et que les pensionnaires sont tous allés travailler, elle ne peut s'empêcher de dire:

— Le lavage, là, papa, ça va faire. J'y arrive pus. Faudrait faire quequ'chose. C'est trop d'ouvrage, tu comprends-tu? Leur linge est sale, bourré de sable pis de bouette. Des taches d'huile aussi, pis de gaz. Moi, je te dis, on va finir par briser notre laveuse si ça continue.

Georges écoute sa fille en fumant sa pipe, sans dire un mot.

— Pis les draps aussi, poursuit-elle. Ça finit pus tellement y'en a.

Tetitte se tourne vers son père:

— Oui mais là… Tu dis rien.

— Aaah! fait-il d'un air mystérieux. Tu vas voir ça, betôt. Tu pourras pas croire à ça.

— Mais quoi?

— Aaah! Tu verras ben.

Georges se lève, met sa veste, sa casquette, et se dirige vers la porte:

— J'vas revenir pour dîner, lance-t-il à sa fille avant de refermer la porte derrière lui.

Une fois dehors, il marche derrière sa maison, toujours étonné de constater l'absence du train qui passait régulièrement en boucle dans la petite usine sur le terrain des Vézina. Avec le parc que la ville aménage de l'autre côté de chez Ti-Louis et son grand kiosque où, l'été prochain, la fanfare de la ville donnera des concerts le soir, cela fait beaucoup de changements autour de chez lui. Heureusement, complètement à sa gauche, la fermette des Lalancette est toujours là, avec ses quelques vaches, cochons, poules, son vaste jardin potager et, toujours debout, la statue de la Sainte Vierge et la croix des chemins qui le saluent au passage. Pour combien de temps encore? Avec la rue Racine qui est devenue la principale artère commerciale de Chicoutimi et les rues Jacques-Cartier et Morin qui se développent aussi beaucoup, tous ces terrains et bâtisses vont peut-être bientôt devoir changer de vocation. *Mais quelle bonne affaire quand même*, se félicite-t-il encore, *d'avoir acheté les terrains de Vézina!* Le mois dernier, il a loué la bâtisse de l'ancienne petite usine à un homme qui va y installer une buanderie. C'est là qu'il se rend ce matin, constater *de visu* l'avancement des travaux. Avec les plaintes de sa fille tantôt, il est de plus en plus certain du succès de l'entreprise. *Si ça marche, l'année prochaine, j'vas pouvoir y augmenter son loyer*, songe-t-il, content de lui-même. Passant juste à côté de la maison des Vézina, il aperçoit tout à coup sur la galerie sa petite-fille, Denise, qui semble espionner par les fenêtres.

— C'est que tu fais là, toi là ? lui lance-t-il d'un ton sévère.

Denise sursaute, embarrassée de s'être fait prendre par son grand-père dont elle a toujours un peu peur. Il est vrai qu'il semble souvent fâché ou contrarié, sérieux, impatient avec les enfants. En tout cas, elle n'a jamais pensé qu'il l'aimait, car il ne lui parle jamais. Ni à elle ni à Claude ni à Paul ni à Maurice, ni même à Jean ni à Bernard avec qui il fait pourtant vie commune. Le seul à qui il parle, c'est à Yvan, le deuxième fils de Tetitte, tout naturellement, comme si cela allait de soi d'avoir aussi ouvertement un chouchou. Très fier de lui, Georges déclare régulièrement que c'est le seul de ses petits-enfants qui tient de lui.

— C'est que tu faisais là, Denise ? Réponds-moi ! Voyons donc ! Je te mangerai pas.

— Je regardais la maison, répond Denise, confuse. Est telle-ment belle. Papa m'a dit que c'était à nous autres astheure, ajoute-t-elle avec un petit sourire gêné. Moi, j'aimerais ça qu'on déménage là.

— Ah ben ça c'est fort ! s'exclame Georges, un peu moqueur. C'est pas possible ton affaire, voyons donc. Est revendue la maison, ma pauvre petite fille. Y vont la démolir à part de ça dans pas grand temps.

Denise reste bouche bée. Une si belle maison. Vaste. Spacieuse. Riche. Ce n'est pas la première fois qu'elle vient la voir depuis qu'elle est vide. Elle s'amuse à imaginer y placer les meubles de leur maison, le divan, les fauteuils, les carpettes, les lampes. Elle décore mentalement, et c'est chaque fois tellement beau! Désappointée, elle regarde son grand-père puis, sans dire un mot, elle marche vers l'escalier qu'elle dévale aussitôt pour courir chez elle.

Georges lève les yeux vers le ciel en secouant la tête, incrédule. *Pauvre Ti-Louis!* se dit-il. *Comme si la maison était à lui,* soupire-t-il, toujours un peu découragé de la façon qu'a son fils d'interpréter la réalité. La maison est en effet déjà vendue à Héraclius Lessard, comme il l'avait anticipé. Il faut dire que Georges ne lui a pas vraiment laissé le choix. Si Lessard souhaitait un jour pouvoir agrandir son magasin, il lui fallait absolument acheter ce terrain adjacent et, bien entendu, la maison qui était bâtie dessus. Georges sourit dans sa barbe. Comme un vieux renard – de soixante-douze ans quand même – il avait laissé planer le doute. Il pouvait vendre à un autre, qu'en savait-il… Lessard avait dû se résoudre à acheter, même s'il n'était pas prêt à commencer les travaux. Et une fois propriétaire, il allait devoir payer les taxes et se tenir responsable de la bâtisse et du terrain tout l'hiver. Georges se réjouit en lui-même. *Même en pleine crise, y faut jamais perdre espoir de faire des bonnes affaires,* se dit-il en se dirigeant d'un pas décidé vers la buanderie juste à côté, où l'aménagement est presque terminé.

— Quand est-ce que tu vas ouvrir? demande-t-il au jeune patron, Jean Savard, qui surgit de sous le comptoir de la réception.

— Mercredi prochain, monsieur Bergeron, répond-il. On va faire un lancement, vous allez voir. On va offrir un deux pour un pour la première semaine, ajoute-t-il en le regardant, les yeux brillants. C'est que vous en pensez?

— Ç'a ben du bon sens, ton affaire, le jeune! Tu vas voir qui va y'en avoir du monde qui vont venir faire laver leur linge icitte. Même si c'est la crise, y'en a encore qu'y ont de l'argent. Pis avec tous les pensionnaires dans les maisons, ça prend de l'aide pour le lavage. Chus pas inquiet.

— Moi non plus, rétorque le patron. Pis la crise, a va ben finir par finir, j'cré ben.

— Eille! T'as le plus beau local en ville, se vante Georges en se préparant à repartir. Bon ben, je te dérangerai pas plus longtemps. J'vas aller drette là au journal faire annoncer ta buanderie. Je connais le gars qui s'occupe des petites annonces. Y va être ben content d'avoir une nouvelle à mettre dans sa page. J'vas y dire que ça va être un avancement considérable pour la ville.

— Vous êtes ben *blood*, monsieur Bergeron.

— C'est ben normal, mon petit gars.

Chapitre 14

Pendant que certains hommes travaillent de bien des façons à améliorer leur sort et celui de leur famille, quelques femmes sont davantage tournées vers les nombreux besoins terre à terre des plus démunis de la société. Florence Lessard, épouse d'Héraclius Lessard et mère de nombreux enfants, est l'une de ces femmes généreuses, travaillantes, qui ont à cœur de mettre une partie de leur richesse au service des plus pauvres. Désireuse de se rendre utile, se connaissant certains talents pour la couture, Mme Lessard convainc un bon jour son mari d'acheter une douzaine de machines à coudre qu'elle fait aussitôt installer, après entente avec la direction, dans le sous-sol de l'Académie commerciale des frères Maristes, sur la rue Morin, en face de l'aréna. Demeurant tout près, sur la rue Tessier, elle est à quelques pas seulement de la grande salle où une vingtaine de femmes aux mains habiles viennent, à tour de rôle, coudre des vêtements de toutes sortes qui sont distribués par la suite aux démunis par les bénévoles de la Saint-Vincent de Paul ou d'autres organisations caritatives. De leur côté, les sœurs de différentes congrégations organisent toujours des soupes populaires, offrent également le refuge aux pauvres et ne savent plus quels moyens inventer pour aider les moins favorisés à passer au travers de la crise. D'autres femmes, comme Alida Duperré et Héléna Grenon, deux sœurs de Louis, font également profiter les moins nantis de dons de vêtements d'enfants devenus trop petits, de manteaux chauds un peu démodés, de robes ou de complets un peu passés ou devenus trop étroits en raison d'une prise de poids. Débrouillardes, réservées, terre à terre, une grande majorité de femmes, mères de famille nombreuse et reines du foyer, font jour après jour en ces temps de crise de véritables petits miracles avec peu de choses afin de nourrir et de prendre soin de tout leur monde dans l'intimité de leur maison.

Au début de l'hiver, l'aide des gouvernements pour l'alimentation, l'habillement, le logement et le combustible vient enfin prêter main-forte aux efforts de tous. Ce n'est pas trop tôt. Les deux gouvernements se sont en effet entendus sur des mesures d'allocations aux travailleurs, un dollar par jour pour les pères de famille qui travaillent pour l'un des nombreux projets de construction ou d'infrastructure et d'asphaltage de la ville, et du « secours direct » pour les familles qui demeurent sans revenu ou qui ont un revenu insuffisant. L'aide est d'abord offerte sous forme de coupons à échanger dans des commerces désignés. Mais ce système est rapidement jugé trop rigide par la population et est remplacé par des chèques de trois dollars et seize sous par semaine pour une famille de deux personnes jusqu'à six dollars et quarante-trois sous pour une famille de neuf personnes et plus. Inutile de dire qu'aucune folie n'est permise.

Un peu éloignée pour le moment de ces nobles gestes altruistes, Rose est plutôt absorbée par les besoins immédiats des siens. L'hiver arrive et il est devenu évident, après une séance d'essayage hier après-midi, que Denise et Claude vont tous les deux avoir besoin d'un nouveau manteau et de nouvelles bottes. Pour les manteaux, elle a sa petite idée. Mais peut-être pourrait-elle demander à Louis de solliciter

Héléna ou Alida – Mme Grenon et Mme Duperré, comme elles souhaitent se faire appeler par leur jeune belle-sœur – pour savoir si elles n'auraient pas des bottes pour eux. Elle préférerait ne jamais avoir à quémander leur aide, elle a son orgueil quand même, mais si c'est Louis qui le fait, c'est différent. Après tout, ce sont ses sœurs à lui.

Le lendemain, en début d'après-midi, une fois Denise repartie pour l'école, Rose laisse ses trois garçons sous la garde de la bonne Viola et part magasiner sur la rue Racine. Vêtue d'un long manteau de drap gris taupe, d'un joli chapeau et d'une élégante écharpe de lainage écru, elle se rend d'abord chez Woolworths, un grand magasin qui a pignon sur rue à Chicoutimi depuis cinq ans. Elle y entre, un peu hautaine, ayant déjà pu juger à quelques reprises de la qualité douteuse des vêtements qui y sont en vente. Aussitôt lavés, aussitôt déformés. Du gaspillage. C'est pourquoi elle n'y fait que très rarement des achats. Ce matin, en ce beau jour du mois d'octobre, elle cherche plutôt à se promener dans les rangées sans raison autre que de se changer les idées en laissant errer son regard au milieu de vêtements et d'objets de toutes sortes. Depuis quelque temps, c'est devenu comme une soupape quand elle devient trop tracassée par les pressions exercées par Émile, qui continue de se pointer parfois les samedis soir à la maison avec l'air de se mourir d'amour pour elle, de Louis et de ses besoins sexuels qui ne semblent jamais devoir être comblés pour de bon, de ses quatre enfants qui demandent sans cesse son attention.

Regardant distraitement la marchandise, Rose se dirige lentement vers le rayon des foulards de soie et autres accessoires féminins. Elle prend un foulard, le met autour de son cou, en prend un second, l'essaie également, les remet sur l'étalage, se saisit d'un troisième, le déplie et le tient au bout de ses bras, le replace. Elle se sent bien, légère, apaisée. Elle se rend au comptoir des chapeaux, en essaie quelques-uns, échangeant quelques banalités avec la vendeuse, tête heureuse, sans souci. Elle continue ensuite de se promener dans les rayons, observant la marchandise autour d'elle, tâtant un vêtement ici et là, observant un détail, regardant les modèles de robes, jupes et chemisiers pour petites filles, ceux des pantalons et petits vestons pour garçons, afin de pouvoir les reproduire avec sa machine à coudre. *Ça donne des idées*, se dit-elle en poursuivant sa visite jusqu'à la sortie.

Sur le trottoir, elle fait quelques pas, désinvolte, puis se dirige vers son magasin préféré, qui se trouve à quelques pâtés de maisons de chez son beau-père : chez Dinovitzer, un magasin on ne peut plus typique, qui porte le nom de son propriétaire, un Syrien d'origine. Entrer là correspond pour elle à pénétrer dans la caverne d'Ali Baba. La marchandise est partout, des centaines d'écheveaux de laine et de bobines de fil sur des étagères au mur, des broches, des accessoires en tout genre, des rouleaux de tissu à la verge et des coupons disposés pêle-mêle sur des étalages au milieu du magasin, des tas de vêtements empilés sur des tables. Le plus impressionnant est d'apercevoir les longues rangées de vêtements de toutes les couleurs accrochés au plafond qui pendent juste au-dessus des têtes. En ajoutant l'odeur particulière d'épices et d'encens, venus du Moyen-Orient, qui envahit ses narines en entrant, Rose vit une expérience unique à chacune de ses visites.

— Bonnjur madame Bergeuronn, lance le Syrien avec son accent bien spécial. Qu'est-ce que je pux faire pur vus aider ?

— Je viens voir vos tissus, dit-elle en se rendant vers l'étalage situé à droite. C'est pour deux manteaux d'enfants.

Rose prend le temps d'examiner les *tweeds* et les lainages, et choisit finalement une étoffe épaisse bleu marine en spécial.

— Donnez-moi-z'en pour deux manteaux d'enfants de cinq et sept ans. Deux verges et demie à peu près, je suppose.

Le commerçant déroule le tissu et lui montre la longueur désirée.

— Oui, je pense que j'vas en avoir assez de ça.

— Alors je cupe, fait Dinovitzer en commençant à tailler.

Rose est très contente. Pour un coût minime, elle pourra confectionner deux beaux manteaux qui vont faire ensuite aux deux autres. Même celui de Denise pourra être porté par les garçons. Elle n'aura qu'à changer les cols et les garnitures, à rendre le tout plus masculin. Elle fouille dans la boîte à coupons et trouve un beau morceau vert bouteille pour le manteau de Claude, et un autre morceau rouge vif pour Denise. Elle en aura assez pour faire les cols ainsi que les revers de poches. Elle choisit également de la doublure, du fil et du feutre pour isoler le dos.

Avec ses paquets sous les bras, Rose sort du magasin, enchantée. *Mon Dieu que ça va être beau !* se répète-t-elle depuis tantôt, la tête fourmillant d'idées. Elle va leur tricoter des tuques de laine rayées – il lui reste de la laine de plusieurs teintes –, elle les fera différentes, avec de gros pompons bien fournis, avec des mitaines aussi, dans les mêmes couleurs et des foulards. Toute à son imagination, Rose ne voit pas Émile qui arrive dans sa direction.

— Hé! Rose! T'as donc ben l'air pressée! s'exclame-t-il.

Rose s'arrête dans son élan:

— Ah! Émile! dit-elle, saisie de le voir là, juste devant elle. Je t'avais pas vu.

— J'ai ben vu ça, répond-il en souriant.

Il la regarde quelques secondes sans parler:

— Chus tellement content de te voir, ma belle Rose, finit-il par dire de sa voix chaude, en la couvant du regard.

Rose baisse les yeux, troublée. Son cœur bat fort dans sa poitrine.

— Toi, t'es-tu contente de me voir? demande-t-il.

Rose secoue la tête:

— Ben oui, je suis contente, répond-elle, un peu intimi-dée. Ben pas plus que ça, ajoute-t-elle aussitôt en haussant les épaules. Ben, t'sais là, poursuit-elle en se donnant un air indifférent, je faisais juste m'en retourner chez nous, avec mes paquets.

— Veux-tu que je t'aide? lance Émile en s'avançant vers elle.

— Non, non. Laisse faire! Je suis capable de m'arranger tu-seule.

— Ouais… Toujours aussi indépendante, la belle Rose, dit-il, se sentant un peu rabroué. On est pas supposés être des amis toué deux, coudonc? demande-t-il en la fixant, les yeux brillants.

Rose se sent coincée:

— Ben oui, c'est sûr qu'on est des amis… Avec Ti-Louis, ajoute-t-elle aussitôt. Comme on s'est déjà dit d'ailleurs. Pas plus pas moins.

— Bon ben si c'est comme ça, j'vas continuer mon chemin d'abord, répond Émile, piqué au vif. Ça fait que… Salut bien ma chère amie, lance-t-il d'un air caustique. Et à la prochaine!

— Ouais, c'est ça, mon cher ami, répond-elle sur le même ton, à la prochaine!

Restée seule sur le trottoir, Rose fait quelques pas jusqu'à la ruelle qui mène à la maison. *Mon Dieu qu'y m'a donné chaud*, se dit-elle en déposant ses paquets le long d'une bâtisse pour reprendre son souffle. *Y me surveillait-tu coudonc?* se demande-t-elle. *Y le sait, le petit mautadit, qu'y me fait de l'effet. Pis on dirait qu'y en profite*, soupire-t-elle. Après un petit moment, elle reprend ses paquets et marche lentement jusqu'à la maison.

Une fois rendue, Rose a retrouvé son calme. Toujours habitée par son projet de couture, elle a hâte de se mettre au travail. Elle dépose ses paquets, enlève son manteau et monte à sa chambre pour y laisser son sac à main, quand elle entend la porte de la cuisine s'ouvrir et se refermer.

— Rose? Où ce que t'es? lance Louis, qui vient d'entrer avec, à la main, quelque chose qui, il en est convaincu, fera bien plaisir à sa femme.

— Je suis en haut. Je descends là, crie Rose.

— Non, non! J'arrive, répond Louis en se dirigeant vers l'escalier. Tu croiras pas à ta chance, déclare-t-il en grimpant les marches à la course.

Louis brandit devant lui un carton :

— Regarde! s'exclame-t-il.

— C'est que c'est ça? fait Rose, curieuse.

— Ça, fait Louis, enthousiaste, c'est un cadeau de mon ami William, je devrais plutôt dire de ton cousin William Tremblay.

— Ben voyons! C'est quoi cette affaire-là? questionne-t-elle, encore plus curieuse.

— Un laissez-passer pour aller au cinéma Capitol quand tu veux.

— Quoi?

Rose s'empare du carton que Louis lui tend. Elle lit à voix haute «Laissez-passer annuel». Son nom, Rose Bergeron, est inscrit en lettres capitales en dessous.

— Ben voyons donc! Comment t'as eu ça?

— Par ton cousin William, qui l'a eu par son frère Gonzague, le propriétaire du théâtre. Tes cousins, précise-t-il en hochant la tête d'un air entendu.

— Oui mais… C'est donc ben un beau cadeau ! s'exclame Rose, réjouie. Ça veut dire que n'importe quand, si y a un bon film, j'vas pouvoir y aller.

— Gratis, fait Louis, tout heureux de son effet.

— Ben c'était quand même pas si cher, vingt cennes, fait remarquer Rose, mais fallait souvent que tu le demandes à ton père.

— Bon ben là, on aura pus besoin d'y demander ça, coupe Louis.

Il la regarde :

— Ça fait un petit bout de temps qu'on y en demande moins quand même, ajoute-t-il. Avec le revenu de nos deux pensionnaires, on a un peu d'argent astheure.

— Ouais, mais c'est encore lui qui nous paye l'épicerie, l'école, les taxes.

Rose soupire :

— Si tu travaillais aussi ! ajoute-t-elle en le regardant d'un air soupçonneux. Comment ça se fait, donc, qu'y t'ont pas encore engagé, hen, veux-tu ben me le dire ?

— Y a pas d'ouvrage pour tout le monde, répond Louis sans se laisser démonter. Pis tu penses pas qu'y en avait qui avaient pas mal plus besoin d'argent que nous autres ?

— C'pas à cause, t'as raison, reconnaît-elle en se dirigeant vers la salle de bain.

— Tu vas voir, Rose. Au printemps, c'est sûr que j'vas travailler. Inquiète-toi pas!

Ne souhaitant pas s'éterniser sur la question, Louis retourne vers l'escalier :

— J'vas mettre ton laissez-passer sur la tablette au-dessus du foyer, lance-t-il avant de disparaître en bas dans la cuisine où ses trois garçons rentrent justement de dehors pour la collation.

— Restez su'l tapis, pis enlevez vos souliers! ordonne Viola qui ne semble pas entendre à rire.

— Bon ben moi, faut que j'aille voir papa, lance Louis assez fort pour être entendu de Rose. Je reviens tantôt, déclare-t-il plus bas à ses enfants en leur passant la main dans les cheveux avant de refermer la porte derrière lui.

Quelques minutes plus tard, Rose descend les marches de l'escalier, encore très concentrée à planifier son plan de travail.

— Faites pas trop de bruit, recommande-t-elle à ses enfants, sans vraiment les regarder afin de ne pas perdre le fil de ses idées.

Elle sait comment elle va procéder. Elle va commencer par tailler ses deux patrons avec du papier journal, puis elle va couper le tissu, morceau par morceau. Elle fera le manteau de Denise en premier, c'est plus pressé, car elle a beaucoup grandi et celui de l'année passée ne lui fait plus du tout. Rose se sent exaltée. Enfin un projet à sa mesure! Quelque chose qui va la sortir des tâches ménagères pour lesquelles elle n'a que mépris au fond, lavage, époussetage, ménage, nettoyage, *comme un rouage qui tourne sans fin*, se dit-elle souvent, des gestes répétitifs qui doivent être recommencés tous les jours et qui ne débouchent sur rien de productif.

Elle doit tout d'abord sortir sa machine à coudre qui est rangée sous l'escalier, afin de l'installer dans la salle à manger le temps nécessaire.

— Viola ! Viens m'aider !

Les deux femmes soulèvent le petit meuble et le portent jusqu'à la salle à manger.

— Voilà ! Merci ma fille. Astheure tu peux retourner surveiller les enfants.

Rose transporte ses paquets qu'elle dépose sur la table. Elle sort le tissu, le fil, le feutre et la doublure.

— Maman, c'est moi ! crie Denise qui revient au même moment de l'école.

Voyant sa mère avec ses paquets, elle court la rejoindre, excitée :

— C'est que tu fais maman ?

— Vos manteaux, répond Rose, tout à son affaire. Pis je veux pas me faire déranger, précise-t-elle en s'installant déjà à sa machine pour changer le rouleau de fil.

— C'est pour moi ? interroge Denise en jetant un œil dédaigneux sur l'étoffe bleu foncé.

— Toi pis Claude.

— Oui, mais maman, se plaint Denise. C'est même pas beau ce tissu-là. C'est juste pour les garçons.

— Veux-tu ben me laisser travailler, toi là ! Tu sais ben que c'est toujours beau ce que je te fais.

Rose se lève, reconduit sa fille dans la cuisine et referme les deux portes coulissantes. Elle a besoin de silence pour se laisser imprégner par la tâche à venir, prévoir chacune des étapes afin de ne rien oublier et de tout faire dans le bon ordre, sans perdre de temps. Dès demain, elle se mettra au travail sérieusement. Ce soir, elle va avertir Louis avant de se coucher. Il devra l'aider, mettre la main à la pâte, s'impliquer dans les tâches de la maison, faire les repas et donner les soins aux enfants. En réalité, pour quelques jours, ce sera comme si elle n'était pas là. Est-ce que Louis se montrera surpris de cette demande ? Voilà qui serait très étonnant ! Car ce sera loin d'être la première fois qu'il devra pallier son absence en raison d'un travail d'artisanat ou de rénovation. Il en a pris son parti depuis longtemps. Quand Rose tricote un costume, fabrique un meuble en papier mâché, décore une pièce ou commence un projet de couture comme celui auquel elle va s'attaquer demain, il n'y a presque plus rien qui se fait dans la maison en dehors de cela, ni repas ni ménage ni vaisselle pendant quelques jours. Rose n'éprouve alors qu'un seul véritable besoin, comme une impérieuse nécessité, celui de besogner, d'avancer, de progresser, de travailler sans relâche jusqu'à ce que le projet conçu dans sa tête se matérialise enfin devant ses yeux, accompli, achevé et parfait.

Ce n'est qu'à ce moment-là que la vie peut reprendre son cours normal à la maison.

Chapitre 15

L'année 1931 est maintenant presque terminée. Depuis quelques semaines, le pont de glace est traversable et la communication a repris entre la capitale régionale et sa petite sœur, Sainte-Anne, sise juste en face. Il a fallu attendre presque trois semaines cette année avant que les glaces prennent assez solidement pour construire le pont, un délai beaucoup trop long, encore pire que l'année précédente. Pour tout le monde, il est grand temps que ce problème se règle de façon définitive. Malgré tout, il faudra bien compter encore un autre hiver puisque les autorités parlent d'inaugurer le nouveau pont seulement dans deux ans, soit en décembre 1933.

Pouvant depuis peu compter sur l'aide appréciée − même si jugée insuffisante − des gouvernements, les familles démunies peuvent voir venir un peu moins tristement cette année l'approche du temps des Fêtes. Pour cette population peu gâtée de façon générale, et pour tous les autres plus ou moins favorisés à différents degrés, il faut croire que la vie, avec son lot de joies et de peines, finit toujours par simplement suivre son cours. Le temps passe lentement au cœur du temps froid de l'hiver, dans ce décor blanc bleuté quasi immaculé dont la beauté peut, certains jours, en quelques fugitifs instants de contemplation, faire tressaillir de joie le cœur et l'âme des vivants, même les plus éprouvés. C'est ainsi que, peu importe les événements qui se sont déroulés en cours d'année, le

24 décembre finit toujours par survenir avec tous ses rituels et ses traditions, en commençant par la coutume du sapin de Noël.

Ce jour-là, Louis se rend seul en fin d'après-midi acheter le fameux arbre. Comme chaque année, des cultivateurs sont en ville depuis quelques jours avec des sapins à vendre. Installés près de l'hôtel de ville, leurs «waggines» et leurs chevaux bien attachés dans un coin, ils offrent des arbres de toutes les grandeurs, proposant même de venir les livrer à la maison. Ce sont ces mêmes cultivateurs qui descendent en ville pendant l'été pour vendre leur récolte certains jours de la semaine. Louis et sa famille les connaissent bien, depuis le temps qu'ils s'approvisionnent auprès d'eux en fruits, légumes et produits de la ferme. Après avoir salué d'un signe de tête l'un d'entre eux, Louis examine attentivement le tas de sapins et choisit finalement un spécimen de bonne grandeur qui lui semble très bien fourni :

— J'vas prendre celui-là, dit-il en pointant l'élu avec son doigt et en sortant son portefeuille. C'est combien avec la livraison ? demande-t-il.

— C'est déjà payé, répond aussitôt l'autre. Votre père est venu à matin. Y a acheté une corde de bois pis un sapin pour chez eux. C'est là qu'y a payé pour le vôtre aussi. Y m'a dit que vous alliez venir.

— Ah oui, c'est vrai, j'avais oublié, dit Louis.

Il remet son portefeuille dans sa poche :

— Pis, en vendez-vous ben des sapins cette année ? demande-t-il.

— Pas pire, pas pire, répond le cultivateur. On dirait que c'est mieux cette année. Le monde ont l'air moins mal pris que l'année passée.

— Ben Noël, c'est Noël, fait Louis, philosophe. Pis l'arbre de Noël, ben, ça vient avec. Chus sûr que l'année passée, y a plein de monde qui sont allés couper leur arbre dans le bois. Y avaient pas le choix. Eille! Pas d'arbre de Noël dans maison, aussi ben dire que c'est pas Noël pantoute.

Louis reste là encore quelques minutes à discuter jusqu'à ce qu'un autre client survienne.

— Bon ben c'est ça d'abord, salut ben, lance-t-il en s'éloignant.

— J'vas aller vous livrer ça d'icitte une heure ou deux, lui crie le fermier avant de se tourner vers son prochain acheteur.

Louis est satisfait. L'arbre sera livré dans la cour presque à la nuit tombée et il restera dehors jusqu'à ce que les enfants soient couchés. Rose et lui l'installeront au salon et le décore-ront seulement à ce moment-là, en cachette, afin de leur réserver la surprise à leur réveil.

Plusieurs heures plus tard, Louis revient de la messe de minuit d'excellente humeur. Le curé s'est surpassé dans son sermon. Il a abondamment parlé de l'importance des liens familiaux, indispensables aux vivants, des liens qui sont si importants qu'ils demeurent impérissables même après la mort. Ému, Louis a pensé très fort à sa mère. Il la sentait toute proche, veillant encore sur lui de là-haut. Comme il serait heureux de la revoir juste une fois, pour l'embrasser, lui parler, la remercier pour tout ce qu'elle avait fait pour lui depuis sa naissance. Dans la cathédrale, une étrange atmosphère régnait. Comme à chaque messe de minuit, faute de lumière du jour, les nombreux vitraux demeuraient tout noirs, obscurcissant le plafond et créant une impression de voûte sombre, propice à se laisser habiter par le mystère de la vie et de la mort.

À son retour à la maison, Louis passe d'abord au salon. Sans surprise, il découvre Rose, tout endimanchée pour la veillée, assoupie sur le divan à côté du sapin éteint, un livre ouvert sur ses cuisses. Louis s'assoit à côté d'elle :

— Joyeux Noël ma belle Rose, lui murmure-t-il à l'oreille.

Rose sursaute légèrement :

— Ah ! Ti-Louis. C'est toi ? Tu m'as fait faire un saut.

— Qui que tu voulais que ça soit à part de moi, ton vieux mari ? ironise-t-il, moqueur.

— Je le sais-tu, moi ? réplique Rose, un peu sur la défensive. Personne, voyons donc ! J'ai juste faite un saut. Je rêvais, tu comprends. Je sais pus trop à quoi d'ailleurs.

Elle esquisse un petit sourire et replace sa coiffure.

— Bon ben donne-moi un petit bec astheure ! déclare Louis en s'approchant.

— Bon ben tiens ! fait-elle.

Mais alors qu'elle s'avance pour lui donner un petit baiser sur la joue, il se tourne au dernier moment et applique ses lèvres sur les siennes.

— Mon rouge à lèvres! s'écrie-t-elle en passant ses doigts sur sa bouche.

Louis éclate de rire, fier de son coup. Il se lève et branche le fil électrique à la prise. L'arbre s'illumine. Un tas de cadeaux bien enveloppés jonchent le sol. Rose se lève aussitôt, très fière du résultat.

— On a bien réussi cette année, hen Ti-Louis?

— Certain! répond-il en glissant son bras autour de sa taille.

Ensemble, ils ajustent une ampoule, remontent légèrement une décoration, étirent davantage une guirlande.

— Bon ben, j'vas aller réveiller les enfants, déclare Louis, satisfait, en se dirigeant vers l'escalier.

Cinq minutes plus tard, les quatre enfants descendent les marches, les deux plus vieux en courant. Arrivés dans le salon, ils découvrent l'arbre de Noël qui brille dans la pénombre.

— Joyeux Noël! s'écrient les deux parents, tout heureux de leur effet.

Juste de voir l'émerveillement dans les yeux de leurs enfants les comble de joie. C'est leur plus belle récompense pour le long travail de dernière minute réalisé en soirée.

— Le père Noël est venu pendant que vous dormiez, leur explique Rose avec sérieux. Il a laissé de beaux cadeaux pour vous autres.

À sept ans, Denise écoute ce que dit sa mère sans concevoir qu'elle puisse ne pas dire la vérité. Pour elle, le père Noël existe vraiment, tout comme le bon Dieu ou la Sainte Vierge. Pourquoi en douterait-elle? Si sa mère le dit, c'est que c'est vrai.

— Voulez-vous développer vos cadeaux? demande le père.

— Ouiii!

Comme chaque année, la distribution des cadeaux se fait rapidement dans un grand brouhaha de papiers déchirés et de cris de joie. Tant d'efforts de la part de Rose pour mettre un peu d'argent de côté chaque semaine et pour trouver ensuite ce qui pourrait bien faire plaisir à chacun au meilleur prix! Cette année, elle s'est particulièrement fait une fierté d'y arriver grâce à l'argent des pensionnaires, sans quémander l'aide de son beau-père. Claude reçoit de beaux patins neufs et un petit camion de pompier; Paul, un petit train avec un village, un tunnel et un pont; Maurice, un ourson et des cubes de bois. Denise reçoit pour sa part une poupée ressemblant à un vrai bébé, un petit lit que lui a fabriqué son père et une couverture et un oreiller que lui a cousus sa mère. Denise est aux anges. Le père Noël l'a entendue. Elle passe le réveillon à cajoler son bébé, à le coucher et à le sortir du lit. Elle ne pourrait être plus heureuse. Rose a préparé un festin, des pâtés à la viande, une salade de pommes de terre, des betteraves marinées, de la salade de chou, des beignes et une bûche de Noël pour dessert. Ils mangent tous les six à la table comme des affamés en parlant et en riant beaucoup. Ils montent ensuite se coucher le ventre plein, repus.

Le lendemain midi, ils sont reçus chez Georges. Tetitte les accueille à bras ouverts pour le dîner qu'elle a préparé, un festin chaud et froid déjà déposé sur la table. Au fond, même si Tetitte n'a jamais prononcé les mots «oui je le veux», depuis la mort de sa mère et celle de son mari, elle forme avec son père un genre de couple, chacun soutenant l'autre à sa façon, pour le meilleur et pour le pire. En tant que fille sans enfants ayant besoin de se rendre utile auprès de son père, Marie-Louise est également très présente dans la maisonnée. Grand talent, organisatrice en chef, lectrice et commentatrice attitrée des journaux pour son père, elle se sent régulièrement en droit de distribuer généreusement autour d'elle ses conseils – non sollicités la plupart du temps –, souvent mal reçus même lorsque bien avisés. Avec Rose, qui possède également une façon qui n'est pas toujours très délicate de dire les choses, les hostilités peuvent se déclencher à n'importe quel moment. Pourquoi pas à Noël?

— Quand une femme a des talents pour la couture ou pour le tricot, déclare Marie-Louise sur un ton légèrement hautain, je me demande comment ce qu'a peut faire pour pas en faire profiter la population.

Elle lève les yeux au plafond en secouant la tête:

— Je peux vraiment pas comprendre ça! ajoute-t-elle platement en lançant un regard de reproche à sa belle-sœur.

— Ça paraît qu'y en a qu'y ont pas d'enfants, réplique Rose d'un ton sec en se redressant sur sa chaise, insultée.

— Enfants ou pas, nous avons le devoir, nous les femmes privilégiées, d'offrir nos services pour aider les pauvres. C'est l'Église qui nous le demande.

— Bon, bon, bon… L'Église astheure, rétorque Rose, déjà excédée des insinuations de sa belle-sœur. J'ai pas de conseil à recevoir de personne, ajoute Rose en se levant, la tête haute.

Elle se dirige vers son mari qui semble en train de raconter quelque chose de drôle à ses frères Albert et Arthur. Ils ont chacun un verre à la main. À son approche, les rires fusent.

— Bois pas trop là ! lance-t-elle à Louis d'un ton sec. C'est pas le temps de te mettre chaud à midi, là.

Interloqué, Louis regarde sa femme qui passe comme une flèche devant lui pour se diriger vers sa fille Denise qui joue avec ses cousines Bergeron, Marcelle, fille d'Albert, et Esther, fille d'Arthur.

— Fais attention de pas te salir là ! s'énerve-t-elle en voyant Denise assise sur sa robe dans un coin du passage lui semblant bien poussiéreux. T'as pas vu, là, que le plancher est crotté ?

— Oui mais là, maman ! proteste Denise, chagrinée de déplaire à sa mère.

— T'es pas gênée, Rose, s'offusque Tetitte qui passe par là. Venir dire que mes planchers sont crottés !

— J'ai pas dit ça, affirme Rose. C'était juste pour que Denise fasse attention à son linge.

Souriant pour faire diversion, Rose ajoute :

— Ta tourtière était tellement bonne, la meilleure que j'ai jamais mangée !

— Merci ben pour la tourtière, mais ça empêche pas que j'ai entendu ce que t'as dit tantôt.

— Ben c'est pas de ma faute si tes planchers sont poussiéreux, rétorque Rose en s'esquivant vers ses belles-sœurs, Graziella, femme d'Arthur, et Jeanne, femme d'Albert.

Elle n'a pas fait deux pas qu'elle croise au passage son beau-père qui sort du salon, avec cet air un peu malcommode qu'il a adopté depuis la perte de sa femme :

— Pis Rose, raille-t-il en la voyant, comment ça va la santé ? Passes-tu encore ton temps à te lamenter ?

— Ah vous le beau-père ! s'exclame Rose d'un ton brusque. Dites-moi pas d'affaires de même aujourd'hui ! Je file pas pour ça.

Sur ces mots, Rose se sauve vers la salle à manger.

— Viens nous trouver, Rose, lance Jeanne qui la voit arriver.

Rose se dirige vers ses belles-sœurs et s'assoit en émettant un soupir de soulagement :

— Faut faire attention c'est effrayant ! déclare-t-elle sans rire.

— Reste avec nous autres, dit Graziella. Ici, on est à l'abri.

Elles rient un peu, toutes les trois sur un pied d'égalité dans la famille.

Héléna et Jean Grenon font alors leur entrée. Leurs enfants, explique Héléna d'entrée de jeu, la plupart maintenant dans la vingtaine, ne les accompagnent pas. Ils viendront plutôt au jour de l'An pour faire leurs souhaits à leur grand-père. Non, ils ne mangeront pas. Ils vont souper tôt chez les parents de Jean. Alida et Thomas Duperré se lèvent pour les accueillir. Les quatre rejoignent Louis, Arthur et Albert qui discutent fort, depuis quelques minutes, de la situation dans la ville. Avec la présence de leur beau-frère, ingénieur civil qui reçoit des contrats d'infrastructures par l'entremise des trois paliers de gouvernement, ils devront faire davantage attention à leurs paroles. Si cela est possible, ce fier professionnel est en train de se mettre millionnaire avec tous les projets qui atterrissent sur son bureau. Habillée comme une carte de mode, Héléna pavoise un peu, se vantant mine de rien d'avoir assisté à un impressionnant concert à Montréal, d'avoir passé une semaine au Château Frontenac à Québec. Quoi d'autre encore... Même ici avec sa famille, elle n'arrive plus vraiment à se départir de l'attitude qu'elle adopte en société, jumelant une pétillante cordialité à une hauteur certaine.

— Vous mangerez ben au moins un bonbon aux patates, déclare Marie-Louise en apparaissant avec une assiette de ces fameux petits bonbons qu'elle fait chaque année avec de la purée de pommes de terre, du sucre en poudre et du beurre d'arachide.

Poliment, la plupart des convives en prennent un.

— Sont vraiment bons, déclare Tetitte aimablement.

— Oui. On dirait que je les ai mieux réussis cette année, répond Marie-Louise, très sérieusement.

— Non merci, répond Rose lorsque l'assiette arrive devant elle.

Rose ne peut s'empêcher d'être encore fâchée contre sa belle-sœur qui la prend toujours de haut. *Non certain, madame Savard*, ajoute-t-elle intérieurement avec un certain mépris, en s'excusant sèchement pour aller aux toilettes. Elle en profite pour se recoiffer et se remettre un peu de rouge à lèvres avant de retourner vers le groupe très animé que forme maintenant la famille Bergeron, sa belle-famille, avec laquelle elle se sent encore un peu à part, même après huit ans.

— Maman, maman! Je te cherchais partout! crie Denise en courant vers elle.

— Ben voyons, je suis là, répond sa mère. C'est quoi cet énervement-là?

— Dis oui, dis oui, maman! supplie Denise d'une voix suraiguë.

— Baisse le volume, bonté divine, tu me casses les oreilles, tranche sa mère. Dire oui à quoi? questionne-t-elle ensuite, soupçonneuse, fixant de gros yeux sur sa fille qui la regarde, muette. Bon ben ça va faire les mystères, là. Je peux pas répondre si je sais pas ce que tu veux. Envoye! Parle!

— Avec Marcelle pis Esther, commence Denise, hésitante, on a pensé aller se promener deux jours chez ma tante Jeanne.

Denise regarde sa mère, essayant de ne pas se montrer trop excitée:

— Ma tante Jeanne, a veut. Papa aussi, y veut. On repartirait tantôt avec eux autres en auto. Pis y viendraient nous ramener demain ou après-demain. Dis oui, maman, dis oui!

— Mon Dieu Seigneur! Toute une histoire...

Rose regarde Jeanne, assise un peu plus loin, qui lui fait un signe d'acquiescement.

— Ben je dis pas non. J'vas aller en parler avec Jeanne, pour voir. Faudrait faire une petite valise.

— Ah maman, t'es fine.

— Attends menute… C'est pas faite encore.

Mais un instant plus tard, tout est réglé. Denise va pouvoir aller faire sa petite excursion chez sa cousine, Marcelle, amenant avec elle sa poupée reçue hier en cadeau, sa vieille poupée avec laquelle elle dort depuis des années, son pyjama et quelques vêtements de rechange. Sa cousine Esther fera partie de l'excursion. Quel bonheur! C'est peu, mais c'est tout. Peut-être s'en souviendront-elles toute leur vie?

Une semaine plus tard, c'est le jour de l'An. La journée commence tôt pour Louis qui va assister à la messe avec sa fille Denise. Une brève visite chez Georges avec Rose et les garçons s'ensuit pour les souhaits de bonne année. Tout s'y fait simplement, au gré des visites, sans bénédiction familiale. Selon Georges, ce sont les prêtres qui bénissent. Pour le monde ordinaire, se serrer la main ou s'embrasser est grandement suffisant. De toute façon, n'est-ce pas l'aîné des enfants qui doit en faire la demande? Avec Pit, antireligieux notoire dès ses quinze ans, la coutume a rapidement tourné court. Plus tard, après l'exil de Pit aux États-Unis, Arthur n'a jamais pensé s'y mettre, ses sœurs non plus, par gêne probablement. À bien y penser, il y a en effet quelque chose d'assez embarrassant, lorsqu'on n'y est pas habitué, à s'agenouiller devant son propre père pour se faire bénir. La coutume a donc été abandonnée très tôt et, en vérité, sans faire pleurer personne.

Le premier de l'An, Louis et sa petite famille ne restent jamais longtemps chez Georges, car ils se savent attendus chez les Gauthier, de l'autre côté de la rivière. Pour l'occasion, en cette année 1932 qui commence, Louis a loué une carriole double pour traverser le pont et se rendre chez ses beaux-parents. Il a exigé deux chevaux afin d'être certain de pouvoir monter les nombreuses côtes à pic qui s'élèvent jusqu'en haut du cap Saint-Joseph. Bien emmitouflés sous les peaux de fourrure, ils foncent vers leur destination, les enfants criant leur excitation au vent qui soulève la neige, disperse les nuages et leur réjouit le cœur.

Ils sont à peine arrivés que déjà un chaleureux tourbillon familial les aspire. Toutes les sœurs de Rose sont présentes, Marie-Louise, Annette, Joséphine, Hermine et son frère, Gonzague, plus précieux que de l'or aux yeux de ses parents, seul survivant de cinq garçons, les quatre autres étant décédés enfants. Les femmes sont toutes accompagnées de leur époux et de leur nombreuse marmaille.

Ici, chez François Gauthier, la coutume de la bénédiction paternelle est bien établie. C'est l'aînée, Marie-Louise, qui en fait la demande. Pendant un court instant, le père, normalement assez bourru et effacé, se retrouve seul debout dans la place, son fils, ses filles, beaux-fils et petits-enfants, tous agenouillés devant lui. De quoi se sentir fort important, même si ce n'est que pour un bref moment. Après quelques secondes de silence, il récite encore cette année les mêmes souhaits, très brefs, avec un signe de croix à la fin. « Mes chers enfants, que le bon Dieu vous bénisse et vous apporte la santé, au nom du Père, du Fils et du Saint-Esprit. Amen. »

Sitôt le signe de croix terminé, tout le monde se remet debout, et commencent alors les embrassades et les poignées de main à n'en plus finir — « bonne année grand nez, toi pareillement grandes dents » —, faisant fuir les enfants, surtout Denise et sa cousine Rita, fille d'Annette, qui courent se cacher au deuxième étage afin d'éviter les « becs en pincette » et les baisers mouillés qui leur déplaisent tant. Assemblés ensuite autour de longues tables montées dans la cuisine et le salon, tous les membres de la famille participent à un festin traditionnel composé de tourtières, pâtés à la viande, dinde farcie, canneberges, purée de pommes de terre, beignes et bûches de Noël, les plus vieilles des filles servant et desservant avec leur mère, dont le dévouement pour les siens ne semble jamais devoir faiblir, même avec l'âge.

Après le premier de l'An, les visites se poursuivent ensuite chez l'un ou l'autre des frères et sœurs de Louis pour se souhaiter en personne une bonne et heureuse année. Plein de visites improvisées à la maison, d'amis, cousins, cousines, voisins, connaissances se présentent les uns après les autres, et ce jusqu'à la fête des Rois.

Dès le lendemain, 7 janvier, fatiguée mais heureuse, Rose se réveille comme chaque année vieillie d'un an. Elle a vingt-neuf ans aujourd'hui. Un peu anxieuse toute seule dans son lit, elle fait une courte prière pour que rien ni personne ne vienne assombrir son destin. Elle pense surtout à Émile, qui ne s'est pas gêné pour venir faire ses souhaits de bonne année pas plus tard que dimanche dernier, réussissant par elle ne sait quelle prouesse à la coincer quelques minutes dans un coin, pour mieux la troubler, bien sûr, avec ses brûlantes déclarations d'amour. Elle lui en veut de l'avoir mise tout à l'envers, mais en même temps, elle ne peut s'empêcher de se sentir flattée par tant de dévotion. Elle se sent tiraillée. *Pourquoi ne pourrait-elle pas aimer deux hommes ?* commence-t-elle à se demander de temps en temps. Pourquoi seulement un ? Pourquoi soustraire ? Pourquoi ne pas plutôt additionner ?

Les louanges, les compliments, les hommages, les sentiments. *Et bien du trouble sûrement avec ça,* conclut-elle en soupirant encore cette fois.

Elle entend Louis en bas. Elle sait qu'il a déjà fait déjeuner les enfants. Qu'il les a habillés. Qu'il a envoyé Denise à l'école. Qu'il a sorti le sapin desséché qui commençait à perdre ses épines. Qu'il a nettoyé et remis le salon en ordre. Qu'il va l'accueillir tantôt, elle, sa femme, comme une souveraine dont c'est l'anniversaire de naissance aujourd'hui. « Après les Rois, place à la reine », lancera-t-il en riant comme chaque année, lui offrant le meilleur déjeuner de sa vie. Elle secoue la tête, impuissante. *Comment pourrait-elle seulement essayer d'imaginer se passer de lui ?*

Chapitre 16

Quatre mois plus tard, mai 1932

Le printemps est revenu à Chicoutimi avec toutes ses promesses et, pour Louis comme pour plusieurs, c'est encore cette année un véritable petit miracle de voir autant de neige accumulée en immenses congères fondre à vue d'œil en aussi peu de temps. Lorsque Louis a pu voir enfin réapparaître l'herbe, la terre et l'asphalte vers la fin avril et qu'il a pu sortir sur la galerie simplement en souliers et en «queue de chemise», un exaltant sentiment de libération et de gratitude l'a envahi. Cette année, encore plus que d'habitude peut-être, puisqu'il a enfin recommencé à travailler. Un drôle d'emploi, tout à fait unique, créé sur mesure pour lui, par le grand patron de la Dominion Bridge, M. McGovern, qu'il a reçu ici même dans son salon, un bon samedi soir de *party*, en même temps que les deux pensionnaires, Cradish et Lyman, revenus à la maison pour la reprise intensive des travaux du pont il y a un mois. Voyant la facilité avec laquelle Louis passait du français à l'anglais, M. McGovern a immédiatement pensé à lui pour une mission bien spéciale : servir de courroie de transmission entre les ouvriers francophones et les contremaîtres anglophones, un vrai problème, et assurer en même temps une étroite surveillance des sites. Louis s'est immédiatement montré intéressé. De toute façon, en pleine crise économique, comment aurait-il pu lever le nez sur un emploi, alors que plus de la moitié de la population ne travaille toujours pas ?

Il ne se souvient pas qui le premier en a eu l'idée, mais il s'est vite avéré que la meilleure façon de remplir sa mission serait de travailler sur l'eau, dans une chaloupe. Louis pourrait ainsi aller aisément d'un endroit à un autre en conservant une vue générale des différents sites.

C'est ainsi que depuis près d'un mois, Louis se retrouve six jours par semaine, du matin jusqu'en fin de journée, assis dans une chaloupe sur les eaux froides du Saguenay. Lui, si épris de la belle saison ! Malgré toute sa vaillance et sa bonne volonté, il sent déjà avec un certain regret qu'il va devoir passer l'été habillé comme un oignon, avec bien des pelures à enlever et à remettre selon la température ambiante et la force plus ou moins grande des vents, sans oublier la pluie bien sûr. Mais qui a dit que travailler ne comportait que des avantages ? Et puis, il y aura de belles journées, quelques-unes torrides comme toujours, dont il pourra profiter.

Peu importe au fond, Louis se sent heureux de participer à ce grand projet d'union des deux rives, lui-même flottant, voguant, jour après jour, d'un bord de l'eau à l'autre, selon les besoins et les demandes ponctuelles, sous l'impression-nant pont en devenir dont les énormes armatures de métal sont construites et installées par les employés de la Dominion Bridge, son employeur. Toute une fierté, même si, en réalité, le temps est souvent long pour Louis, avec beaucoup de présence sur l'eau et peu de véritables interventions. Ce qui fait que son esprit s'envole parfois à la dérive au gré du vent et se met à repenser un peu à sa vie. Des regrets ? Pas vraiment. Mais instruit comme il est, il se demande parfois *pourquoi il n'a pas poursuivi jusqu'à l'université* comme son frère Pit ou ses amis William, Richard et Chayer. Il aurait une profession maintenant… Ce qui l'amène à repenser à sa carrière ratée d'optométriste aux États-Unis. *Quelle serait sa vie s'il était resté à Manchester?* Sans permis ici au Québec, il doit se cacher maintenant pour ajuster la vue à quelques patients que lui envoie encore William par fidélité. Et même s'il avait son permis de pratique, il sait bien que la plupart se contenteraient d'acheter des petites lunettes préajustées, chez Woolworths, pour une fraction du prix de celles sur mesure. Qu'est-ce qu'on peut y faire? Le monde n'a pas d'argent. Une image lui revient. Il se revoit quitter Manchester, obligé de revenir à Chicoutimi pour aider ses parents… Il hausse les épaules. *À quoi ça sert de penser à ça?* De toute façon, il n'aurait jamais été capable de dire non à son père et à sa mère dans le besoin…

Enfin, il voit un ouvrier lui faire un signe. Vite! Il se rend près de lui afin de pouvoir lui apporter son aide, réexpliquer une consigne, traduire, aller de l'autre côté du site, chercher un outil et le rapporter. Lorsqu'il se sent utile comme cela, son travail prend tout son sens. Il s'encourage. C'est samedi aujourd'hui et la journée s'achève. Ce soir, il fera la fête chez lui avec ses amis et sa femme. M. McGovern doit venir, de même que les deux pensionnaires. Ils vont s'amuser comme jamais et cela compensera toute cette semaine passée sur l'eau glaciale du fjord.

— Ohé! Papa! fait une voix d'enfant sur la rive.

Louis reconnaît sa fille, Denise, qui lui fait un signe de la main. Elle vient presque tous les jours après l'école en bicyclette, en compagnie de sa cousine Esther, le saluer et suivre l'avancement des travaux. Le samedi, elle peut venir deux ou trois fois dans la journée.

— Allô ma fille ! répond-il en lui faisant cette fois encore un grand signe avec le bras.

— Tu t'en viens-tu, là ? lui demande-t-elle en criant à pleins poumons.

— Pas tu-suite ! crie-t-il à son tour. Juste tantôt. À cinq heures.

— OK ! À tantôt d'abord ! répond-elle en reprenant son vélo et en s'éloignant déjà sur la rue Sainte-Anne.

Plus tard ce soir-là, en pyjama, un peu à l'écart dans un coin du passage sous l'escalier où son père a placé ses équipements d'optique, Denise s'est installée pour regarder les invités arriver. Les deux pensionnaires, Cradish et Lyman, sont dans le salon avec son père. Elle les entend parler de toutes sortes de choses, discuter et rire, sans en comprendre un seul mot. *Ah ! Que c'est donc difficile de pas savoir l'anglais*, se dit-elle une fois de plus. Mais à quoi bon ! Sa mère avait tranché. Les cours de piano, c'était suffisant pour le moment. On verrait plus tard pour les cours d'anglais. Mais c'est maintenant qu'elle voudrait parler anglais. Elle repense à un peu plus tôt, au souper, alors qu'elle a fait une erreur et qu'elle en a été si mortifiée. Ce n'était pas sa faute mais quand même… Les deux pensionnaires mangeaient, installés à part dans la salle à manger comme tous les soirs, pendant que la famille prenait son repas dans la cuisine comme d'habitude. Rose faisait elle-même le service, surtout pour les assiettes de soupe, très chaudes. Mais pour le plat principal, Rose avait demandé à Denise d'aller les porter, une à une, en faisant bien attention. Si sa mère le disait, c'est qu'elle en était capable. Elle s'était appliquée à marcher droite et à bien garder son équilibre, mais au moment où elle avait dit avec courtoisie en déposant l'assiette devant l'un d'eux «*miss* Cradish», il l'avait aussitôt corrigée. «*Mister* Cradish», avait-il prononcé très fort en éclatant de rire. Elle, si fière, elle en avait rougi de honte.

Maintenant, dans son petit refuge, en bas de l'escalier, Denise se sent à l'abri. Voilà qu'elle voit arriver une habituée qu'elle aime bien, Anna-Marie Laforest. C'est avec elle qu'elle a commencé à jouer du piano. Elle allait s'asseoir sur le banc pendant qu'elle jouait et elle lui apprenait des petits morceaux, à l'oreille. Tout de suite après arrive Fernande Lessard, une autre habituée chez qui ils vont parfois manger le dimanche midi, toute la famille. Rose s'avance dans le passage et invite les deux femmes à la suivre dans la cuisine où elle termine de préparer les petites bouchées qu'elle va offrir un peu plus tard ce soir. Arrive ensuite celui que Denise attendait, d'une certaine façon. Il s'agit du président de la Dominion Bridge, M. McGovern, qu'elle aime vraiment beaucoup. Il est si beau et si gentil. Un vrai monsieur, très distingué. Le voilà qui entre avec un bouquet de fleurs dans les bras. Il avance un peu dans le passage et aperçoit la petite fille à moitié cachée derrière l'escalier.

— *Hello* petite Denise! lui lance-t-il en français avec un accent des plus charmants.

— *Hello mister McGovern,* lui répond-elle avec aplomb. Ce n'est pas elle qui ferait une erreur deux fois de suite.

Après lui avoir fait un beau sourire, le nouvel arrivé se dirige vers la cuisine pour saluer Rose à qui il offre les fleurs. Denise entend sa mère remercier abondamment, à coup de «*thank you very much*» répété à quelques reprises d'une voix excitée. Toujours souriant, M. McGovern revient bientôt vers le salon où Louis et ses deux pensionnaires sont déjà en grande conversation. Louis offre un verre à son patron qu'il traite comme un égal, avec respect. Deux autres amis arrivent sur ces entrefaites, Chayer et un autre homme que Denise n'a jamais vu. Louis passe au français pour les saluer et leur offrir un verre.

Alors que Denise est sur le point de quitter son observatoire, elle aperçoit le visage de celui qu'elle ne souhaitait surtout pas voir surgir. *Ah non! Pas encore lui!* se dit Denise en reconnaissant Émile Tremblay. Elle se tapit derrière les instruments de son père pour ne pas qu'il la voie. *Le fatigant, le malavenant! C'est qu'y vient faire encore ici, celui-là?* se désole-t-elle. Elle entend déjà sa mère se pâmer dans la cuisine, glousser et se rengorger. Cela lui rappelle la fable du corbeau qui perd son fromage en se laissant séduire par les flatteries du renard. *Pauvre papa*, se dit-elle encore une fois, avec un sentiment d'impuissance. Après quelques minutes, elle entend sa mère crier:

— Denise! Où ce que t'es? C'est le temps de monter te coucher, là.

Denise sort de sa cachette et s'avance dans le passage vers la cuisine.

— Bon, t'es là! lance Rose en la regardant arriver. Tu pourrais dire bonjour.

— Bonjour, fait-elle en fixant Anna-Marie et Fernande et en évitant de regarder Émile.

Rose fait celle qui n'a pas vu et interpelle sa fille :

— Bon ben là, c'est l'heure d'aller te coucher avec tes petits frères.

— Oui, mais maman, y est ben que trop de bonne heure !

— Y a pas de *oui mais*, répond Rose avec autorité. Envoyez ! Tous les quatre, au lit !

Elle pointe ses trois garçons qui jouent avec leurs voitures sur le plancher de la cuisine.

— Claude, Paul, Maurice ! Envoyez ! Montez vous coucher !

Denise se sent lésée. Elle a presque huit ans et, depuis quelque temps, elle se couche un peu plus tard que ses frères.

— Oui mais là, maman, proteste-t-elle.

Rose change de ton et lui fait de gros yeux :

— Denise ! Je le dirai pas cent fois, s'impatiente-t-elle. Envoyez ! En haut ! Toué quatre !

En maugréant un peu, Denise prend Maurice par la main et se dirige vers le passage, suivis de Claude et de Paul qui n'osent pas trop s'obstiner non plus. Ils voient bien que leur mère a pris sa décision et que rien ne la fera changer d'idée.

— Allez dire bonne nuit à votre père avant ! ajoute Rose de la cuisine.

Tous les quatre se présentent dans l'arche du salon, Denise essayant de faire bonne figure devant tous ces hommes :

— On est venus te dire bonne nuit, papa, déclare-t-elle joliment.

Bien installé dans son fauteuil, un cigare entre les doigts, un verre dans l'autre main, Louis répond avec entrain :

— Bonne nuit mes beaux enfants ! À demain matin, là ! C'est congé ! ajoute-t-il en leur faisant un clin d'œil.

— Oui, c'est congé, répondent-ils, contents. À demain ! s'exclament-ils en s'éloignant aussitôt vers l'escalier qu'ils montent d'un bon pas.

Une fois à l'étage, les trois garçons courent vers leur chambre.

— Les pipis ! lance Denise avec autorité.

Obéissants, ils retournent à la salle de bain et s'exécutent chacun leur tour, Maurice encore sur le petit pot et les deux autres, debout appuyés à la toilette, la planche levée.

— Les pyjamas, fait-elle aussitôt qu'ils ont terminé.

Ils courent dans leur chambre, se déshabillent et enfilent leur pyjama. Trois lits à une place sont alignés, la tête au mur. Elle aide le plus jeune à s'installer dans son lit, lui mettant son ourson dans les bras, alors que les deux autres se couchent déjà. Elle passe d'un lit à l'autre pour les border et se dirige ensuite vers la porte.

— Dormez, là ! fait-elle en éteignant la lumière et en laissant la porte à moitié ouverte. Je suis juste à côté, dit-elle en s'éloignant.

Denise va à la toilette, puis elle court dans sa chambre. Elle couche sa poupée bébé dans son petit lit, juste à côté du sien, une autre qu'elle couche dans un tiroir de sa commode, et prend sa plus vieille poupée qu'elle amène au lit avec elle. Dans le noir, elle entend les éclats de voix et les rires qui fusent d'en bas. *Mon Dieu*, fait-elle en joignant ses petites mains sur sa poitrine, *faites que je prenne jamais de boisson!* Elle pense à sa mère, probablement malade demain, les patates sur la tête. Elle dira qu'elle n'a presque pas bu, que la boisson ne lui fait pas et ce sera probablement vrai. *Mais ah mon Dieu! Faites que je fasse jamais vivre ça à mes enfants! Faites que je sois toujours bonne! Toujours parfaite! Irréprochable...* Denise est soudain détournée de ses prières par les rires de ses petits frères qui semblent s'amuser ferme dans la chambre à côté. Elle se lève et court jusqu'à leur chambre :

— Eille, là, vous autres! lance-t-elle sur un ton irrité en s'efforçant de ne pas parler trop fort. Voulez-vous faire fâcher maman? ajoute-t-elle comme une menace.

Les trois garçons arrêtent de rire :

— Non, répondent-ils en chœur.

— Bon ben, arrêtez de vous exciter de même d'abord! ordonne-t-elle.

Elle va remonter les couvertures de Maurice et retourne vers la porte :

— Que je vous entende pus, là! Pas un mot! C'est-tu compris? déclare-t-elle sur un ton sans appel, en imitant sa mère.

Denise retourne se coucher. Où en était-elle donc? Ah oui! Elle priait le bon Dieu pour toujours rester bonne et pure, obéissante et serviable, vaillante et courageuse. *Mon Dieu,* ajoute-t-elle spontanément, *faites que je me trouve un bon mari!* Elle reste ainsi, les mains jointes, ses petits yeux d'enfant tournés avec confiance vers le ciel. *Saint Antoine*, reprend-elle en faisant appel à ce saint qui l'a miraculeusement guérie de ses confusions, *faites que je trouve un jour un bon mari, doux, poli, distingué, un bon parti, avec une belle famille, des gens bien élevés, un homme avec qui j'vas avoir de beaux enfants, fins, obéissants, talentueux et une maison toujours en parfait ordre, peu importe l'heure, le jour comme la nuit!* Denise s'imagine déjà en train de se faire un programme chaque matin, un horaire, qu'elle respectera à la lettre. Elle se voit heureuse dans une belle grande maison, la plus belle, la plus chic des alentours... C'est ainsi que, lentement, Denise finit par s'endormir, bercée par ses prières, dans l'enchantement des beaux lendemains à venir.

Chapitre 17

Septembre 1932

L'été est finalement passé, insouciant et heureux pour bien des enfants, exigeant et difficile pour plusieurs hommes obligés de travailler de longues heures sous pression, beau temps mauvais temps, occupés à faire avancer les nombreux chantiers de la ville avant l'arrivée de l'hiver. Depuis l'élection d'Alfred Dubuc comme maire de Chicoutimi, les travaux se multiplient en effet à une vitesse impressionnante. Il faut dire qu'étant également député fédéral depuis des années et ancien richissime propriétaire de la Pulperie, Dubuc connaît presque tous ceux qui comptent au Québec comme au Canada en ce qui a trait à la prise de décision. Les passants peuvent déjà voir s'élever le nouvel hôtel de ville sur la rue Racine, une imposante bâtisse en pierres taillées gris souris de trois étages, comprenant à l'avant une vaste entrée sous forme de haute tour carrée avec des cadrans sur les quatre côtés. Au premier coup d'œil, on dirait la reproduction en miniature de l'impressionnant édifice de l'Assemblée nationale à Québec, un sujet de grande fierté pour les Chicoutimiens. Et que penser de la promenade qui longe le Saguenay à Rivière-du-Moulin, qui devient une véritable attraction ! Même si elle est encore en construction, tout le monde souhaite déjà s'y promener, pour profiter de la proximité de l'eau, bien sûr, mais aussi pour contempler en marchant la magnifique vue sur le Saguenay qui s'élance vers le fjord, les monts Valin découpant le ciel sur la ligne d'horizon. Il y a aussi toutes ces rues maintenant pavées, avec de larges trottoirs qui donnent à la ville un nouvel air de propreté. Et il y a surtout le nouveau pont en construction entre les deux rives qui officialise avec encore plus d'éclat, cet automne, le statut de cité obtenu il y a deux ans par la ville de Chicoutimi, confirmant à tous ceux qui auraient pu en douter au Saguenay–Lac-Saint-Jean sa vocation de capitale régionale.

Pour la population en général, la construction du pont est en réalité un véritable point d'intérêt. Rose et les enfants y sont allés tout l'été, saluer Louis bien sûr, et observer la structure du pont prendre forme, étape par étape. Malgré le retour de l'automne, une foule de badauds, hommes, femmes et enfants de tous âges continuent de s'y rendre tous les jours, autant à Chicoutimi qu'à Sainte-Anne, pour suivre l'installation des six travées fixes de cent quatre-vingt-cinq pieds chacune, ainsi que l'élévation des énormes armatures de métal. Il est vrai que c'est un ouvrage beaucoup plus impressionnant que les travaux de l'automne dernier, alors que l'installation des neuf énormes pieux à une profondeur de cinquante pieds dans le lit de la rivière n'était pas tellement visible le long des rives. On pouvait apercevoir des barges et des chalands qui retenaient le débit de l'eau afin de permettre le coulage des fondations de béton, mais c'était à peu près tout. Là, maintenant, c'est différent. Le travail est d'envergure et se fait tout en hauteur. Pour les gens curieux, chaque jour il y a quelque chose de nouveau à observer.

À la maison, les déjeuners de Louis se déroulent plus rondement que jamais. Avec quatre enfants, dont deux maintenant qui vont à l'école, et deux pensionnaires qui mangent le matin avec eux dans la cuisine, Louis n'a pas une minute à perdre s'il veut à la fois servir un bon repas à tout le monde, manger avec eux, raconter des blagues comme il aime si bien le faire et se préparer pour partir à temps à son travail. Heureusement, lève-tôt et bien organisé, de nature joyeuse et grégaire, Louis se sent très à l'aise dans ce genre d'activité. Loin de le fatiguer, cela lui donne l'élan dont il a besoin pour ensuite être capable d'aller passer le reste de la journée tout seul dans sa chaloupe.

Chaque matin, Rose descend seulement une fois ce joyeux brouhaha terminé, après que Viola a rangé la cuisine. Elle retrouve alors en bas ses deux plus jeunes, Paul, quatre ans et demi, et Maurice, trois ans. Ils ont des personnalités si différentes. Presque chaque matin, elle aperçoit Paul, assis bien tranquille, souvent en train de regarder un livre d'images ou encore par terre à jouer avec son train. Il s'est fait des rues et des terrains clôturés avec des petits cubes rectangulaires que lui a offerts sa marraine, Tetitte. C'est un enfant sage, introverti, concentré, qui parle peu et observe énormément. Il est si tranquille que Rose oublie parfois sa présence.

Ce qui ne pourrait pas être le cas de Maurice qu'elle découvre chaque matin en train de grimper, sauter ou courir, ou alors occupé à vider le contenu d'une armoire de cuisine. Elle se fâche, le dispute et le gronde, mais on dirait que ce n'est pas dans sa nature de rester en place. Il est turbulent comme son frère aîné, Claude, *mais en moins pire quand même*, se dit-elle avec cette indulgence qu'elle ressent toujours pour son bébé. Claude est si têtu, si colérique. Une vraie tête forte, qui s'oppose à elle presque tout le temps. Elle se demande d'ailleurs toujours ce qu'elle va bien pouvoir faire de lui.

Au fond, ce qu'elle voudrait, sans vraiment en avoir conscience, c'est que ses enfants se laissent mener par le bout du nez comme à la petite école, lui obéissant au doigt et à l'œil, de telle heure à telle heure, sans protester.

Il y en a un autre que Rose voudrait bien pouvoir mener à la baguette et c'est son mari, Louis. Surtout pour l'argent. Ah ! Il est pire que jamais. Un vrai panier percé. Depuis des mois maintenant qu'il travaille, elle n'a pas encore réussi à voir un seul sou de toutes ses payes. Il faut dire que c'était déjà comme cela lorsqu'il travaillait pour la Dominion Fish & Fruit, alors qu'ils demeuraient elle et lui avec ses parents. Elle n'a jamais trop su ce qu'il faisait de ses payes. Et même après leur départ de la grande maison, alors que son beau-père continuait de payer bien des affaires, elle ne voyait pas souvent la couleur de son argent. En tout cas, en ce moment, c'est heureusement elle qui contrôle l'argent que lui remettent les pensionnaires chaque lundi, car autrement, elle devrait encore s'en remettre à son beau-père pour la moindre dépense. *Mais que peut-il bien faire de son argent ?* se demande-t-elle souvent. Elle pense à la boisson qu'il achète pour leurs *partys* du samedi soir, les cigares qu'il fume et qu'il offre, les vêtements, les cadeaux et les surprises aux enfants, à elle aussi parfois. Mais encore ? Est-ce qu'il jouerait l'argent aux cartes ? Franchement ! Ce serait très étonnant, puisqu'il est toujours à la maison. Non ! C'est simple ! *L'argent lui brûle les doigts*, conclut Rose.

Opinion qui serait entièrement partagée par Georges qui a reçu le matin même une facture salée de la part d'Héraclius Lessard, sorti apparemment par hasard au moment où il passait devant son magasin, en bas de la côte, pour la lui remettre en main propre. Le surveillait-il? Ce serait bien possible. Pour l'humilier, comme de raison, avec cette facture impayée. «Une vraie fortune!», a pesté Georges de retour chez lui en ouvrant l'enveloppe. Encore plus choquant, il ne sait pas à quoi correspond cet achat, car il ne sait pas lire. Mais il sait compter cependant, et il sait déchiffrer des montants et des dates. Il sait très bien qu'il s'agit d'une bonne somme. Il n'a pas eu besoin de se demander longtemps qui avait bien pu faire marquer une telle dépense. Son fils, Ti-Louis, bien entendu. Qui d'autre que lui se sentirait en droit de faire une affaire de même sans même lui en parler? Personne. Le pire, c'est qu'il a vu son fils tous les jours depuis cet achat, qui date déjà d'un mois s'il se fie à la date du compte, et que jamais il ne lui en a glissé un mot. En tout cas, ce soir, Georges l'attend de pied ferme. Louis vient régulièrement faire son tour après le souper, voir si son père n'aurait pas besoin de lui. Il devrait arriver d'une minute à l'autre. Georges s'allume une pipe et l'attend, bien assis dans la cuisine. Il est seul. Tetitte est montée avec ses garçons pour les préparer à aller au lit.

Bientôt, Georges entend la porte du *backstore* s'ouvrir.

— Salut papa! lance joyeusement Louis, en pénétrant dans la cuisine.

— Ouais salut, lui répond Georges d'un ton sec.

— Batinse, papa, t'as ben l'air de mauvaise humeur à soir! Je peux ben m'en retourner, si je te dérange.

— Non, non. Viens plutôt avec moi! lui dicte Georges. J'ai quequ'chose à te montrer.

Ils entrent tous les deux dans le coin du salon qui sert de bureau à Georges. Une table, une lampe, une chaise et son coffre-fort verrouillé, c'est tout ce dont il a toujours eu besoin pour faire des affaires. Georges tend la facture à son fils :

— Tiens ! J'ai reçu ça à matin !

Louis prend la facture et reconnaît rapidement son achat :

— C'est moi, déclare-t-il laconiquement.

— Je le sais ben que c'est toi, riposte Georges d'un ton sec. Qui c'est que tu veux qui me fasse une facture comme ça à part de toi ?

Louis baisse la tête, pris en défaut, pendant que son père continue de le haranguer :

— Veux-tu ben me dire ce que t'as acheté qui coûte cher de même, maudit bon-yenne, Ti-Louis ?

— C'est un nouvel habit, répond Louis, sérieux. J'en avais besoin.

— J'aurai toute entendu ! dit Georges en se passant la main dans les cheveux. Sacrament Ti-Louis ! Bon ! Voilà que je sacre astheure.

Il se reprend :

— Veux-tu ben me dire c'est que t'avais besoin d'un nouvel habit ? Ça fait des mois que tu passes tes journées dans une chaloupe.

— Bon, s'offusque Louis. Tu vas-tu me reprocher ça astheure ? Tu sauras que cet automne, c'est pas une sinécure de passer mes journées dans une chaloupe, avec le vent pis le frette qui rempirent toué jours.

Georges secoue la tête, découragé :

— Je le sais ben, acquiesce-t-il. Mais c'est quoi le rapport avec un habit neuf ?

Il pointe du doigt la longue liste d'articles avec leur prix :

— Pis ça ? C'est quoi ça ? Pis ça, pis ça ?

— Ben c'est pour aller avec l'habit, répond Louis. Une chemise, une cravate, des bas, des souliers, ben, comme je te dis, tout ce qui va avec. J'en avais besoin, tu comprends. Je reçois, moi, le samedi soir, du monde riche, important. Je peux toujours ben pas avoir l'air d'un guenillou !

Georges se laisse tomber sur sa chaise, les bras ballants. Il hoche la tête, incrédule :

— Ah Ti-Louis ! J'en reviens pas de voir comment tu peux être gaspilleux. C'est presquement pas croyable.

Insulté, Louis se met à parler fort :

— Je dépense pas cinq cennes, maudit batinse. Chus toujours en train de ménager, de me priver, de me retenir.

— Une chance, mon Dieu Seigneur ! Une chance ! s'exclame Georges, les bras en l'air.

— Tu peux ben rire. Tu vois pas ça, toi. Tu vois rien. Tu me traites comme un enfant, maudit batinse. Mais je sais ce que je fais. Quand j'vas rencontrer des avocats ou ben des gens de la ville pour tes affaires, t'es ben content, hen, que j'aille pas l'air d'un quêteux.

— Oui, mais t'en avais déjà ben manque des habits !

Louis est sur sa lancée et rien ne semble pouvoir l'arrêter :

— Tu vois pas ça, toi, comment Rose ménage tout le beau temps à maison. A coud, a tricote, on mange des restes.

— Oui, mais pauvre toi, Ti-Louis ! On est en pleine crise. Le monde est pauvre comme Job en ville.

— Rose fait des miracles tu sauras, continue Louis qui s'émeut lui-même en pensant à tous les efforts qu'ils font, lui et sa femme, depuis des mois. Des fois, Rose passe sa journée à compter pour qu'on arrive.

— Tant mieux ! raille Georges. Au moins y en a une qui sait compter dans maison ! Si fallait qu'a soye dépensière comme toi, ce serait la banqueroute !

— Bon ben, si c'est rien que ça que t'as à me dire pour à soir, je sacre mon camp, lance Louis, exaspéré. Tu me rappelleras quand t'en seras revenu, ajoute-t-il en sortant du salon.

Georges se lève aussitôt et se lance derrière lui pour le rattraper :

— Ah ! Va-t'en pas, Ti-Louis, fait-il sur un ton plus conciliant. J'vas payer, tu sais ben que j'vas payer. Mais tu aurais pu m'en parler quand même.

— J'y avais pas repensé, admet Louis, un peu radouci lui aussi.

Il faut dire qu'aucun des deux n'a intérêt à couper la relation. Ils savent bien qu'ils ne peuvent se passer l'un de l'autre. En vérité, si Pit ne demeurait pas aussi loin, ce serait lui le bras droit de son père. Depuis toujours. Car c'est le seul de ses cinq garçons qui ait hérité de son talent et le seul qui ait toute sa confiance. Mais il n'est pas là. Georges jette un bref regard sur ce fils qui est là devant lui, son quatrième. *C'est un bon garçon quand même*, songe-t-il avec indulgence. Et il est là, lui, au moins.

— Ah! Oublie ça, là! fait Georges, se voulant rassurant en esquissant un petit sourire. On va se reparler demain. J'ai des affaires à voir avec toi.

Encore un peu sur la défensive, Louis examine son père. Il se rend compte tout à coup qu'il est plus petit qu'avant. *Y a foulé certain*, se dit-il. C'est vrai qu'il a maintenant soixante-treize ans et, bien qu'il ait gardé toute sa tête, depuis qu'il a perdu sa femme, il a changé. On dirait que son mauvais caractère a pris le dessus. Il maugrée sur tout et bougonne sans arrêt. Louis ne peut s'empêcher de le plaindre. Il pense à sa mère. Il sait qu'elle compte sur lui pour s'en occuper. Surtout, ne pas le laisser tomber.

— Bon ben c'est ça, papa, déclare-t-il en ouvrant la porte du *backstore*. On se reprendra demain d'abord!

Chapitre 18

Depuis maintenant deux ans, Rose doit reconnaître avec humilité qu'elle n'arrive pas à ne rien ressentir envers Émile. Bien sûr, elle refuse de nouer une relation extraconjugale avec lui, mais en même temps elle aime bien qu'il reste dans les parages, soupirant pour elle, lui redonnant par moments son âme de collégienne et lui permettant ainsi de s'échapper sans danger de sa vie convenue de femme mariée et de mère de famille. En pensant à lui, même juste quelques minutes dans sa journée, elle peut alors imaginer du grand, du magnifique, du merveilleux, et c'est assez pour la rendre heureuse. Elle sait bien que cela ne deviendra jamais sa vie, pas plus que les romans qu'elle lit et les films qu'elle va voir au cinéma ne se concrétiseront jamais. Elle n'est pas folle. Mais même si elle ne souhaite aucunement changer sa vie, elle admet qu'elle a vraiment besoin, encore plus peut-être qu'une autre femme, de sentir le pouvoir d'attraction de son charme et de sa beauté sur les hommes. Comme une actrice de cinéma, comme Barbara Stanwyck, Greta Garbo ou Joan Crawford, qu'elle va voir au cinéma le plus souvent possible depuis qu'elle a reçu sa carte d'accès au cinéma Capitol.

Chaque fois, bien installée dans son fauteuil, seule dans l'obscurité totale qui l'entoure, Rose peut rêver tout à son aise, s'identifier au héros ou à l'héroïne et vivre toutes sortes d'aventures, permises ou non, sans préjudice pour personne. Elle a pris l'habitude d'y aller, lorsque le film l'intéresse, les jeudis soir alors qu'il n'y a pas trop de monde. Elle a vu *Marius* en début d'année avec Raimu et Pierre Fresnay. Selon elle, le roman de Marcel Pagnol était meilleur, mais cela ne l'a pas empêché de se laisser séduire par les paysages bucoliques et le drôle d'accent des gens de la Provence. Plusieurs films muets sont encore présentés, comme *Les lumières de la ville* avec Charlie Chaplin, qu'elle a adoré. Elle aime les films parlants, mais plusieurs sont en anglais comme *Night Nurse* avec Barbara Stanwyck, *Mata Hari* et *As You Desire Me* avec Greta Garbo en blonde. Elle ne comprend pas les dialogues, mais l'histoire si, de même que la musique, les émotions et les sentiments qui sont en jeu.

Ce soir, elle a décidé d'aller voir *Dracula* avec Béla Lugosi. Elle aime avoir peur, les romans de meurtre et d'enquête la passionnent. Un film d'horreur ? C'est son premier. Elle va voir si elle aime cela. Louis a promis de venir la chercher vers neuf heures à la porte du cinéma. Elle craignait d'avoir trop peur pour traverser seule la petite ruelle sombre qui mène à la maison. Elle s'assoit dans son coin habituel, bien décidée à ne pas se laisser trop impressionner par ce vampire qu'on dit assoiffé de sang.

Sitôt les lumières éteintes, voilà qu'un homme arrive discrètement et s'assoit près d'elle. Au moment où elle s'apprête à dire à ce sans-gêne de déguerpir, elle entend Émile lui chuchoter à l'oreille :

— C'est moi, Rose. C'est Émile.

Rose sursaute. Même si cela se passe dans un cinéma rempli de monde, elle se sent vulnérable, surtout maintenant qu'il fait totalement noir.

— Je suis juste venu voir le film avec toi, murmure-t-il. Inquiète-toi pas!

Rose est inquiète, justement. Elle réfléchit. Est-ce elle qui lui a dit qu'elle venait au cinéma le jeudi ou est-ce Louis qui en a parlé devant lui? Ils se voient de plus en plus souvent tous les trois. Le samedi soir, comme depuis longtemps, à la maison mêlés à un tas d'invités, mais souvent aussi le samedi après-midi seulement tous les trois à la garçonnière d'Émile en ville. Chaque fois, Rose se sent heureuse de se retrouver avec les deux hommes qu'elle aime à sa façon, un mari et un ami proche. Peut-être s'agit-il d'une amitié un peu particulière, mais elle ne l'a pas cherchée. Tous les trois ensemble, ils passent d'excellents moments. Très à l'aise, ils jasent, ils prennent un verre et se racontent leur semaine en riant beaucoup.

Mais en ce moment même, assise avec Émile dans un cinéma, l'un à côté de l'autre, juste tous les deux, c'est une autre histoire. Tout le monde peut les voir et, malgré l'obscurité, reconnaître leur silhouette et lancer des rumeurs. Spontanément, elle décide de changer de place pour laisser au moins un siège vide entre eux. Émile ne réagit pas. Le film commence bientôt sur la musique dramatique du *Lac des cygnes* qui laisse présager bien des catastrophes. Assez rapidement d'ailleurs, le comte Dracula apparaît dans toute sa macabre noirceur. Rose est clouée sur son siège. Lentement, Émile étire son bras jusqu'au siège suivant et glisse sa main dans celle de Rose qui la lui abandonne sans résister. Après tout, personne ne peut les voir. Et il y a quelque chose de sécurisant dans ce geste, alors qu'à l'écran les assauts du vampire font de plusieurs personnages des victimes, surtout l'héroïne, Lucy, la proie de prédilection de Dracula. Rose et Émile se tiennent ainsi la main, presque tout au long du film, Émile la serrant, l'effleurant, la caressant, l'étreignant, croisant ses doigts avec les siens, exprimant de cette façon à Rose son amour tout en tentant de s'accorder avec le côté plus ou moins poignant des scènes à l'écran. Rendu au générique de la fin, il prend une petite boîte dans sa poche de manteau qu'il dépose dans la main de Rose.

— Je peux pas accepter ça, chuchote Rose, prise de cours.

— Garde-lé ! ordonne Émile. C'est tout petit. Mets-lé dans ta sacoche. Tu l'ouvriras chez vous.

Tous les deux se parlent sans se regarder en fixant l'écran droit devant eux.

— Ça me met mal à l'aise, murmure Rose.

— Tu vas voir, tu vas aimer ça !

Rose ramasse son sac à main dans lequel elle jette la petite boîte :

— Y a Ti-Louis qui vient me chercher tantôt, déclare Rose avec inquiétude. Y doit déjà être à porte à m'attendre. Faut pas qu'y nous voye toué deux ensemble.

— Bon ben, sors avant moi ! Envoye ! J'vas attendre qu'y aille pus personne avant de sortir à mon tour.

Dehors, Louis est bien là qui attend Rose :

— Pis ? T'as-tu ben eu peur ? demande-t-il, un peu moqueur.

— Pas mal, avoue Rose en lui prenant le bras et en commençant à marcher.

— T'as ben l'air pressée! T'as-tu peur qu'y parte après toi?

— Ben, on peut dire que ça m'a mis sur les nerfs ce film-là! lance-t-elle en le serrant plus fort.

— Pauv'tite! Une chance que chus venu te chercher, hen!

— Certain! Une chance que t'es là! Si tu l'avais vu avec sa grande cape noire, ses grands yeux égarouillés, pis ses deux longues dents. C'est sûr que je voudrais pas le rencontrer dans un coin noir.

À son retour à la maison, elle monte à leur chambre et cache le cadeau sans l'ouvrir dans son tiroir à bijoux. Elle ne se sent pas bien. En se déshabillant, elle pense aller le lui rapporter au plus vite, dès le lendemain, à sa garçonnière. Elle vient de se souvenir qu'il lui a déjà dit qu'il y allait souvent le vendredi, et même que, chaque fois il l'attendait, l'espérait. Eh bien, il sera servi.

Le lendemain après-midi, une fois ses deux plus jeunes couchés pour la sieste, Rose s'habille d'un vieux manteau et d'un chapeau qu'elle n'a jamais vraiment porté et quitte la maison, fébrile, la petite boîte dans son sac à main, espérant ne pas se faire reconnaître dans la rue ni croiser personne jusqu'à la garçonnière. Elle marche vite, la tête basse, nerveuse. Une fois rendue, elle se faufile rapidement dans l'entrée du rez-de-chaussée, monte à l'étage et frappe à la porte.

— Rose! Mon Dieu, la belle visite! s'exclame Émile en ouvrant la porte de son appartement. Reste pas là dans porte! Viens vite! Rentre!

— Je suis pas venue ben longtemps, déclare Rose en pénétrant dans cet endroit qu'elle connaît bien.

Elle ouvre son sac :

— Je suis juste venue te rapporter ça, dit-elle en lui remettant le cadeau non déballé.

— Tu l'as même pas ouvert ! fait Émile avec dépit, refusant de le reprendre. C'est à toi ce cadeau-là. Je l'ai acheté pour toi. Garde-lé !

— Non ! Je peux pas garder ça ! lance-t-elle en le lui donnant à nouveau. Pas dans maison chez nous. Ce serait pas correct.

— J'vas le reprendre seulement si tu le déballes, déclare Émile en essayant de le lui remettre dans la main.

— Aaah toi ! Je te dis ! Envoye ! Redonne-moi-lé ! J'vas l'ouvrir.

Rose enlève rapidement le papier d'emballage et aperçoit sans surprise une petite boîte à bijoux.

— Ç'a pas de bon sens, proteste-t-elle avant de l'ouvrir et de découvrir une délicate chaîne en or avec une jolie perle en pendentif. C'est beau, dit-elle. T'as du goût.

— Envoye ! Sors-la de la boîte. J'vas te la mettre.

— Je devrais pas, déplore Rose sans toutefois trop s'obstiner.

— Envoye ! Tourne-toi !

Rose s'exécute. Les bras derrière la tête, elle soulève ses cheveux avec ses mains pour dégager son cou. Délicatement, Émile passe la chaîne et réussit à l'attacher sans trop d'effort.

— Montre-moi ça comment t'es belle! lance Émile en lui prenant les épaules pour la faire pivoter. Ah! Ça te fait vraiment bien, Rose.

Coquette, Rose court vers le miroir qui se trouve dans la salle de toilette pour se voir.

— Oui, c'est beau, c'est sûr.

Elle bouge la tête et les épaules pour se voir de différents angles.

— Mais je peux pas la garder, fait-elle à regret.

Elle détache la chaîne et la lui rend.

Refusant de la reprendre, Émile marche quelques pas vers le divan :

— Viens t'asseoir un peu Rose. On va parler.

Rose le regarde, méfiante, sans répondre.

— Tu m'avais dit l'année passée au chalet qu'on allait en reparler, continue-t-il. Mais on en a jamais reparlé.

Rose hausse les épaules lentement, d'un air désolé :

— Mais de quoi tu veux qu'on reparle, bonté divine?

— De nous autres, voyons donc!

— Mais ça existe pas, ça, nous autres, répond-elle en secouant la tête d'un air navré.

— Ah! Tu me brises le cœur, Rose. Moi qui t'aime tellement.

— Moi aussi je t'aguis pas, fait-elle comme pour le consoler. Mais je suis pas libre, Émile. On dirait que tu comprends pas ça.

— Assis-toi donc au moins pour parler ! Je te mangerai pas.

Rose s'assoit prudemment à l'autre bout du divan.

— Tu penses que ça se peut pas, toi, des couples qui s'aiment en dehors du mariage ? commence-t-il. Voire ! Si tu savais ce qui se passe partout dans ville. Picard avec la femme de Tremblay, Gagnon avec la femme de Boivin, Racine avec la femme de Dufour. Pis tu veux-tu que je t'en nomme d'autres ?

— Quand bien même tu m'en nommerais toute l'aprèsmidi, c'est pas une raison pour faire pareil, répond Rose.

— Oui mais… Si tu m'aimes toi aussi… À cause qu'on passerait à côté de ça ?

Rose penche la tête sans répondre. Émile s'enhardit :

— Tes yeux parlent, Rose, pis ton sourire aussi. Pense pas que je vois pas comment tu viens toute excitée quand tu me vois !

— C'est vrai que je suis contente quand je te vois mais…

Ne lui laissant pas le temps d'aller plus loin, Émile s'approche rapidement de Rose et lui jette un bras autour du cou :

— On est juste toué deux à présent, ma belle Rose. Y a personne qui peut nous voir. Personne.

Il pose ses lèvres sur sa bouche, doucement, plein de passion et de tendresse.

— Je t'aime trop, dit-il en se détachant d'elle et en la regardant, les yeux éperdus d'amour.

Rose se sent ramollir. Toutes sortes de sensations envahissent son corps, faisant taire ses objections.

— Ah que je suis donc fatiguée, lâche-t-elle en se laissant aller contre le dossier du divan.

Émile profite de ce moment d'abandon pour l'embrasser dans le cou et lui chuchoter une série de mots doux à l'oreille.

— T'es la plus belle femme au monde, Rose. La plus douce, la plus fine, la plus merveilleuse.

Il inspire dans ses cheveux, son cou, son visage :

— Tu sens bon. Tu sens tellement bon, murmure-t-il en inspirant à nouveau, sensuellement. Aaah ! Je t'aime tellement.

Rose se sent incapable de résister à un tel flot de passion. Alanguie sur le divan, elle se laisse caresser passivement. Lentement, il essaie de forcer un peu les choses. Il met d'abord une main sur sa poitrine, puis soulève sa jupe tranquillement, caressant ses cuisses et essayant de monter toujours un peu plus haut. Rose se laisse faire, langoureusement, respirant plus fort.

— Je veux aller jusqu'au bout, Rose. Je t'aime trop.

À ces mots, Rose revient à elle brusquement :

— Es-tu fou ? s'exclame-t-elle. Jamais !

Elle rabaisse sa jupe aussitôt et commence à replacer son corsage.

— Oui mais… Tu peux pas m'abandonner là comme ça…

— Certain que je peux, dit-elle d'un air farouche en se levant.

— Non non… Rassis-toi, Rose ! Pars pas ! Je te toucherai pus, je te le jure.

Rose se rassoit, le corps encore tout en émoi, mais l'esprit bien éveillé.

— T'es ben mieux de pus me toucher, ordonne-t-elle en le regardant de travers.

— Juré craché, fait-il la main sur le cœur. Mais, ajoute-t-il en la regardant tendrement, tu peux quand même pas dire que c'était pas plaisant.

Elle fait une grimace de dépit :

— Plaisant, pas plaisant, c'est pas ça qui compte, réplique-t-elle. Ça te dérange pas, toi, qu'on joue comme ça dans le dos de Ti-Louis ?

— Ce qu'y sait pas, ça lui fait pas mal, observe Émile.

— Oui, c'est peut-être vrai, tout le monde dit ça, proteste Rose, mais moi, je suis une femme mariée, pis je prends ça au sérieux, tu sauras.

— T'as un petit côté époque victorienne coudonc Rose, lui lance-t-il d'un air moqueur.

— C'est que tu veux dire par là ? rétorque-t-elle en continuant de rajuster sa tenue.

— Ben tu sais ben… les plaisirs de la chair défendus aux femmes. À moins que ça soye l'Église qui te dicte ça ?

— Tu dis n'importe quoi, répond-elle.

Elle se tourne vers lui et le regarde franchement :

— Tu iras pas me dire que c'est honnête ce qu'on a faite là ?

— Ben, hésite-t-il, pas vraiment, c'est sûr. Mais y me semble que tu t'en fais ben que trop pour rien. Mon Dieu Seigneur, Rose ! Une petite aventure, c'est ben ordinaire.

— Parle pour toi !

Rose se lève et se rend à la toilette pour se recoiffer et se remettre du rouge à lèvres.

— Tu t'en vas déjà ? fait Émile, navré, alors qu'elle ressort, déjà prête à partir.

Elle hausse les épaules :

— Tu comprends vraiment rien, hen ? observe-t-elle en le regardant d'un air découragé. Je devrais pas être ici tu-seule avec toi. En plus, je devais être partie dix minutes de la maison, pis ça fait quasiment une heure que je suis ici, explique-t-elle en se dirigeant vers la porte.

Émile la suit, empressé :

— Je m'excuse, bon, si c'est ça que tu veux. Mais c'est pas de ma faute, je t'aime trop.

Rose le regarde en silence, hochant la tête lentement :

— C'est la troisième fois que tu me fais ça, pis à chaque fois tu me dis que tu le feras pus jamais.

— C'est vrai! s'exclame-t-il. Là c'est vrai, je te le jure. Je recommencerai pus.

— Tu dis ça mais à chaque fois, tu recommences.

— Là c'est vraiment vrai, implore-t-il. Promets-moi que tu vas revenir avec Louis, comme d'habitude, samedi prochain. Promets-moi-lé ou ben je te laisse pas repartir, menace-t-il en s'appuyant contre la porte.

— Ah Émile! Arrête de faire l'enfant!

— Promets-moi-lé!

— OK d'abord. Je te le promets.

— Tu le regretteras pas, je te le jure, assure Émile en s'écartant pour la laisser passer.

— Arrête de jurer! C'est correct, là. On va faire comme si de rien n'était. Mais je t'avertis, c'est la dernière fois.

La main sur la poignée de porte, elle se retourne et le dévisage d'un air soupçonneux :

— Dans le fond, toi, t'as faite exprès hier de me donner un cadeau au cinéma. Tu voulais que je vienne ici te le reporter.

Émile la regarde avec un air coupable :

— Je t'aime trop, c'est pour ça.

Rose ouvre la porte et sort sans répondre. *Maudit Émile*, se dit-elle en descendant les marches rapidement. Encore une fois, il a réussi à la mettre tout à l'envers et cela va lui prendre des jours à se replacer. Elle lui en veut… *Mais comment pourrait-elle ne pas être bouleversée ?* se demande-t-elle en même temps. C'est si troublant de se faire enlacer comme ça avec passion. Le souffle chaud, les caresses, les déclarations d'amour… Ah si seulement elle pouvait se laisser aller… Un flot de sensations l'envahit à rebours. *Mon Dieu Seigneur,* murmure-t-elle en entrant dans la petite ruelle menant à la maison, *venez à mon secours !* Elle se sent si désemparée. Son existence est encore une fois toute perturbée. Il va à nouveau lui falloir des jours pour reprendre sa vie d'épouse et de mère en harmonie avec toutes ces petites choses qui composent son ordinaire.

Deux jours plus tard, comme si le chaos de son âme n'avait eu d'autre choix que de se manifester avec éclat à l'extérieur, une soudaine crue automnale de la rivière Saguenay, cinq fois plus puissante que la normale, emporte l'un des piliers du pont en construction. C'est aussitôt l'arrêt des travaux qui occasionne le retour de Louis à la maison pendant deux semaines. Pour Rose, qui est très superstitieuse, ce terrible phénomène de la nature ne peut que représenter un sérieux avertissement du ciel s'adressant spécialement à elle. Qu'elle se le tienne pour dit ! *Si elle ne fait pas plus attention, un malheur va survenir.* Rose se promet de s'en tenir à sa décision et de ne plus jamais donner la moindre chance à Émile. Elle implore saint Antoine de l'aider, allant embrasser sa statue à quelques reprises dans le salon, lui faisant une série d'éloges et de compliments pour l'amadouer et le mettre de son côté.

Soudainement pleine de confiance, elle reprend sa routine en y mettant toute son énergie, Ti-Louis, les enfants, les pensionnaires. Puis, telle une inspiration divine venant du ciel pour la secourir, l'idée lui vient de refaire la décoration complète du salon avant les Fêtes, tapisser les murs, tricoter de nouvelles housses de coussins, changer le recouvrement du fauteuil. *Voilà qui va me remettre le génie à bonne place et me guérir de ce tourment amoureux qui mène à rien !* se dit-elle en y croyant très fort.

Chapitre 19

Janvier 1933

Denise court vers l'école Saint-Michel, juste à côté de chez elle. Elle aperçoit au loin les élèves qui se rassemblent déjà en rangs autour de la porte. *La cloche doit avoir sonné,* se dit-elle, inquiète d'arriver en retard. Une fille de sa classe court juste en avant d'elle. Elle la reconnaît, c'est Claire Masson qui demeure tout près sur la rue Jacques-Cartier. Elles ne se parlent pas beaucoup, elle est plutôt distante et réservée, mais Denise l'aime bien. Elle a de si beaux cheveux, tout frisés, épais, comme elle aurait tant désiré les avoir. Aujourd'hui, comme d'habitude, Claire se promène tête nue, malgré les rafales de vent glacial qui soufflent. Et elle n'est pas la seule. Ses sœurs, ses frères, toute la famille Masson ne portent jamais de chapeau. Il paraît — elle l'a su par sa cousine, Laurette Bergeron, la sœur d'Esther — que c'est leur père qui leur défend d'en porter un, sous aucune considération. Une fois, Denise était dans la cour pour la récréation et il neigeait très fort. Elle s'était approchée de Claire pour former le rang et avait été étonnée d'apercevoir une couche de neige glacée figée sur le dessus de sa chevelure. Cela faisait comme une sorte d'igloo autour de sa tête, ce qui était rassurant d'une certaine façon. *A gèle peut-être pas tant que ça,* s'était-elle dit. En tout cas, ce n'est pas elle, Denise, avec ses petits cheveux fins et raides comme des clous qui bénéficierait d'un tel abri si jamais il lui prenait l'envie de sortir l'hiver sans bonnet de laine.

Arrivée dans la cour, Denise a juste le temps de se placer dans le rang de la troisième année A, avant d'entrer en même temps que les autres dans l'école. L'après-midi va passer vite. Ils vont faire du catéchisme et du français, ses deux matières préférées. Son petit catéchisme, elle le sait sur le bout de ses doigts. Où est Dieu? Dieu est partout. Les sept péchés capitaux, les sept dons du Saint-Esprit, les sept sacrements, les sept commandements de l'Église, les dix commandements de Dieu, toutes les prières, les formules, elle sait tout par cœur. Ou presque. Elle adore aussi le français, faire des dictées, apprendre la bonne orthographe des mots, les accords des verbes, la grammaire, la syntaxe. Quand elle y pense, il y a juste une chose qu'elle déteste à l'école, c'est l'injustice, comme lorsque la maîtresse a des chouchous et que cela paraît tellement: toute gentille et indulgente avec ses préférées, leur accordant des privilèges, les donnant en exemple et les félicitant à outrance; désagréable et sévère avec celles qui ont plus de difficultés, les punissant démesurément et les humiliant sans cesse devant la classe. Chaque fois, Denise doit se faire violence pour ne pas dire sa façon de penser. Un jour peut-être, elle ne pourra plus se retenir et elle va se lever d'un coup et leur crier tout ce qu'elle pense de ces injustices qui l'horripilent. Elle sera punie, mais tant pis. Au moins elle aura défendu ce en quoi elle croit.

Aussitôt la classe terminée, Denise se dépêche de descendre rejoindre sœur sainte Ursule au sous-sol pour son cours de piano, qu'elle adore. Depuis le retour des Fêtes, la routine est revenue, les exercices, les gammes et la pratique un peu monotone de quelques morceaux choisis. Cela change de la fébrilité d'avant les Fêtes alors que c'est elle, Denise Bergeron, qui avait été choisie pour jouer *La sonate au clair de lune* de Beethoven au spectacle de Noël. Le plus beau morceau qui existe, selon elle, si romantique, si mélodieux. Pour l'occasion, sa mère lui avait confectionné une jolie robe à rayures rouge et blanche, avec un petit col de dentelle et elle lui avait frisé les cheveux la veille au soir. Denise avait joué sur l'estrade dans la grande salle, avec assurance, sans faire d'erreur. Une petite hésitation peut-être, mais personne ne s'en était aperçu. Ses parents et ses petits frères étaient assis dans la salle archipleine, pas très loin de la scène, et elle avait vraiment été très fière de leur faire honneur.

En ce moment, Denise s'applique à apprendre *Sérénade* de Schubert, un autre morceau faisant partie du livre de musique que ses parents lui ont raconté avoir acheté chez Archambault pendant leur voyage de noces à Montréal. Pour le moment, elle en est au début de la pièce et elle sait que sœur sainte Ursule va la lui faire recommencer tant et aussi longtemps qu'elle ne sera pas capable de l'enchaîner avec fluidité avant de poursuivre.

Pendant ce temps, à la maison, Rose termine de préparer le souper. Une soupe aux légumes, des cigares au chou, des pommes de terre dont elle va faire une purée juste avant le repas et un pouding chômeur comme dessert. Tous ces bons petits plats répandent déjà une appétissante odeur dans la maison. *Y sera pas dit que j'vas avoir négligé mes devoirs*, se répète-t-elle en jetant un coup d'œil à la fenêtre pour surveiller ses deux plus jeunes qui jouent dehors avec Bernard, le garçon de Tetitte. Yvan, son deuxième, va à l'école depuis le mois de septembre, tout comme Claude. Ils vont tous les deux chez les Frères maristes avec Jean, le plus vieux de Tetitte.

Rose surveille en même temps Louis qui doit arriver d'une minute à l'autre. Depuis que les glaces recouvrent le Saguenay, Louis travaille moins. Il répond aux besoins, de façon ponctuelle, selon les jours et le type de travaux. Rose voit bientôt arriver son mari, énervé.

— J'arrive de chez Arthur, lance-t-il en enlevant sa canadienne et ses bottes.

— Pis? Y est-tu encore su'a brosse? demande Rose, inquiète, se rappelant que son beau-frère a bu pendant toute la période des Fêtes cette année.

— Non, non. Y était dans sa forge, y travaillait, répond Louis en s'assoyant à la table. Y avait l'air correct.

— Pauvre Graziella! soupire Rose. Quand je pense… Boire de même…

— C'est sûr qu'on peut parler d'une vraie brosse, atteste Louis. Eille! Quasiment quinze jours, enfermé tout seul dans sa chambre, à prendre un coup.

— On l'aurait jamais su si on n'était pas allés les voir le lendemain du jour de l'An avec les enfants, précise Rose, qui ne peut s'empêcher de repenser à cette journée.

Tout joyeux, ils étaient tombés sur Graziella, qui dissimulait du mieux possible sa honte dans la cuisine avec ses filles. Les enfants étaient contents de se voir, surtout Denise et Esther. Rose s'était mise à raconter toutes sortes de choses légères pour cacher son malaise pendant que Louis montait parler à son frère dans sa chambre pour essayer de le raisonner, lui dire qu'il donnait le mauvais exemple, que ce n'était pas normal de rester dans sa chambre comme ça pour s'enivrer à s'en rendre malade pendant des jours et des jours. Il lui avait dépeint l'atmosphère négative que cela créait dans la maison, pour sa femme et ses filles, mais aucune parole n'avait su ébranler la volonté d'Arthur de continuer à boire.

— Veux-tu ben me sacrer patience ? avait-il plutôt déclaré, la bouche pâteuse, assis sur le bord de son lit, un petit sourire niais au coin des lèvres. J'ai-tu le droit, moi là, de faire ce que je veux icitte dans ? avait-il poursuivi en se frappant la poitrine avec la main.

— Papa s'inquiète de toi. Y se demande comment ça se fait qu'on vous a pas vus ni à Noël ni au jour de l'An, avait avancé Louis, tentant de le prendre par les sentiments.

Bien mal lui en avait pris.

— Crisse, Ti-Louis, parle-moi pas de papa, avait riposté Arthur en secouant les épaules et la tête comme un vieux cheval fatigué. De quoi ce qu'y se mêle, celui-là, veux-tu ben me le dire ? avait-il marmonné entre ses dents. Papa ! avait-il répété avec hargne. Lui pis son Pit… Tel-le-ment in-tel-li-gent, avait-il lentement déclamé en détachant chaque syllabe. Eille ! Un héros de guerre ! Un docteur !

Arthur avait regardé son frère, le regard fixe :

— Qu'y mange de la marde, comprends-tu ça ?

— Voyons Arthur ! Tu déparles, avait répliqué Louis.

Ce fut la phrase de trop.

— Toi, Ti-Louis, sors de ma chambre! Pis tu-suite à part de ça! Maudit chouchou, toé-si! Tu viendras pas icitte me dire quoi faire pis quoi dire dans ma propre chambre, avait beuglé Arthur en essayant de se mettre debout.

— Batinse, Arthur! T'es pas du monde aujourd'hui, s'était écrié Louis avant de battre en retraite, vaincu, dans la cuisine, à court de mots.

Graziella lui avait dit de ne pas s'en faire, que ce n'était pas la première fois, que cela cesserait bientôt, que d'ici là son mari ne manquait de rien, qu'elle lui montait ses repas, qu'il était bien tranquille tout seul en haut. Malgré tout, Louis et Rose étaient repartis découragés. C'était la première fois qu'ils voyaient quelque chose comme ça. Ils buvaient bien un peu, tous les deux, les samedis soir, mais cela s'arrêtait là. Ils n'avaient jamais vu un homme se mettre ivre à ce point aussi longtemps. Ils avaient également été surpris de découvrir ce cœur rempli de ressentiment envers ses frères et son propre père.

— Y est jaloux, avait tranché Rose en marchant jusqu'à la maison.

— À cause qui serait jaloux? avait demandé Louis.

— Ben, vous avez tous été vivre aux États-Unis. Y a juste lui qu'y est jamais parti d'ici. Peut-être ben qui se trouve moins bon que vous autres. On sait pas…

— Ouais, ça se peut.

— Peut-être aussi qu'y est découragé que tous ses garçons sont morts pis qu'y y reste juste des filles.

— Ça se peut.

En réalité, apprendre que son frère était aussi malheureux avait beaucoup surpris Louis. Il l'avait traité de chouchou ! Était-ce ainsi qu'il était perçu dans la famille ? Franchement ! Ces faveurs que lui faisait son père, cela se jouait à deux cette affaire-là. D'une certaine façon, Louis était à son service, mais sans jamais vraiment recevoir de reconnaissance. Plutôt des blâmes d'ailleurs, souvent pour des vétilles. Et lui, Arthur ? De quoi se plaignait-il ? Il profitait depuis des dizaines d'années d'une grosse maison de trois étages sans jamais avoir eu à débourser un sou et sans que son père attende quoi que ce soit de lui en échange. Il avait sa boutique de forge et il se moquait bien du reste. *Ah, les choses sont jamais aussi simples qu'y ont l'air*, se dit Louis. Pourquoi avait-il été élu comme bâton de vieillesse de sa mère et de son père ? Avait-il jamais eu le choix ? Pas vraiment. Lui aussi, parfois, il pourrait se sentir jaloux. De son jeune frère, Albert, par exemple, qui se préoccupe bien peu de son père tout en ayant la chance d'habiter un quatre logements à Kénogami qui va un jour lui revenir entièrement payé.

— J'vas aller me changer, lance Louis en sortant de la cuisine.

— Fais attention aux draps qui sèchent su'a corde !

— Ben oui, je sais ben qu'y faut que je fasse attention au linge étendu su'a corde, répond-il en se dirigeant vers l'escalier du sous-sol.

Louis continue de penser à ses frères. C'est contre Pit qu'Arthur semblait avoir le plus de ressentiment. *C'est vrai*, se dit Louis, *que papa le prend toujours en exemple. Ça peut devenir fatigant à la longue.* Surtout pour lui, dans le fond. C'est facile de régler des affaires à cinq cents milles d'ici, alors que c'est lui, Ti-Louis, qui doit par la suite faire tous les efforts. Il dépose ses vêtements de travail sur une chaise dans un coin. Il les remettra demain. *Dans le fond*, se dit-il, en se passant un peu d'eau dans le visage, *la rivalité fraternelle, c'est quequ'chose qui a toujours existé.* Dans la Bible déjà, après le récit de la chute et de l'expulsion d'Adam et Ève du paradis terrestre, c'est cette histoire-là qui est racontée, celle des deux frères, Caïn et Abel, dont le premier finit par tuer l'autre par jalousie.

— Ouais, par chance, on n'en est pas rendus là, murmure-t-il, un peu ironique, en remontant à l'étage en caleçon.

Chapitre 20

On dit que l'occasion fait le larron. Bien des politiciens du Parti libéral de Taschereau pourraient en témoigner, la main sur le cœur. «C'est arrivé tout seul», diraient-ils, sans qu'ils ne s'aperçoivent de quoi que ce soit, les subventions, les contrats, les dîners d'affaires, les enveloppes sous la table. Mais quand le premier ministre lui-même est accusé par ses opposants d'être la marionnette des *trusts* financiers, eux-mêmes accusés d'être les principaux responsables de la crise, c'est que les choses ne vont peut-être pas aussi bien qu'on le croyait. Il faut dire qu'après douze ans d'un même gouvernement, la corruption s'installe souvent d'elle-même, par laxisme. On parle ici de Taschereau, premier ministre depuis 1920, mais le Parti libéral, lui, est au pouvoir depuis bien plus longtemps. Lomer Gouin avait régné précédemment pendant quinze ans, mis sur le trône grâce à un *putsch* interne qui avait renvoyé à la maison le premier ministre Simon-Napoléon Parent – accusé de vendre au rabais le patrimoine québécois aux capitalistes étrangers. Parent n'avait-il pas été choisi par Wilfrid Laurier lui-même, premier ministre du Canada, pour remplacer Félix-Gabriel Marchand, décédé en fonction en 1900 après avoir régné sous la bannière libérale depuis 1897? On peut parler ici d'un très long règne, où plusieurs belles occasions ont bien évidemment fait quelques joyeux larrons.

Pour Louis, ce n'est pas de politique qu'il s'agit actuellement, mais bien d'une alléchante occasion d'évasion qui vient de surgir dans sa vie par l'entremise de son ami, l'avocat Chayer, qui doit absolument se rendre à Montréal en début de semaine prochaine pour une affaire urgente à régler avec un gros client. Il vient d'offrir à Louis de l'accompagner trois jours, deux nuits, presque toutes dépenses payées. Louis a vu cette offre comme une opportunité inespérée de sortir de son patelin et de « s'aérer un peu le génie » loin des contingences domestiques. Spontanément, il a répondu oui.

En marchant sur la rue Racine vers la maison, il se demande maintenant comment il va présenter cela à Rose. Il faut dire que Chayer est un célibataire endurci, dont la réputation de coureur de jupons n'est plus à faire. Et Rose, possessive comme elle est, s'en méfie toujours un peu. Bien déterminé à faire un homme de lui, Louis décide après bien des tergiversations qu'il vaut mieux affronter directement sa femme que de louvoyer. De toute façon, il est trop franc pour penser à y aller par la bande. C'est ainsi qu'il entre dans la maison en adoptant une attitude se voulant sincère et courageuse.

— J'vas à Montréal la semaine prochaine, déclare-t-il d'emblée en enlevant son manteau et ses bottes.

— Comment ça à Montréal la semaine prochaine ? réplique Rose, déjà sur la défensive. C'est quoi cette affaire-là ?

— J'ai une occasion pour aller à Montréal lundi, trois jours, jusqu'à mercredi. Pis ça me coûtera pas une cenne à part de ça, dit-il en se dirigeant vers la salle de bain.

— C'est pour ton travail ? demande Rose à travers la porte, un peu dépassée par les événements.

— Non, pas vraiment, répond-il en ressortant peu après. J'y vas avec Chayer. C'est pour son travail à lui.

Rose le regarde d'un air réprobateur :

— Avec Chayer ! s'exclame-t-elle, les yeux ronds. Je veux pas que tu y ailles, déclare-t-elle aussitôt sur un ton catégorique.

— C'est décidé, j'y vas, riposte Louis sans se laisser démonter.

— Non, je veux pas, réplique Rose en le fixant d'un air mauvais. T'as pas d'affaire à partir de même, OK là ! T'es un mari pis un père de famille responsable. Ta place est avec nous autres, à maison.

— J'ai décidé que j'allais y aller, pis je changerai pas d'idée.

— Pis moi ? J'en fais-tu, moi, des voyages ?

Sans répondre, Louis prend un verre dans l'armoire et fait couler l'eau.

— Pendant que tu vas te faire aller à Montréal, continue Rose, moi j'vas rester ici comme une servante.

— On dirait que t'es jalouse, déclare Louis en se retournant vers elle.

— C'est pas ça. Tu comprends rien.

Rose se met à pleurnicher.

— Ben voyons donc, Rose. Prends pas ça de même. J'vas juste être parti trois jours.

— Je veux pas que tu y ailles, s'obstine-t-elle à dire. J'vas être trop inquiète.

— C'est que tu veux qui m'arrive, voyons donc !

— N'importe quoi. Je le sais pas, moi, répond-elle en reniflant. Mais une chose est sûre, c'est que j'vas être inquiète tout le long.

— Tu pleures pour me faire changer d'idée, mais ça marchera pas ton affaire, déclare-t-il. Je partirai si je veux, se rebiffe-t-il alors d'un ton brusque. Y a un boutte à être un esclave dans ce maison-là, maudit batinse. J'ai décidé que j'y allais, pis j'vas y aller. Point final.

Il marche vers le salon d'un air résolu et s'assoit dans son fauteuil. Il entend Rose continuer de pleurnicher dans la cuisine.

— Tu m'aimes pus. Je le savais que tu m'aimais pus, se lamente-t-elle. Si tu m'aimais, tu me ferais pas de peine comme ça.

— Arrête ça, Rose ! lui crie-t-il. C'est inutile. Je changerai pas d'idée.

Pendant les quelques jours précédant le départ de Louis, Rose fait encore plusieurs crises dans la maison, chantage, cris, menaces, bouderies, soupirs et lamentations sur tous les tons. Heureusement que le voyage est prévu pour le lundi matin, sinon Louis aurait probablement fini par céder. Il s'entend avec Chayer pour que celui-ci ne vienne pas au *party* du samedi soir afin d'éviter d'alimenter la controverse. Rose l'aurait sûrement reçu avec une brique et un fanal. Toutefois, avec McGovern, le patron de la Dominion Bridge, cela ne peut pas mieux tomber. Il a justement un document important et des copies de plans à quérir au siège social de Lachine, dans l'ouest de l'île de Montréal, et Louis sera son commissionnaire. Cet argument fait légèrement baisser la tension de Rose qui, bien qu'encore de mauvaise humeur, finit par enfin cesser d'essayer, dans la journée de dimanche, de le faire changer d'idée. *Qu'y parte*, se dit-elle finalement en reconnaissant son impuissance. *Mais y perd rien pour attendre*, ajoute-t-elle néanmoins, en ayant déjà une petite idée de la manière dont elle va se venger.

En ce beau lundi matin de février, à la première heure, Louis prend place auprès de Chayer dans le wagon de tête du train. Les deux sont élégants comme des messieurs de la haute. Chacun à leur façon, ils sont bien décidés à profiter de leurs trois journées de liberté. Il n'a pas neigé depuis des jours, les rails seront sûrement bien nettoyés. Installés face à face près des fenêtres, ils disposent des deux sièges de côté où ils ont déposé leurs vêtements et leurs bagages. Ils ne se feront pas déranger.

— C'est que tu penses de ça, toi, Maurice Duplessis comme chef du Parti conservateur? demande Louis pour faire la conversation.

— C'est un avocat, c'est déjà pas pire, répond Chayer en boutade.

— Entouècas, y a l'air pas mal décidé à mettre fin au règne des libéraux.

— Ça, c'est pas faite! affirme Chayer, sûr de lui.

— Peut-être ben, mais tu trouves pas que Taschereau a l'air pas mal dépassé depuis quequ'temps? Son retour à la terre, là, moi, j'y crois pas pantoute. C'est que tu veux aller faire là, sur une petite terre en bois deboutte, dans le fin fond de l'Abitibi!

— Manger, réplique Chayer. Au moins sur une terre, les cultivateurs peuvent cultiver leurs légumes, avoir que'ques bêtes pis survivre.

— C'pas à cause. Vu de même. Mais ce que je veux dire, c'est que c'est pas ça qui va régler la crise.

La phrase flotte un instant dans l'air jusqu'à ce que Louis reprenne en riant:

— Nous autres non plus, on réglera pas la crise à matin. Si on dormait un peu à place? suggère-t-il en s'enfonçant dans son siège.

— OK! On se reparle à Québec, répond Chayer déjà un peu somnolent en raison du roulement du train.

À la gare de Québec, les deux hommes en profitent pour manger. Ils rembarquent aussitôt leur repas terminé et sortent un jeu de cartes pour passer le temps. À leur arrivée à la gare de Montréal, après plus de douze heures de train, les deux hommes étirent d'abord leurs membres ankylosés, s'habillent, ramassent leurs affaires et s'engouffrent dans un taxi afin de gagner leur hôtel au centre-ville.

Une fois les bagages déposés à la chambre, Chayer amène Louis se promener dans le quartier chinois. La rue De La Gauchetière leur apparaît comme un petit coin exotique avec ses affiches en mandarin et sa population asiatique qui marche sur les trottoirs ou se promène à bicyclette malgré la neige. Ils décident de manger là. C'est la première fois que Louis goûte à de la nourriture aussi grasse, panée, sucrée et salée en même temps. Pour accompagner leur repas, Chayer commande du saké chaud qu'ils boivent dans des petits gobelets sans poignée que le serveur leur a apportés.

— Ça donne soif, ça, manger de même! dit Louis en se forçant à vider son gobelet. Yeurk! s'exclame-t-il encore une fois en grimaçant. C'est pas yable bon c'te boisson-là.

— Surtout chaude de même, déclare Chayer en avalant à son tour le contenu de son gobelet. J'aime pas mal mieux un bon verre de fort, blague-t-il en se levant pour aller payer.

Louis se lève derrière lui, se sentant plutôt alourdi par la grande quantité de nourriture avalée. Il rejoint son ami et ils sortent tous les deux dans la rue sombre, simplement illuminée par quelques affiches scintillantes.

— Bon, astheure, c'est le temps d'avoir du *fun*, lance Chayer en se dirigeant un peu plus loin sur sa gauche. Ça, dit-il en montrant une bâtisse carrée avec de grandes figures géométriques en marbre sur la façade, c'est le Chinese Paradise, un cabaret réputé. C'est là qu'on va.

Assis à une table, ils boivent un verre de scotch tout en écoutant l'orchestre jouer des airs entraînants sur la scène. Des couples dansent sur la piste. Après une demi-heure, les musiciens prennent une pause.

— C'est trop tranquille ici, décide Chayer. On s'en va ailleurs.

Ils sortent dans la rue et hèlent un taxi.

— Amenez-nous au Cabaret Frolics, fait Chayer qui, visiblement, n'en est pas à son premier séjour dans la capitale du divertissement.

— Tu connais toutte, toi! s'étonne Louis.

— Quasiment, fait Chayer, avec un petit sourire ironique. Là où on va, y a un orchestre, vraiment bon, dirigé par un Américain. Y s'appelle Billy Munro. Je te dis que lui, y déplace de l'air dans place! On va peut-être ben rencontrer des femmes, on sait jamais…

— Ouais mais moi… Chus marié.

— Crisse! Lâche-moi le mariage à soir, Ti-Louis! T'as l'occasion d'avoir du *fun*, là. Profites-en!

Sur Saint-Laurent, un peu au nord de Sainte-Catherine, les deux amis débarquent dans le coin le plus animé de Montréal la nuit. Malgré l'heure tardive, plusieurs personnes marchent devant eux, riant et parlant fort. Quelques-uns se rendent, comme eux, au Cabaret Frolics, dont la réputation n'est plus à faire depuis que la plus importante vedette des cabarets new-yorkais, Texas Guinan, a fait le spectacle d'ouverture du club voilà deux ans. On raconte qu'elle s'était écriée « *Hello suckers!* » en entrant sur scène, ce qui avait créé tout un émoi.

— C'est la prohibition aux États pis dans le reste du Canada qui fait que Montréal a attiré des chanteurs pis des musiciens de partout dans le monde, explique Chayer en prenant place à une table, pas très loin de la scène.

— Entouècas, réplique Louis, ça achève ça, la prohibition aux États. Dans les journaux, la semaine passée, y disaient que c'était voté.

— Pas encore tout à faite, rectifie Chayer à cheval sur le droit. Y leur reste à changer la loi, officiellement.

— Ouais, mais c'est juste une question d'un mois ou deux.

— Aaah! On verra ben, répond-il, distrait par l'arrivée de deux femmes près de leur table.

— Bonjour les deux beaux messieurs! Y me semble que vous avez besoin de compagnie, non? lance l'une d'elles en posant sa main sur sa hanche.

Chayer se lève aussitôt et avance deux chaises, invitant les deux jeunes femmes dans la vingtaine à s'asseoir à leur table.

— C'est que vous voulez boire? demande-t-il.

— Du champagne peut-être ben, si c'est pas trop demander, répond la même en souriant de façon aguichante à Chayer.

— Je me présente, dit-il, Albert Chayer, mais tout le monde m'appelle Chayer.

— OK pour Chayer, glousse-t-elle. Moi, c'est Marguerite. Et mon amie ici, c'est Désirée.

Elle se tourne vers Louis, qui lui sourit, un peu gêné.

— Pis toi, fait-elle en souriant, c'est quoi ton petit nom?

— Louis, répond-il. Louis Bergeron.

Bientôt, le champagne coule à flots à leur table. La musique est forte et il faut presque crier pour se faire entendre, rendant les conversations quasi impossibles. Chayer et Marguerite se lèvent pour aller danser. Désirée fait un signe à Louis et l'invite à les suivre sur la piste. Aguichante, elle commence à se frotter doucement sur son cavalier. Louis se sent aussitôt envahi par une pulsion sexuelle qu'il peine à contrôler. Il ne la connaît pas, cette fille. Il ne l'a jamais vue et ne la reverra jamais, mais son corps parfumé et plantureux qui se balance langoureusement en se serrant contre lui le jette dans un embarras dont il se serait bien passé. Que faire ? Il tente de jeter un coup d'œil sur son ami Chayer, mais il ne le voit plus, ni sur la piste de danse ni à la table. *Maudit batinse*, maugrée-t-il en lui-même, s'efforçant de continuer à danser avec sa compagne, ses yeux furetant un peu partout autour de lui. Il aperçoit enfin Chayer près des toilettes qui revient très vite vers leur table.

— Viens ! dit Louis à Désirée. On va aller retrouver nos amis.

Louis n'a même pas le temps d'arriver que Chayer lui fait signe de ne pas s'asseoir :

— Viens-t'en, Ti-Louis ! On s'en va, pis vite, lance-t-il, l'air furieux.

— Oui, oui, j'arrive, fait Louis en ramassant ses affaires.

Ils sortent rapidement du cabaret et montent dans un taxi stationné devant la place. Chayer se tourne, regarde derrière lui.

— C'est qu'y se passe, voyons donc ? demande Louis.

— Y se passe qu'on était tombés sur des voleuses. La tienne, je le sais pas, mais la mienne, la Marguerite, elle a essayé de m'amener dans un coin noir où un gars baraqué m'attendait. Je suis pas sûr là, mais ça avait l'air louche en crisse. Eille! J'ai toute l'argent du voyage su moi. Quand j'ai payé le champagne t'à l'heure, y'ont dû voir ça, pis peut-être ben qu'y se sont dit que je serais une belle poule à plumer. En tout cas, je te dis que j'ai reviré de bord au plus sacrant quand j'ai vu l'armoire à glace dans le passage.

— M'as dire comme toi. Pour moi, on l'a échappé belle.

— Entouècas, là, on rentre à l'hôtel se coucher. Finies les folies. On se reprendra demain soir.

La journée du lendemain est d'abord consacrée au travail. Après un déjeuner copieux, Chayer se rend à son rendez-vous d'affaires en indiquant qu'il sera de retour vers cinq heures. De son côté, Louis profite du beau temps ensoleillé en avant-midi pour se promener sur la rue Sainte-Catherine. Il se rend compte qu'il n'est pas venu à Montréal depuis son voyage de noces. *Ça va faire dix ans en novembre cette année qu'on est mariés, moi pis Rose*, songe-t-il. Il avait alors vingt-neuf ans, il en a maintenant trente-neuf. Il soupire en soulevant les épaules, pensant à Rose qu'il a laissée toute seule à la maison avec les enfants. *J'espère qu'a me le fera pas trop payer*, se dit-il, connaissant bien sa propension à être rancunière. Il devrait peut-être l'appeler pour savoir comment ça va. Il accélère le pas pour retourner à l'hôtel, puis ralentit, hésitant. *T'à coup qu'a se fâche encore après moi*, se dit-il. Il se remémore le climat des derniers jours avant son départ, assez infernal merci, et décide finalement de ne pas téléphoner. Il repart dès demain à Chicoutimi. Il la verra alors. C'est si vite passé.

Après avoir dîné à l'hôtel, il se rend en taxi au siège social de la Dominion Bridge à Lachine pour y quérir tel qu'entendu les documents et les plans pour son patron. Accueilli avec chaleur, Louis est invité à une visite guidée des installations de l'usine à bord de la camionnette du superviseur en chef. Le terrain est vaste, les pièces de métal en construction, énormes. Ils se rendent ensuite sur le site de leur plus gros contrat de construction. Il s'agit du pont Honoré-Mercier, qui va bientôt servir à relier les deux rives, de la ville de LaSalle à la réserve amérindienne de Kahnawake. Le superviseur lui explique que cet important ouvrage a été entièrement conçu par onze ingénieurs québécois, tous diplômés de l'École Polytechnique de Montréal, et que c'est une première au Québec. Louis en ressent une grande fierté.

— Quand on leur en donne la chance, affirme-t-il avec conviction, les Canadiens français sont aussi bons que n'importe qui au monde.

Les documents et les plans en sa possession, Louis retourne ensuite à l'hôtel. Étendu depuis quelques minutes sur son lit, il entend déjà la clé tourner dans la serrure.

— Ouais, fait Chayer, de bonne humeur, ça travaille fort icitte !

— Je viens juste de revenir, explique Louis en se relevant.

— Bon ben, on se met sur notre trente-six, pis on sort à soir.

— Où ce qu'on va ?

— J'vas commencer par t'amener dans un restaurant. T'auras jamais vu ça une place de même. Chez Schwartz's, que ça s'appelle. Ça fait que'ques années que c'est ouvert pis ça marche tempête.

— C'est un drôle de nom ça! C'est-tu juif?

— Ça s'adonne que oui, confirme Chayer. C'est deux Juifs roumains je pense, deux frères, qu'y ont ouvert ça.

— Mais c'est qu'on va ben pouvoir manger là?

— Des *smoke meats*, répond Chayer. Un genre de sandwich avec de la viande fumée. Tu vas voir! C'est tellement bon! Avec des patates frites pis des cornichons.

— Ouais, ça promet! lance Louis, incrédule, en se rendant à la salle de bain pour se préparer.

En ressortant un peu plus tard du restaurant Schwartz's repu, Louis n'éprouve plus aucun doute sur la nourriture. À sa grande surprise, il s'est vraiment régalé.

— Astheure, on s'en va su'a rue Clark, propose Chayer. C'est la rue à côté, un peu plus bas. On va y aller à pied, ça va nous faire du bien.

— C'est qu'on va faire là? demande Louis.

— On s'en va jouer pis peut-être ben d'autre chose…

Louis ouvre la bouche pour protester.

— Aie pas peur, Ti-Louis! On se fera pas voler à soir. J'ai apporté juste ce qu'y faut pour avoir du *fun*.

— Ouais, fait Louis, c'pas à cause! On peut ben avoir du *fun*! C'est notre dernière soirée.

Les deux hommes n'ont pas à marcher bien longtemps avant d'arriver devant la porte d'une maison de jeu. Ils s'identifient et entrent, accueillis par un portier peu amène. Après un signe de tête à Louis, Chayer se dirige promptement vers une table à roulette où il achète quelques jetons à jouer.

— Faites vos jeux! lance le croupier en invitant les joueurs à faire leur mise.

Sans hésitation, Chayer place un jeton sur le quatorze. *Pour commencer*, se dit-il, *on verra bien.*

— Les jeux sont faits, tranche le croupier en lançant la bille sur la roulette.

Pendant que la bille roule bruyamment, Chayer jette un coup d'œil aux gens assis autour de la table. Il ne voit que des hommes. Debout, derrière eux, quelques femmes dont les décolletés plongeants font partie de l'atmosphère trouble de la place.

— Rien ne va plus, fait le croupier, alors que la bille s'arrête bientôt sur le numéro gagnant. Quatorze rouge pair et manque, annonce-t-il d'une voix forte en ramenant prestement les sommes misées devant Chayer, qui se met à rire en regardant tout le monde autour de lui.

— La chance du débutant, blague-t-il en déposant à nouveau sa mise pour le prochain tour de roulette.

Pendant ce temps, Louis s'est installé au bar. Il préfère prendre un verre et fumer un bon cigare en regardant autour de lui. La plupart des gens ont l'air de s'amuser, d'autres semblent attentifs, sérieux, quelques-uns ont plutôt l'air angoissé. Louis ne les envie pas. Il se sent bien ainsi, un peu à l'écart. C'est quand même bizarre d'être dans un endroit pareil en plein mardi soir, se dit-il, comparant alors sa soirée avec la routine répétitive de sa petite vie. Après un moment, un mouvement derrière lui le détourne de ses pensées. C'est Chayer qui, lui mettant la main sur l'épaule, désigne une porte un peu à l'écart.

— Viens! On va aller de l'autre côté!

Un peu méfiant, mais tout de même intrigué, Louis suit son ami. Dès la porte franchie, le changement d'atmosphère est total. Là, une obscurité blafarde rend toutes choses un peu floues. À l'odeur de parfum qui domine, Louis devine quand même assez vite dans quel genre d'endroit il a mis les pieds. Trop tard pour reculer. Une femme mûre, maquillée et coiffée avec art, vient les accueillir.

— Bienvenue chez nous! lance-t-elle, tout sourire, en saluant Chayer d'un signe de tête.

Louis se rend compte que ces deux-là se connaissent.

— Suivez-moi! ajoute-t-elle d'une voix racoleuse.

Les deux hommes arrivent dans une pièce où quelques femmes sont assises sur un divan. À leur arrivée, elles se lèvent, certaines mettant leurs courbes en valeur. Chayer fait un signe à une blonde plantureuse. Ils sortent ensemble vers l'escalier qui mène aux chambres. Que peut faire un homme comme Louis mis dans une telle situation? Comment ne pas en profiter? La tenancière fait signe à une jolie brune, plus très jeune, qui s'avance vers Louis et l'invite à monter. Docile, Louis la suit.

Dans la chambre, il reste d'abord debout, un peu décontenancé. Elle lui prend la main et l'amène près du lit où ils s'assoient :

— Quessé qui te ferait plaisir à soir, mon beau ? demande-t-elle en le fixant avec un certain regard. On a une heure, dit-elle en commençant à ouvrir sa robe et à dégager sa poitrine. Touche ! fait-elle en se caressant elle-même les seins.

Louis avance les mains et palpe les seins de la femme.

— T'aimes-tu ça ? murmure-t-elle d'une voix aguichante.

— Enlève ta robe ! ordonne-t-il, excité. Enlève-la, vite !

La fille s'exécute, ne conservant que ses jarretelles et ses bas.

— Marche ! Promène-toi un peu !

Louis la regarde, de plus en plus excité. Elle s'approche lentement du lit, se penche et défait son pantalon.

— Fais-moi ça avec ta bouche ! lui demande-t-il en continuant de la regarder, les yeux mi-clos.

Au bout de quelques minutes, il ferme les paupières et pousse un léger cri. Tout s'est passé si vite. Lentement, il remonte son pantalon et rattache sa ceinture. Reprenant ses esprits, il se rassoit sur le bord du lit, un coude sur la cuisse, la tête appuyée sur sa main.

— Excuse-moi, dit-il, un peu penaud. Je t'ai même pas demandé ton nom.

— Bah ! T'es drôle toi ! T'as pas à t'excuser, voire !

— Quand même... Moi c'est Louis. Toi c'est comment ?

— Albertine.

Louis lui fait un léger signe de tête :

— J'ai fait ça vite, hen ! Mais t'sais, avec ma femme, c'est tellement pas souvent.

— A veut pas ?

— Ah ! A veut des fois…

Il se ravise :

— Ben, dans le fond, a veut quasiment jamais. On dirait qu'a l'aime pas ça.

— Ouais, tu sais, moi, j'en vois souvent des hommes comme toi qui se plaignent d'avoir des femmes frettes.

— C'est sûr que je dois pas être tout seul…

— Les hommes pis les femmes, dans le fin fond là, ça serait pas faite pour se marier, explique la femme qui en a vu d'autres. Les femmes font des enfants pis là, pouf, y deviennent juste des mamans.

Louis sourit et hausse les épaules. Il ne reconnaît pas vraiment Rose dans cette description. Elle est froide, certes, mais pas juste avec lui. Elle n'est pas très chaleureuse non plus avec les enfants.

— Entouècas, moi ce que je pense, continue Albertine sur sa lancée, c'est que les femmes une fois qu'y sont mères, c'est envoye le mari, fais-toi un nœud dans bite, pis paye.

Louis éclate de rire :

— T'es drôle, toi! T'en mets pas mal je trouve! s'exclame-t-il. C'est que tu fais des femmes qui ont dix-huit enfants? Faut toujours ben que le mari se défasse le nœud de temps en temps…

Louis rit un peu de sa blague :

— Bon, j'vas redescendre astheure, fait-il en se levant. Merci ben pour le p'tit moment.

Il fouille dans ses poches et sort quelques billets qu'il dépose sur la table.

— Comment ce que je fais pour mon ami Chayer? demande-t-il.

— T'as juste à aller l'attendre dans le bar à côté. Tu le diras à l'hôtesse pour qu'a y dise quand y va redescendre.

— Bon ben c'est beau, là! Salut ben! Pis merci, là!

Louis ne saurait exactement dire comment il se sent, léger, joyeux seraient peut-être les qualificatifs qui décriraient le mieux son état. Pour un bref moment toutefois. Car il sait bien que cela ne durera pas. *J'vas me sentir mal ben assez vite*, se dit-il.

Les deux hommes rentrent plus tard à l'hôtel et se couchent, épuisés. Réveillé à l'aube, Louis prend le temps de se raser et de se laver à fond avant de revêtir le costume avec lequel il a voyagé lundi. Rose a le nez fin. Il ne faudrait pas qu'elle sente le parfum de femmes quand il va arriver à la maison. À force de lire des romans policiers, elle est presque devenue détective. Un indice et ça y est! Il décide même d'accrocher ses vêtements de la veille quelques minutes sur le bord de la fenêtre pour les aérer, réveillant du coup Chayer. Pressés, ils se rendent bientôt à la gare pour attraper leur train qui part très tôt.

— Faudra jamais que tu dises ce qu'on a faite à ma femme, hen, Chayer ! demande Louis.

— Jamais de ma vie. Plutôt mourir sur un poteau de torture, clame-t-il.

— Pas besoin d'en mettre autant, niaiseux ! Tu me le jures-tu ?

— Pas un mot, jamais, je te le jure.

— Moi aussi je te le jure. La tombe.

Chayer s'enfonce dans son siège.

— Tu me réveilleras à Québec, dit-il.

Les yeux fermés, Louis se retrouve seul avec lui-même. Il essaie de se rassurer une fois de plus, se répétant pour la dixième fois que cette aventure n'a jamais compté pour lui, qu'elle n'a aucune espèce de signification dans sa vie, qu'il n'en gardera aucune trace, qu'il a pensé à faire ce qu'il faut pour être certain de ne pas attraper quelque chose. Il pense à Rosc, à Denise et à ses trois petits garçons. Et soudain, envahi par l'ennui, les larmes lui montent aux yeux. S'il fallait qu'il les perde, sa propre vie serait perdue à jamais. Il respire un bon coup et, comme s'il chassait une mouche avec la main, il balaye le souvenir de cette courte échappée, un simple accident de parcours, qu'il n'a, de toute façon, jamais désiré. Il retourne maintenant dans sa petite vie et *tout est parfait comme ça*, se dit-il en s'endormant subitement.

Chapitre 21

Avec le retour du printemps, Louis et Rose ont graduellement recommencé à aller passer leurs samedis après-midi chez leur ami Émile. Il faut dire qu'à la suite du voyage de Louis à Montréal, Rose n'a plus été en mesure de trouver en elle-même une seule bonne raison de sacrifier un petit *flirt* qui, après tout, ne fait de mal à personne. Pourquoi se serait-elle privée de leur belle « amitié », alors que Louis avait bien fait ce qu'il avait voulu en allant à Montréal avec son ami Chayer et en y faisant on ne sait quoi ? Ah ! Elle l'avait bien questionné à son retour, lui faisant une crise le premier soir, le boudant ensuite pendant quelques jours, mais c'était pour la forme. Car son idée était faite. Louis était bien trop fin, trop content, trop propre, *trop toutte* quand il était revenu. Un vrai mari coupable. Sans oublier cette odeur de parfum bon marché quand elle avait ouvert la valise. *La vengeance sera douce au cœur de l'Indienne*, s'était-elle dit. Comme elle devait de toute façon revoir Émile avec Louis régulièrement les samedis, elle s'était sentie dès lors plus à l'aise de revivre avec lui le petit jeu de séduction qu'elle appréciait au fond, pourvu toutefois que cela n'aille pas trop loin. *On peut pas empêcher un cœur d'aimer*, pensait-elle pour se justifier. Si le destin avait fait en sorte que cet amour provienne de deux hommes, qu'y pouvait-elle en réalité… En aimer un, en aimer deux ou n'aimer qu'elle-même dans le miroir de leur regard admiratif, Rose ne saurait dire ce qu'il en est vraiment de la réalité de ses sentiments à elle. Mais qui a dit qu'aimer était une chose simple ?

Cet après-midi-là, le mois de mars s'achève. Demain, c'est le dimanche des Rameaux et la semaine sainte qui commence. Price Brothers, une compagnie bien enracinée, vient de déclarer faillite. Dans la ville, l'inquiétude est à son comble.

— Maudite crise ! lance Louis en se levant pour aller se verser un second verre.

Depuis le temps qu'il vient chez son vieil ami Émile, il se sent comme chez lui.

— La crise est partout ! poursuit-il en frappant le guéridon du plat de la main. Au Québec, au Canada, aux États, dans les Europes, partout. Les journaux disent que l'argent vaut pus rien, que des centaines de banques ont fait faillite, pis que les chômeurs se comptent par dizaines de millions. Le monde crève, maudit batinse. Un vrai désastre !

— Pis paraît c'est pas prêt d'aller mieux, déclare Émile en tendant son verre à Louis pour qu'il le remplisse.

— À Chicoutimi, ça peut pas être pire, continue Louis. Y a pas juste Price Brothers en faillite. L'aluminerie Arvida, ça va pas yable mieux. Y viennent de clairer 60 % de leurs employés. Pis t'as-tu pensé aux cultivateurs ? Si c'était pas des subventions du fédéral, y vendraient toute à perte. Pis on parle pas des petits commerces qui vivotent ou qui ferment. Aaah ! Je me demande ben comment ça va finir cette affaire-là.

— Mal, tranche Émile en déposant son verre sur la table. Ça peut pas faire autrement, ajoute-t-il en secouant la tête d'un air médusé. Eille! On est à peu près douze mille habitants icitte à Chicoutimi. Ben y'en a huit mille qui vivent du secours direct. C'est quand même pas croyable!

— Une chance qu'on a la construction du pont, fait Louis après avoir pris une gorgée.

— Oui, mais ça achève ça.

— Je sais ben, admet Louis, mais y a les autres projets. L'agrandissement du port, pis la construction de murs de soutènement le long du Saguenay, ça va faire travailler du monde, ça là.

— Mais t'as-tu pensé que c'est tout le temps le gouvernement qui subventionne?

— Ouais... Le fédéral surtout. Sont rendus qui payent quatre-vingts pour cent des coûts de toué projets. La ville construit des systèmes d'égouts, pis des aqueducs ben neufs. Y font niveler les rues, pis les côtes trop à pic, y mettent de l'asphalte, pis y construisent des trottoirs. C'est que tu veux qu'y fassent de plus?

Émile réfléchit quelques secondes en fixant le fond de son verre :

— Veux-tu j'vas te le dire, moi, ce qui sauve Chicoutimi de la faillite totale? déclare-t-il en levant les yeux de son verre. C'est notre statut de capitale régionale. C'est à cause de ça qu'on peut se maintenir et même se développer encore un peu malgré toute. On a encore les meilleures écoles, le gros hôpital, l'administration publique, la plupart des institutions religieuses, pis le commerce en gros qui réussit à *toffer* malgré toute. Mais on a peut-être pas encore vu le pire…

Rose, qui tricotait jusque-là sans se mêler à la discussion, n'en peut plus :

— Bonté divine, là, vous autres ! Allez-vous ben cesser de parler de même ! C'est à croire qu'on peut pus avoir aucun espoir en rien ! s'écrie-t-elle en piquant ses broches dans sa balle de laine et en remettant son tricot dans son sac. Voulez-vous ben me dire comment ce qu'on va vivre si le monde voit toute en noir comme vous autres, pis qu'y espère pus rien ?

Elle étire ses bras devant elle, en faisant tourner un peu ses épaules endolories :

— Faut croire que ça va s'arranger, voyons donc ! C'est ça qu'y faut penser.

— T'as raison, Rose, reconnaît Émile. Surtout que, dans notre cas, la crise…

Il hausse les épaules avec légèreté en levant son verre :

— C'est quand même pas si pire que ça.

— Ben oui, admet Louis en riant un peu. Quand même ! On n'est pas si mal pris que ça, nous autres.

Émile se lève avec entrain :

— Attendez de voir ! Je viens d'acheter ça à Québec ! lance-t-il en saisissant une mallette noire qu'il dépose sur la table à café. C'est un gramophone portable, explique-t-il en ouvrant le couvercle, tout excité de montrer sa trouvaille. Je peux l'apporter n'importe où. Avec des *records* à même la valise, ajoute-t-il en désignant un petit compartiment où plusieurs disques sont rangés. Pis regardez-moi ça si c'est fin ! s'exclame-t-il en indiquant le couvercle. Une fois la valise ouverte, c'est le couvercle qui sert à diffuser le son.

— Fais-lé marcher ! s'exclame Rose.

— Oui, oui. Mais quel disque tu veux d'abord ?

— Lesquels que t'as ? Pas la Bolduc toujours ? demande-t-elle avec dédain.

— Jamais de la vie ! C'est ben que trop colon ! Pour qui tu me prends ?

Louis n'aime pas que l'on diminue les Canadiens français, mais la Bolduc… *Ben oui c'est colon*, pense-t-il malgré lui, mais c'est tellement drôle dans le fond, comment elle décrit la réalité. Il se lève et se dirige vers la salle de toilettes.

— T'as-tu des chanteurs français ? demande Rose à Émile.

– J'ai Lucienne Boyer. Tu l'aimes-tu ?

— Je l'adore.

— Bon ben je la mets.

On entend d'abord de délicats arpèges au piano, puis la voix de la vedette française s'élève, claire et limpide, dans le silence de l'appartement. «*Parlez-moi d'amour, redites-moi des choses tendres. Votre beau discours, mon cœur n'est pas las de l'entendre. Pourvu que toujours, vous redisiez ces mots suprêmes : je vous aime.*» Rose chantonne en dodelinant de la tête, un sourire aux lèvres, battant la mesure avec la main en regardant Émile, aguicheuse. Depuis quelques semaines, Émile est tout étonné du revirement de situation avec Rose. Après l'avoir totalement rejeté, la voilà qui, de toutes sortes de manières, lui redonne espoir.

— À cause que tu reviendrais pas tu-seule vendredi prochain, murmure Émile, décidé à tenter sa chance, on pourrait remettre le *record*…

— Ouais… Ça se pourrait, répond-elle en étouffant un petit rire gêné.

Après quelques secondes, elle fait signe que non :

— Ben non, voyons, pas vendredi prochain certain. C'est Vendredi saint.

— Ah ! Ben oui !

Émile fait une grimace de mécontentement. Il a l'impression d'avoir manqué sa chance.

— Je peux-tu espérer pour un autre vendredi d'abord ? demande-t-il en la regardant, l'air hardi.

Rose sourit d'une façon coquine, lui faisant les yeux doux :

— Peut-être ben, répond-elle. On sait jamais… Ça se pourrait. J'vas voir à ça.

Ils entendent le bruit de la porte de la salle de bain qui s'ouvre.

— Ouais… C'est pas mal beau cette musique-là ! fait remarquer Louis en revenant vers eux.

Il tend la main à sa femme :

— Viens, Rose ! Viens, on va danser !

Rose se lève et le rejoint au milieu de la pièce. Il la saisit par la taille et met sa main droite dans la sienne. Enlacés, ils se mettent à suivre la musique en cadence, Louis multipliant les postures et les gestes extravagants afin de faire rire sa femme. Resté seul sur le divan, Émile regarde le couple danser avec un pincement au cœur. Quelle drôle de vie que la sienne ! Marié avec une femme dont il n'est pas amoureux et qui tient à lui malgré tout comme à la prunelle de ses yeux, alors que celle qu'il aime est justement là devant lui à danser et à s'amuser avec son mari *dont elle n'est pas vraiment amoureuse elle non plus*, pense-t-il, mais qui la porte sur la main et qui ferait n'importe quoi pour elle. Il y a quelque chose d'ironique dans leurs deux destins, à la fois si semblables et si différents.

— Bon ben, déclare Louis une fois la musique terminée, va falloir y aller, nous autres ! Les enfants nous attendent, hen Rose !

Il regarde son ami :

— Pis toi, mon Émile, ta femme pis tes enfants ! Tu les vois-tu de temps en temps ? raille-t-il.

— Tu sauras que quasiment toué soirs que le bon Dieu amène, chus chez nous, répond Émile, l'air froissé.

— C'est bon à savoir, répond Louis, le regard soupçonneux. Y me semblait que tu sortais pas mal plus que ça, ajoute-t-il avant de laisser éclater son rire. Je t'agace, tu sais ben, fait-il en aidant Rose à enfiler son manteau.

— À prochaine, dit le couple déjà rendu dans l'escalier, Rose se retournant pour lui envoyer un dernier signe avec la main.

Chapitre 22

Georges marche à grandes enjambées. Il vient de quitter sa fille Marie-Louise qui lui a lu les dernières nouvelles rapportées par *Le Progrès* : quelques anecdotes régionales bien sûr, des détails sur certains projets encore à venir, la nomination du cardinal Jean-Marie-Rodrigue Villeneuve à Québec, ainsi qu'une longue section nécrologique relatant la mort de plusieurs enfants, souvent des cas de tuberculose, si contagieuse en ce temps de misère. Marie-Louise lui a lu également une nouvelle internationale, traitée assez sommairement, mais qui l'a fait réagir. Un homme du nom d'Hitler vient de prendre le contrôle de toutes les régions de l'Allemagne et, selon l'article, il semble habité par des motivations de vengeance guerrière à grande échelle. *Ça s'peut-tu qu'on vive un autre interminable conflit mondial comme celui de 14-18 ?* se demande Georges en marchant. Malgré lui, il pense que *c'est probablement ça que ça va prendre*, malheureusement, une coûteuse guerre mondiale, pour sortir le monde de la crise économique. Il baisse la tête, les lèvres serrées, songeant à ses petits-fils qui devront peut-être aller combattre. *On verra ben*, se dit-il en poursuivant sa route vers la rue du Havre. Soudain un énorme bruit de ferraille le détourne de ses pensées. Levant les yeux, il aperçoit à quelques pas seulement devant lui une automobile qui vient de se faire frapper par le train qui applique maintenant les freins dans un vacarme assourdissant. Le convoi s'immobilise enfin. Georges aperçoit le conducteur de l'automobile qui sort indemne de sa voiture endommagée.

— J'ai été chanceux en tabarnak que le train aille pas trop vite, déclare l'homme, visiblement ébranlé.

Le train rentrait en effet lentement en gare au moment de l'accident. Georges voit quelques passants qui s'avancent vers l'automobiliste pour tenter de le réconforter. Il se joint à eux.

— Vous aviez pas entendu les coups de sifflet ? lui demande une femme sur un ton de reproche.

Sonné, l'homme la regarde sans répondre.

— Pensez-vous vraiment que c'est le temps d'accabler un pauvre homme qui vient de manquer de se faire tuer ? s'écrie un passant se portant à sa défense.

— Les aviez-vous entendus, vous, madame ? renchérit un autre d'un air réprobateur.

— Faudrait que j'appelle une remorqueuse, déclare le conducteur, nerveux, semblant indifférent à ce qui se passe autour de lui.

Il indique un petit restaurant à droite dans la rue :

— Y doivent avoir un téléphone eux autres, affirme-t-il en se dirigeant vers l'endroit.

— Maudits passages à niveau, maugrée un badaud en s'éloignant.

La femme qui a critiqué le conducteur accidenté se met à balancer la tête, la bouche pincée :

— Si on peut pus rien dire, se rengorge-t-elle en s'éloignant.

Pour être honnête, Georges se demande s'il les avait lui-même entendus, les coups de sifflet. Il ne saurait le dire. Jour après jour, le train franchit au moins dix passages à niveau dans la ville. On entend alors, à répétition, des coups de sifflet prolongés dont on n'arrive plus à déterminer la provenance. C'est même devenu un vrai problème pour les gens qui demeurent près des passages à niveau, car ces alarmes stridentes se font entendre souvent très tôt le matin ou tard la nuit, troublant leur sommeil et écourtant leur nuit, sans que cela n'empêche pourtant les accidents, quelquefois mortels. *Maudits passages à niveau*, soupire-t-il à son tour en frissonnant et en remontant son col. Il aperçoit alors le propriétaire de la voiture qui revient pour surveiller les opérations.

— La remorqueuse s'en vient, mentionne-t-il en le regardant, les deux mains dans les poches de son manteau, l'air passablement découragé.

— Si on avait un viaduc ou ben une barrière, comme du monde normal, vous seriez pas pogné de même astheure, lui fait remarquer Georges pour lui montrer sa sympathie.

Pendant quelques minutes, ils regardent en silence les travailleurs ferroviaires s'activer à enlever l'automobile accidentée de la voie ferrée afin de dégager le passage. Il faut dire qu'en bas de la côte Bossé, directement sur la rue Racine, le train ne peut pas bloquer la circulation trop longtemps.

Se rendant compte qu'il devra attendre encore un bon moment pour pouvoir traverser, Georges fait demi-tour et repart vers l'ouest de la ville. L'accident lui a fait penser à sa mort, une fois encore. C'est comme des messages qu'il reçoit depuis quelque temps de se préparer. Il est vrai qu'il reporte sans cesse la tâche fastidieuse, *et assez morbide*, se dit-il chaque fois qu'il y pense, de faire son testament. Mais comme il vient de le constater, un accident est si vite arrivé. Il pourrait tomber malade aussi. À son âge, ce ne serait quand même pas si surprenant. Georges pense à Emma qu'il pourrait ainsi aller rejoindre dans son paradis. *Oui mais pas tu-suite*, fait-il en secouant la tête avec vigueur. Mais c'est décidé. Il va de ce pas retourner à la maison appeler son notaire. Non ! Mieux encore ! Il va passer tout de suite à son bureau sur Price pour lui demander un rendez-vous.

Quelques jours plus tard, Georges est assis devant son notaire, Léonidas Gagnon, pour rédiger son testament. Faisant affaire avec lui depuis longtemps, ce dernier a déjà en main tous les contrats notariés d'achat de bâtisses ou de terrains, avec les adresses et les numéros de cadastre nécessaires. Georges se fie donc à lui pour ajouter tous ces petits détails essentiels sur le document officiel. Il peut dès à présent dicter ses dernières volontés quant au partage de ses biens.

— À mes quatre filles Alida, Marie-Louise, Héléna et Tetitte – ben je veux dire Alma, c'est son vrai nom – je veux léguer 1000 $ chacune, commence-t-il.

Georges s'interrompt, cherchant l'approbation de son vis-à-vis concentré à prendre des notes. Levant les yeux, l'homme de loi lui fait signe de poursuivre.

— À mon fils aîné Pierre alias Pitre – ben tout le monde l'appelle Pit, mais je pense qu'il faut écrire les vrais noms dans le testament –, je lègue le terrain que je possède avec bâtisse dans le quartier Champlain à Québec.

Georges s'arrête un moment :

— C'est lui, Pit, que je veux que vous nommiez mon exécuteur testamentaire.

Il sort sa pipe et son briquet de sa poche, et il commence à remplir lentement le fourneau avant de poursuivre :

— À mon fils Albert – que j'appelle encore Pitou mais ça c'est une autre histoire –, je veux léguer la maison appartement de quatre logements qu'il habite déjà depuis des années à Kénogami.

Georges s'interrompt encore un instant pour craquer une allumette et allumer sa pipe. Il tire plusieurs bouffées, s'enfonce dans son fauteuil et continue :

- À mon fils Arthur, je veux léguer la maison de trois étages sur la rue Bergeron qu'il habite déjà avec toutes les bâtisses construites sur le terrain et avec droit de passage dans ladite rue Bergeron.

Observant quelques secondes de silence, Georges tire lentement sur sa pipe, souffle un pâle nuage de fumée et dit :

— À mon fils Louis, je veux léguer ma maison de trois étages avec commerces sur la rue Racine, celle-là que j'habite actuellement avec Tetitte. Y faut que vous écriviez que la maison vient avec le droit de passage dans la ruelle sur le côté de la maison.

Georges cesse de parler, hésitant. Il tripote machinalement sa pipe :

— C'est un gaspilleux, celui-là, lâche-t-il un peu gêné. La folie des grandeurs, savez-vous ce que c'est, notaire ? Entouècas, il l'a attrapée j'cré ben, tranche-t-il. Pis le pire, c'est qu'il le sait pas.

Il pointe son vis-à-vis avec sa pipe :

— Ce que je voudrais, notaire, c'est qu'on soye capable de le protéger contre lui-même, vous comprenez, pour l'empêcher de tout dilapider son héritage.

— Pas de problème, monsieur Bergeron. On va simplement ajouter des conditions, des conditions officielles, je veux dire, dans le testament. Après tout, c'est vous qui êtes le *boss* dans cette affaire-là. Pis, si je peux me permettre, monsieur Bergeron, ce qui est fin dans un testament, c'est que lorsqu'il est mis en application, eh bien, on est décédé, dit-il en le fixant d'un air taquin.

— Ouais, justement. C'est ça qui va être drôle en bon-yenne quand j'vas être mort, raille Georges. Ça va être la première fois que mes garçons vont être obligés de payer leu taxes.

Georges se frappe la cuisse avant d'éclater de rire :

— Dans le fond, ça va leur coûter plus cher de vivre dans leur maisons quand j'vas être mort qu'astheure, dit-il en riant de bon cœur. Faudrait que je leur voie la face, de l'autre bord, quand y vont recevoir leur premier compte.

Le notaire rit poliment avec son client et reprend ensuite :

— Et puis, monsieur Bergeron ? Est-ce qu'on les met, ces conditions ?

— Certainement.

— Alors, ce que je vous suggère, c'est de léguer la maison à titre d'aliments. Comme ça, elle sera insaisissable autant pour elle-même que pour les revenus des commerces que pour le produit de la vente, ainsi que tous les intérêts que ces sommes pourraient générer. Qu'en pensez-vous ?

— C'est parfait comme ça.

— J'écris également ceci, reprend-il. Ledit Louis ne pourra vendre, aliéner, disposer ou hypothéquer la maison, sans le consentement exprès de votre exécuteur testamentaire, Pitre Bergeron.

Georges l'écoute, opinant de la tête. Il regarde le notaire et ajoute :

— Je veux que, quand Ti-Louis va mourir, l'argent de la vente de la maison soit remis à ses enfants. S'y veut, y pourra aussi leu donner, à un seulement ou à plusieurs, mais avec le consentement de Pit. J'veux aussi que ce soye lui, Ti-Louis, qui entretienne le caveau familial au cimetière. J'veux aussi qu'y paye les taxes pour sa maison, pis aussi pour celle de sa sœur Tetitte, à qui j'lègue la maison que j'ai faite construire sur mon terrain, là où Ti-Louis reste présentement avec sa famille.

Georges garde le silence un moment. Il réfléchit, le temps de rallumer sa pipe éteinte :

— J'ai ben des affaires à ajouter pour la maison que je donne à Tetitte, poursuit-il. Là encore y a ben des conditions.

— Je vous écoute, monsieur Bergeron.

— Ben, je veux pas que ma maison aille à un étranger, dit-il, catégorique. Fait que si Tetitte se remarie avant qu'Yvan Lafontaine aille vingt-cinq ans – c'est mon petit-fils ajoute-t-il avec un sourire complice –, ben je veux que la maison lui revienne automatiquement à lui. Si a se remarie pas, la maison restera à elle jusqu'à sa mort et ira ensuite à Yvan.

— Et si, à ce moment-là, votre petit-fils est mort ?

— La maison ira alors à Ti-Louis, tranche Georges. Je veux aussi que vous ajoutiez que Tetitte ne pourra rien faire avec la maison, sans le consentement exprès de Pit. C'est-tu correct notaire ?

— C'est parfait, monsieur Bergeron. Et vos autres biens, terrains, meubles et immeubles ? Que voulez-vous faire avec ?

— Je lègue tout ça à mes enfants en parts égales.

— Et si l'un de vos enfants décède avant vous ?

— Ça va aller automatiquement à mes autres enfants.

— Rien aux veufs ou aux veuves ?

— Rien pantoute, insiste-t-il, les lèvres serrées. Vous pouvez être certain que je donnerai pas une maudite cenne noire à Bertha McLean !

Georges s'emporte :

— Jamais de la sainte vie, comprenez-vous ! Jamais ! Quand je pense qu'est partie avec l'assurance, la bon-yenne d'ingrate !

Il frappe le bureau avec le plat de sa main :

— C'est Pit qui va décider tout seul quoi faire avec ce qui va rester de mes affaires, explique-t-il, quoi vendre pis quand est-ce le faire. Pis c'est lui qui va diviser l'argent en parts égales après entre lui pis mes autres enfants, ceux-là qui seront vivants à ce moment-là.

Georges se lève, prêt à partir :

— C'est-tu beau de même, notaire ?

— C'est parfait, monsieur Bergeron ! Je prépare le document officiel et je vous rappelle pour que vous veniez signer.

— J'vas attendre votre téléphone, déclare Georges, en ouvrant la porte. Bon ben astheure que c'est faite, dit-il de bonne humeur, je peux ben vivre encore une bonne secousse, hen notaire !

- Comme je le dis toujours, faire son testament n'a jamais fait mourir personne, conclut l'homme de loi en raccompagnant son client jusqu'à la sortie.

Chapitre 23

Mai 1933

Rose ne saurait dire ce qui la rend si heureuse depuis quelques mois. Est-ce le fait d'avoir dans sa vie deux hommes qui l'adorent ? Un mari et un ami particulier. Peut-être. Mais ce serait très incomplet de ne s'en tenir qu'à cela, surtout que ce n'est pas aussi simple que ça en a l'air de donner à Émile un peu d'espoir tout en le tenant constamment à une certaine distance. N'est-ce donc pas plutôt parce que ses enfants vieillissent et lui demandent moins d'attention qu'elle se sent si bien ? Sûrement, pour une bonne part. Son bébé, Maurice, va avoir quatre ans au mois d'août. C'est un bon petit garçon, même s'il a constamment besoin de bouger et de dépenser son énergie. Elle l'envoie souvent jouer dehors et, dès qu'il est à la maison, Louis s'en occupe. Les deux plus grands, Denise et Claude, passent leurs journées à l'école sans problème. Ils sont doués et s'entendent bien avec tout le monde, malgré le fait que Claude soit assez turbulent. Quant à Paul, il vient tout juste d'avoir cinq ans en avril et il sait déjà toutes ses lettres. Elle les lui a apprises sans grands efforts au cours des derniers mois et elle en est très fière. Il va retenir d'elle, s'est-elle dit en le voyant essayer de déchiffrer des mots. Un passionné de lecture comme elle, sûrement.

Serait-ce donc la lecture qui serait la principale source de son bonheur actuel ? En grande partie, assurément. Depuis des semaines, elle passe des heures et des heures à lire les histoires d'Agatha Christie. *Mr Brown, Le meurtre de Roger Ackroyd, Le mystérieux Mr Quinn, La maison du péril, Les enquêtes d'Hercule Poirot, L'homme au complet marron, La mystérieuse affaire de Styles.* Une connaissance de Louis les lui a prêtés, connaissant sa passion. Et c'est devenu depuis comme une frénésie. Elle n'arrive plus à s'arrêter. Le soir, il faut que ce soit Louis qui lui enlève le livre des mains, sinon elle pourrait poursuivre sa lecture jusque tard dans la nuit.

On peut donc penser que le grand bonheur de Rose se trouve actuellement dans les pages d'un roman policier, où elle peut s'évader de sa vie quotidienne à la recherche d'indices pouvant l'amener à découvrir le coupable. Qui a poussé un tel en bas de la falaise? Qui a étranglé la morte? Qui a poignardé le mort? Est-ce un enlèvement ou une disparition? De quel poison s'agit-il? Toute une série de questions à se poser: Qui? Que? Quoi? Où? Quand? Comment? Pourquoi? Deviner est devenu pour elle une seconde nature.

Mais ce n'est pas uniquement le mystère distillé dans ces livres qui enchante Rose. Ce sont aussi les nombreuses descriptions de la vie en Angleterre, les mœurs distinguées et les mises en scène théâtrales, les personnages typiques, le langage, les dialogues et les formules de politesse, les décors enracinés dans l'histoire. Elle adore tout. Elle lit aussi Conan Doyle. *Les aventures de Sherlock Holmes, Le chien de Baskerville, Une étude en rouge* ou *La vallée de la peur.* Ces enquêtes quasi insolubles la captivent tout autant. Un jour, elle se le promet, elle ira en Angleterre, dans la ville de Londres, et elle passera devant le domicile de ce fameux détective, 221B Baker Street.

En attendant, elle doit se rendre à l'appartement d'Émile cet après-midi. Il fallait bien qu'un jour ou l'autre, elle finisse par lui offrir davantage que des œillades et des sourires. Depuis le retour de Louis de Montréal, un peu par bravade et certainement aussi parce qu'elle éprouve toujours une attirance envers lui, elle a cessé de se sentir obligée de le repousser complètement. L'autre samedi, elle a donc accepté d'aller le voir dans sa garçonnière à condition qu'il ne se passe rien, bien sûr. Il a été bien averti de ne pas même essayer, sinon elle allait repartir aussitôt. Il le lui a promis. Ils vont écouter de la musique, parler, manger des chocolats. Rose aime se sentir comme une fiancée qui se fait courtiser avec ferveur en attendant le grand jour pour offrir sa virginité. Elle sait bien que tout cela est du domaine du rêve, mais cela lui fait tellement de bien justement de rêver, de jouer comme dans un film ou un roman, surtout que cela ne fait de mal à personne. En ne s'abandonnant pas à lui, elle a l'impression de se protéger de trop en tomber amoureuse et ainsi de conserver une certaine exclusivité à son mari.

Bon, si elle ne veut pas être en retard, elle va devoir se dépêcher. *Je finirai plus tard,* se dit-elle en déposant son livre sur la table à café pour monter à sa chambre se préparer. Elle doit être en beauté pour qu'il soit ébloui en la voyant et qu'il la couvre de compliments.

Après s'être maquillée et coiffée avec goût, elle enfile une jolie robe de lainage écru, assez courte, juste en bas des genoux, bien cintrée à la taille, mettant ses jambes et sa poitrine en valeur. Avec un châle sur les épaules, elle sera confortable pour se rendre chez lui à pied. Ce n'est pas bien loin et il fait si doux dehors. On est seulement en mai, mais c'est presque l'été depuis deux jours. Les bourgeons ont même commencé à éclore un peu plus tôt que d'habitude. De petites feuilles ornent déjà les arbres d'une aura vert tendre qui leur donne l'air de gros pompons translucides. Elle a décidé de porter un grand chapeau pour dissimuler de son mieux son visage si jamais elle devait croiser des passants. Au fond, ce qu'il faut, c'est marcher résolument sans hésiter jusque chez lui, en priant pour ne rencontrer personne qu'elle connaît.

En réalité, une fois sur le chemin, son cœur bat très fort tout au long du trajet, pas seulement en raison de l'effort physique de marcher aussi vite au soleil, mais également, et surtout, parce qu'elle a finalement très peur de se faire prendre. S'il fallait, par exemple, qu'elle tombe sur son beau-père ou sur sa belle-sœur Marie-Louise, qui ne la porte déjà pas dans son cœur. Juste à y penser, elle en frémit d'horreur. Tout en marchant, elle se forge de bonnes raisons pour justifier sa présence dans la rue à cet endroit-là. Elle pourrait être allée acheter un produit spécial chez Picard, se rendre au traversier pour aller voir sa mère ou pour aller aider Mimine qui le lui a demandé. Elle a même pensé à glisser un étui à lunettes appartenant à Émile dans son sac à main. Au pire, si jamais quelqu'un la surprenait sur le seuil de son appartement, elle pourrait dire qu'elle vient le lui rapporter. Mais le risque est quand même là…

Comme de fait, elle voit venir au loin du même côté de la rue qu'elle, une voisine qui ne doit surtout pas la rencontrer ici. Qui sait, elle pourrait partir un ragot! Sans hésiter, la tête baissée, Rose bifurque dans une ruelle à droite et marche un bout de temps sans se retourner. Une fois certaine que l'autre a passé son chemin, elle revient sur ses pas et se dirige alors à toute vitesse vers l'appartement d'Émile. Une fois devant la bâtisse, elle entre et monte jusque chez lui.

Entendant ses pas dans l'escalier, il lui ouvre la porte avant même qu'elle ait frappé.

— Bonjour, ma belle Rose. Entre ! Viens ! Vite ! Reste pas dans porte !

Émile l'embrasse prudemment sur les deux joues et commence à lui murmurer quelques compliments.

— Ah je te dis, toi ! proteste-t-elle en le repoussant un peu. C'est dangereux ce que tu me fais faire là. Venir ici, tu-seule, en plein après-midi ! Aaah, soupire-t-elle en se laissant tomber sur le divan.

— Ben voyons ! Tu m'avais dit que c'était correct, fait Émile, un peu décontenancé.

— Correct, correct. C'est facile à dire pour toi, dit Rose en le toisant d'un air agacé. Tantôt, j'ai failli me faire pogner par une voisine. Ah ! A m'a peut-être ben reconnue, je le sais pas.

Elle se laisse aller contre le dossier et se passe la main sur le front :

— Passe-moi ton mouchoir !

Rose se tamponne lentement le visage en essayant de recouvrer un peu son calme. Émile s'assoit tout près d'elle sur le divan et lui prend la main en silence.

— Ah ! Je te dis, toi, se plaint-elle d'un ton plus doux, tu me fais faire des affaires que j'aime pas ben ben ! poursuit-elle d'un ton de reproche.

— Ça doit être parce que tu m'aimes un peu.

— Ouais… Peut-être ben. Je t'aguis pas, c'est sûr.

Elle esquisse un sourire.

— Bon, le pire est faite, lance Émile. T'es rendue icitte astheure. On va en profiter.

Il se lève et se rend jusqu'à son tourne-disque. D'un geste sûr, il enclenche le mécanisme. La belle voix mélodieuse de Lucienne Boyer envahit tout l'espace. Sans parler, il revient s'asseoir près de Rose. Délicatement, il passe son bras autour de son cou, posant sa main sur sa tête qu'il fait doucement retomber sur son épaule.

— T'es-tu bien, là ? demande-t-il.

— Oui, murmure Rose.

Ils restent ainsi, paisibles, tête contre tête, main dans la main.

— C'est dommage qu'on se soit pas rencontrés plus jeunes, dit Émile une fois le premier morceau terminé.

— Peut-être ben, répond Rose.

— Regarde ce que je t'ai acheté, lui dit Émile en montrant la table à café devant eux.

— Du chocolat ! lance Rose en s'avançant un peu.

Elle ouvre la boîte et en prend un :

— Oh ! Mon préféré, au beurre.

Émile tourne son visage vers celui de Rose et la regarde amoureusement.

— Fais-moi goûter un petit peu à ta bouche pleine de chocolat.

Avec sa main, il soulève le menton de Rose et embrasse ses lèvres, d'abord tout doucement puis, voyant qu'elle ne se refuse pas, avec plus de passion.

— J'ai jamais mangé un si bon chocolat au beurre, dit-il finalement, refrénant son élan afin de ne pas effaroucher Rose.

— Tu m'as embrassée, s'étonne-t-elle. On dirait qu'on peut pas faire autrement, hen ! Même si tu promets, on dirait que ça peut pas faire autrement que virer comme ça.

— C'est parce que je t'aime trop. Tu comprends, c'est dur pour moi de pas te toucher, de pas t'embrasser.

Il lui sourit, un peu penaud :

— Juste un petit bec comme ça, c'est pas ben grave, tu penses pas ?

— Ben oui c'est sûr, admet-elle. C'est pas ben grave.

Il approche de nouveau son visage près de celui de Rose et plonge son regard dans le sien.

— Mon amour, fait-il en l'embrassant à nouveau langoureusement.

Pendant quelques minutes, ils restent là, enlacés. Puis, soudain, Rose le repousse, se lève et marche vers la salle de bain.

Je me sens pas bien, déclare-t-elle. On dirait que j'vas avoir mal au cœur.

— Ben voyons. C'est qu'y te prend là ? Tu vas-tu être malade ?

— Je le sais pas. Mais je pense que ce serait mieux que je parte.

— Pas tu-suite Rose ! implore Émile. Tu viens quasiment juste d'arriver.

— Je suis trop mal, Émile. Faut que je m'en aille.

Émile se lève à son tour et la rejoint près de la porte. Déçu, il fait bonne figure malgré tout :

— C'était court, mais c'était vraiment plaisant. J'espère qu'on va pouvoir se reprendre une autre fois.

— Je le sais pas, répond Rose, hésitante. Je prends des risques, moi, tu sais, pour venir ici. Toi, si ta femme le savait, probablement qu'a ferait rien. A t'endurerait, en se disant qu'est juste une femme trompée, comme ben d'autres. Mais moi ? Imagine, moi !

Rose se dirige vers la porte :

— J'étais pas faite pour ça, moi, l'infidélité, ajoute-t-elle.

— Ben voyons ! proteste-t-il. T'es pas vraiment infidèle. On fait jamais rien.

— On en fait ben de reste, proteste-t-elle.

— Quelques baisers seulement, c'est pas la mort d'un homme.

— Oui, mais imagine si Ti-Louis savait ça !

Rose le regarde d'un air désolé. Émile s'avance un peu plus près d'elle et se penche pour l'embrasser sur les lèvres.

— Je t'aime pareil, ma belle Rose.

Rose ouvre la porte et sort sans répondre. Elle descend les marches en vitesse et émerge dans la lumière du jour de la rue. Elle marche d'un bon pas, s'éloignant rapidement, de plus en plus soulagée de se retrouver seule, loin du lieu qui pourrait la perdre. *Ah l'amour, l'amour !* soupire-t-elle dans son for intérieur. *On dirait que c'est pas faite pour moi !*

Chapitre 24

Le beau mois de juillet est enfin arrivé. Précieux moment tant attendu au Québec qui donne la couleur et la saveur de l'été. Lorsque le temps chaud s'installe enfin, on laisse les portes et les fenêtres de la maison ouvertes, on se promène tranquillement dans les rues et on veille tard le soir dehors sur la galerie ou autour d'un feu de camp, remisant la neige, la poudrerie et les gros froids le plus loin possible dans le fin fond de sa mémoire. *L'hiver reviendra bien assez vite*, se disent les gens qui, soudain délivrés du froid, se retrouvent tous un peu fous, le cœur joyeux et l'âme frivole, assoiffés de soleil, de chaleur, d'air pur et de liberté.

Cet été, trop court selon l'opinion unanime des Canadiens français, est aussi le temps des visites impromptues dans la parenté qui vit en dehors de la ville. Malgré la distance, l'habitude de s'annoncer ne fait pas vraiment partie des mœurs. Les téléphones sont encore rares, surtout dans les rangs. On se présente alors simplement en toute convivialité et on est reçus à bras ouverts ou à moitié fermés selon la personnalité et la générosité des hôtes.

Ce matin-là, Rose se lève en forme. Oubliées, les inquiétudes et les émotions trop vives. À quoi bon s'en faire ? Quoi qu'elle dise et quoi qu'elle fasse, on dirait bien que les deux hommes de sa vie semblent être là pour toujours et la vérité, c'est que rien ne sera jamais simple dans cette affaire-là. En fait, plus le temps passe, plus Rose est convaincue que les émotions, c'est ce qui, en définitive, fait mourir le monde. *Le moins on en a, le mieux on se porte*, se dit-elle régulièrement depuis quelque temps, en chassant impitoyablement les pensées qui l'émeuvent trop et la mettent tout à l'envers. *Perdre la tête, c'est pas mon genre*, se répète-t-elle, se sentant ainsi à l'abri des folies.

Aujourd'hui, on prévoit du soleil pour toute la journée et elle a bien l'intention d'en profiter. Depuis le temps qu'elle attend de se rendre chez sa sœur Annette, dans le rang Saint-Joseph à Valin, c'est maintenant que cela va se faire ! Elle ne manquerait pour rien au monde ce pittoresque petit voyage annuel à la ferme. Elle s'est entendu le dimanche précédent avec Mimine que, dès la première vraie belle journée, elle allait se rendre chez elle avec ses quatre enfants à bord du traversier et que leur père allait les conduire en *buggy* chez leur sœur Annette pour y passer la journée. Il les laissera là et reviendra les chercher aux environs de trois heures. Rose prépare rapidement ses enfants et emplit un panier de quelques victuailles, question de ne pas se présenter les mains vides chez sa sœur. *Simple savoir-vivre quand on arrive chez du monde avec quatre enfants affamés*, se dit-elle.

Dès son arrivée au quai de Sainte-Anne de l'autre côté de la rive, après une traversée sans histoire, Rose aperçoit Mimine qui l'attend dehors. Elle lui fait un signe de la main. Ses deux garçons, Léo et Gaby, sont déjà assis aux côtés de François Gauthier à l'avant du *buggy*. Pendant que Rose et Mimine montent avec Denise et le petit Maurice à l'arrière, Claude et Paul demandent à leur grand-père s'ils peuvent s'installer en avant avec lui et leurs cousins Pilote.

— Ouais, OK, acquiesce-t-il, un peu bougon. Mais vous êtes ben mieux de filer doux, les prévient-il d'un air sévère, sinon je vous rechipe toué quatre en arrière, pis su'un moyen temps à part de ça.

— Oui, grand-père, promettent-ils en prenant place près de Léo et Gaby sur la banquette avant.

— Pis je vous avertirai pas deux fois, ajoute-t-il en donnant le signal aux chevaux de partir. J'ai pas envie d'en pardre un su'l chemin.

Maurice est très déçu de ne pas avoir pu suivre ses frères en avant. Pour le consoler, Denise l'invite à s'asseoir sur ses genoux. Les deux appuient leur tête sur le bord de la porte et excités, le nez au vent, ils regardent défiler les maisons et le paysage pendant que Rose et Mimine discutent déjà de tout et de rien.

Il n'y a qu'une seule côte à monter de ce côté-ci de la rivière vers Saint-Fulgence, mais elle est presque aussi haute et à pic que la pente abrupte qui mène au quartier de leur enfance, de l'autre côté, tout en haut du cap Saint-Joseph. Cette fois-ci, la côte mène sur le dessus du cap Saint-François. Habitués au travail dur, les deux chevaux grimpent sans trop d'efforts jusqu'en haut. La route de terre battue suit alors de loin le contour escarpé de la montagne traversant un petit hameau, puis la forêt sur quelques milles pour enfin redescendre brusquement rejoindre la rive du Saguenay qu'elle longe ensuite presque tout du long jusqu'à Saint-Fulgence, Sainte-Rose-du-Nord et même, si on souhaite aller encore plus loin, Tadoussac. Le long du parcours, ils aperçoivent au passage quelques fermes laitières, dont les vaches Holstein à la robe blanche et noire broutent dans les champs. L'équipage passe ensuite sur le pont de la rivière Caribou, étroite rivière bordée de noisetiers qui prend sa source dans les monts Valin et vient se jeter dans le Saguenay. Après quelques milles, la route fait une large boucle vers les terres afin d'aller traverser une seconde rivière, plus imposante, dont le pont a été construit à l'endroit où les rives étaient les plus rapprochées. C'est la rivière Valin, dont le nom, tout comme la source, provient des monts en altitude. Une fois revenu le long du Saguenay, l'équipage file à bonne vitesse vers sa destination. Les quatre garçons ont les yeux écarquillés à force de regarder partout, le vent du large leur fouettant le visage. François Gauthier se tient prêt. Il vient d'apercevoir la maison de ferme qui se trouve à la jonction du rang.

— Attention tout le monde ! Tenez-vous ben ! J'vas tourner, lance bientôt le grand-père en ralentissant pour prendre le virage à angle droit.

Tenant bien fort son petit frère sur elle, Denise a vraiment hâte de se retrouver à la ferme. Elle a si peur de vomir en *buggy. Pourvu que je salisse pas ma robe pis mes beaux souliers*, se dit-elle en maintenant son visage face au vent tout en regardant droit devant. Elle pense à toutes les activités inhabituelles qui l'attendent et jette un regard inquiet sur la jolie robe bleu ciel ceinturée d'un mince ruban blanc noué dans le dos que sa mère lui a confectionnée au début de l'été. Elle ne voudrait l'abîmer pour rien au monde.

Une fois engagé dans le rang, l'équipage reprend aussitôt sa course, pénétrant dans les terres, longeant bientôt un tout petit ruisseau rocailleux, pompeusement baptisé rivière à la Loutre, qui rejoint le long du chemin de terre. Ils aperçoivent la fermette des Harvey et leur petit moulin à scie situés au bas de la montagne, juste avant le chemin escarpé qui monte vers quelques fermes construites sur le plateau et qui aboutit étonnamment, après avoir parcouru des milles en s'enfonçant dans les terres, au petit village de Saint-Honoré, nommé ainsi en l'honneur du député Honoré Petit.

Les voilà qui pénètrent maintenant dans la vaste cour de la ferme après avoir d'abord traversé un pont en rondins recouvrant le petit ruisseau. Rose et Mimine sont soulagées d'arriver enfin chez leur sœur Annette. Une sainte, comme Rose aime à le répéter. *Une vraie sainte certain,* se dit-elle, d'endurer son mari, Thomas que tout le monde appelle Bebé, un rustre pourtant, selon elle, qui lui fait faire de gros travaux, même enceinte, et que Rose ne peut pas voir en peinture. Elle n'envie pas non plus sa sœur de demeurer encore avec ses beaux-parents. Elle-même, elle est restée trois ans avec les parents de son mari au début de son mariage et elle avait trouvé cela très difficile de ne jamais avoir son intimité.

Sitôt les chevaux immobilisés, les quatre petits gars sautent par terre et se mettent à courir vers l'enclos à lapins.

— Vous êtes mieux de faire ça comme du monde, leur crie Rose avec son ton de maîtresse d'école, si vous voulez pas avoir une volée en revenant à maison.

N'écoutant sa mère que d'une oreille, Maurice se dépêche de descendre du *buggy* et court les rejoindre. «Attendez-moi!» hurle-t-il de sa petite voix d'enfant en galopant derrière eux. Leur cousin, Stellan, se trouve déjà là, à donner des bouts de carotte aux lapins.

— Venez! fait-il en tant qu'aîné de la bande. On va aller jouer en arrière du moulin, leur dit-il en se dirigeant vers la bâtisse au fond du terrain.

Denise descend à son tour du *buggy* et repère un peu plus loin sa cousine, Rita, en train de nourrir les poules qui courent en liberté un peu partout sur le terrain. Sa petite sœur, Thérèse, six ans, est avec elle.

— Salut! leur dit Denise joyeusement en courant vers elles.

— Salut, répond Rita, onze ans, jolie brunette à l'allure un peu frondeuse, dont les traits rappellent ceux d'une jeune autochtone. Veux-tu nourrir les poules avec nous autres?

— Oui, certain.

— Viens! lui dit-elle.

Rita entre dans la grange suivie de Thérèse et de Denise. Avec précaution, elle remplit un petit récipient de graines et le met dans les mains de Denise, puis elle en rajoute un peu dans celui de Thérèse. Elles ressortent toutes les trois et se mettent à suivre les volailles pour leur jeter des graines.

— Pas trop à la fois! précise Rita. Juste une petite poignée.

Elle fait le geste de semer :

— Tu vois, comme ça, dit-elle en continuant de lancer ses graines avec application. Après, on va aller ramasser des bleuets, tu veux-tu?

— Oui, répond Denise, ravie.

— Y va y avoir des framboises aussi, déclare Thérèse. Moi, j'adore les framboises, dit-elle en se passant la langue sur les lèvres.

— Ben oui! Sont mûres astheure, précise Rita, on va pouvoir en ramasser, pis en manger, c'est sûr.

— Pis les petites baies violettes dans les arbres, demande Denise, tu sais là, je me rappelle pus du nom…

— Les amélanchiers, répond Rita, qui sait tout. Oui, ça aussi, on va en ramasser pis en manger.

Denise est heureuse. Elle a hâte de monter sur les gros rochers tout secs et brûlants de soleil.

— Si tu veux, ajoute Rita en s'adressant à sa cousine, on pourra se mettre nu-pieds su'l tapis de mousse dans le bois. T'aimerais-tu ça?

— Je sais pas trop, dit Denise, qui pense plutôt à protéger ses vêtements.

Dans la cuisine, Rose et Mimine sont accueillies par leur sœur les bras ouverts. Son bébé, Paul, neuf mois, dort dans son petit moïse un peu à l'écart, alors que sa plus jeune fille, Blanche-Annette, trois ans, est dehors sur la galerie en train de jouer avec ses poupées. Annette sourit au milieu de son royaume. Deux tartes refroidissent sur le bahut. Une soupe aux gourganes mijote sur le feu. Un gros pain de fesse cuit dans le four. Les trois sœurs s'embrassent en se donnant rapidement des nouvelles de leur mère qui ne pouvait malheureusement pas se joindre à elles aujourd'hui. Mimine lui remet un petit mot de sa part. «Tu le liras quand on sera partis», mentionne-t-elle.

Malgré le beau sourire d'Annette, Rose remarque assez rapidement qu'elle a les yeux cernés et semble amaigrie.

— C'est que t'as, donc? T'as pas l'air bien.

— C'est rien.

— Est enceinte! fait Mimine de sa petite voix haut perchée. Marie-Louise me l'a dit l'autre jour.

— Encore! s'exclame Rose, surprise.

— Non, chus pas enceinte, répond Annette en levant le couvercle de sa casserole pour y ajouter deux poignées d'orge. Ben, je l'ai perdu ça fait quinze jours, ajoute-t-elle dans un souffle, la louche à la main.

— Ah, je le savais ben que t'avais pas l'air dans ton assiette, fait Rose sur un ton de reproche.

Elle se lève et lui prend la cuiller des mains:

— Assis-toi, là! J'vas te la brasser, moi, ta soupe.

— J'vas ben, là, voyons, affirme Annette, pas besoin de vous en faire pour moi.

Elle s'assoit tout de même à la table près de Mimine:

— C'est pas le premier que je perds. Pis comme Paul a même pas un an…

— Parle-moi-z'en pas, riposte Rose d'un air sévère.

Elle en aurait long à dire sur le mari de sa sœur qu'elle déteste à s'en confesser.

— Aaah! J'aime autant pas parler, lance-t-elle finalement d'un ton sec.

— Ça adonne vraiment ben que vous soyez venues, déclare Annette comme si de rien n'était. Ma belle-mère est chez sa sœur pour la journée, pis mon beau-père est parti lui aussi avec Bebé au village pour l'avant-midi. Y vont revenir juste pour le dîner.

— Pauvre toi! ne peut s'empêcher de dire Rose, qui vient se rasseoir avec ses sœurs à la table. Quand je pense que tu viens de faire une autre fausse couche! C'est pas croyable! T'étais pas faite pour vivre su'a ferme, aussi. T'es pas assez forte pour ça. T'es comme moi...

Rose hoche la tête, navrée.

— Mon Dieu Seigneur, Rose, tu t'en fais ben que trop avec ça. À t'entendre, on dirait que chus la seule femme qui fait des fausses couches su'a terre! J'ai déjà cinq enfants, ben vivants. Deux garçons, pis trois filles. Toi, t'en as juste quatre. Tu vois!

Rose ne l'entend pas ainsi. Elle continue ses récriminations:

— Mais c'est que t'avais d'affaire aussi à repartir encore enceinte? lance-t-elle. Tu venais juste d'en avoir un bébé.

Elle laisse planer un silence plein de reproches:

— Y pourrait te lâcher, lui! soupire-t-elle.

— Tu comprends pas, Rose, explique Annette d'une voix douce en jetant un œil sur l'énorme crucifix qui pend au-dessus du bahut et la photo du Sacré-Cœur de Jésus accrochée au-dessus de la porte. C'est le bon Dieu qui a voulu ça, comprends-tu? Tout est entre ses mains. Tout ce que je vis, ça vient de lui. Pis je vis toute ça avec Jésus sur la croix. Ah si seulement tu savais…

— Oui mais…

— On devrait changer de sujet, coupe Mimine de sa petite voix claire, plutôt mal à l'aise d'assister aux indiscrétions de Rose.

Elle, si délicate, jamais elle ne pourrait accabler sa sœur Annette ainsi. De toute façon, elle aime bien son beau-frère pour sa part. Il a ses qualités. Elle se demande bien pourquoi Rose l'a entrepris ainsi.

— Si tu vois ça de même, finit par répondre Rose. En tout cas, soupire-t-elle, je peux ben répéter à qui veut l'entendre que t'es une sainte.

— Oui, intervient Mimine d'un ton moqueur. Une sainte, qui se fâche pas quand tu lui envoyes une coupe de pataraffes par la tête, hen Rose!

Elle les regarde à tour de rôle, les yeux moqueurs, le sourire en coin, attendant un signal pour éclater de rire.

Fixant le visage de sa jeune sœur ricaneuse avec qui elle a déjà eu tant de fous rires, Rose pouffe de rire avec elle. Soulagée, Annette se met à rire, elle aussi. Il faut dire que ce n'est pas la première fois que Rose manque de tact et lui dit sans ménagement ce qu'elle pense de son mari. Elle la connaît celle-là. Elle en a vu d'autres.

— Bon ben, on va mettre la table d'abord si c'est de même, fait Annette en ouvrant le tiroir du bahut pour y prendre une belle nappe tricotée au crochet que Rose lui a offerte.

Elle a des épines, sa sœur, mais elle est quand même gentille.

— Oui, on est mieux d'être prêtes avant que les enfants reviennent.

— Affamés comme des galafias.

Elles rient encore un peu toutes les trois, jouissant du calme revenu dans la cuisine.

— J'ai apporté du fromage pis des confitures, des galettes aussi, fait Rose en sortant ses victuailles de son panier.

Le dîner se passe en trois tablées. Les enfants d'abord, rapidement sortis de table et repartis jouer dehors. Le mari d'Annette, Bebé, et son beau-père ensuite, qui mangent en vitesse et ressortent, sitôt le repas terminé, pour aller réparer leur charrue avec les pièces d'instrument aratoire achetés chez un brocanteur du village le matin même. Une fois les plus jeunes couchés pour la sieste, les trois sœurs peuvent enfin s'installer à la table et prendre leur temps pour savourer leur repas tout en jasant de tout ce qui a pu leur arriver au cours des derniers mois, à elles et à leur entourage, avec bien des «ho!», des «voyons donc» et des «c'est pas vrai», chacune conservant, malgré le flot ininterrompu de paroles échangées, son petit jardin secret bien à l'abri.

Au milieu de l'après-midi, après avoir exploré les alentours, ramassé et mangé une quantité impressionnante de fruits sauvages, Rita amène Denise sur le bord de la petite rivière à la Loutre qui coule sur les terres des Harvey. Elle a apporté avec elle deux cannes à pêche qu'elle a fabriquées elle-même à l'aide de longues branches bien souples auxquelles elle a attaché des fils avec des hameçons au bout.

— Y a d'la truite dans le ruisseau, déclare Rita en mettant sa main dans une boîte de fer pleine de terre de laquelle elle extirpe un ver. Tiens ! Mets ça à ton hameçon, dit-elle à Denise en lui tendant le ver.

— Yeurk ! proteste celle-ci. Un ver de terre ! Je suis pas capable de toucher à ça, voyons donc. C'est ben que trop dégoûtant.

— Peuh ! C'est ça, les filles de la ville ! fait Rita en secouant la tête. Envoye-moi ça icitte ! J'vas te le mettre, moi, ton ver.

Elle saisit l'hameçon et accroche le ver :

— Tiens ! dit-elle. Tu peux jeter ta canne à l'eau astheure.

Denise avance prudemment sa perche au-dessus du petit cours d'eau et laisse couler l'hameçon jusqu'au fond. Rita lance la sienne et se met à faire bouger doucement son hameçon, au-dessus des cailloux, pour agacer les poissons.

— Bon ben, on peut s'asseoir astheure, fait Rita. La pêche, des fois c'est vite, des fois c'est long. On peut pas savoir d'avance quand le poisson va mordre.

Assises sur une large roche plate, les deux fillettes laissent flotter leur hameçon dans l'eau, l'agitant machinalement de temps en temps. Denise regarde sa robe. Elle aperçoit une grosse tache rouge sur le devant, et une autre plus petite sur le côté. *C'est que maman va dire ?* se demande-t-elle, inquiète. Elle se relève.

— C'est que tu fais là ? demande Rita.

— J'aime autant être debout, déclare Denise en époussetant sa robe avec ses mains, de peur de l'avoir salie davantage en s'assoyant par terre.

— Eille ! lance Rita. Je vois une truite. Bouge pus ! ordonne-t-elle.

Denise sent tout à coup un bon coup sec au bout de sa ligne.

— Vite ! Sors-la de l'eau ! crie Rita.

— Comment je fais ?

Denise tient sa canne à pêche à deux mains.

— Est petite. Envoye ! Sors-la !

Denise donne un coup et monte sa perche dans les airs, tout excitée. Le poisson se décroche et retombe sur elle, tout dégoulinant.

— Yeurk ! hurle Denise, qui se met à se secouer, dégoûtée.

Rita empoigne rapidement la prise et la relance à l'eau.

— Eille ! C'est que tu fais là avec mon poisson ? s'indigne Denise.

— Ètait trop petite, décrète Rita. Ça valait rien. Dans ce temps-là, on les rejette à l'eau.

— Ouais ben, en attendant, je me suis toute salie, déclare-t-elle en remarquant les taches de terre mouillée qu'elle a faites avec ses mains en voulant se débarrasser du poisson.

Rita la regarde et fait une moue qui en dit long sur ce qu'elle pense. Denise lui répond de la même façon.

— En tout cas, c'est pas si plaisant que ça, pêcher, dit-elle, un peu boudeuse. Continue, toi ! J'vas te regarder faire.

Pendant ce temps, les garçons se sont lancés dans l'exploration des alentours. Stellan, qui connaît son coin comme sa poche, les entraîne à l'aventure dans le bois. C'est à qui sera le plus fort pour soulever une pierre, à qui courra le plus vite, à qui grimpera le plus haut dans un arbre. Téméraires, Claude et Léo, sept ans, relèvent tous les défis de leur cousin de huit ans, alors que Paul et Gaby, un peu plus jeunes, se contentent de participer avec courage. Responsable pour son âge, Paul surveille son petit frère, Maurice, qui peine par moments à courir aussi vite qu'eux.

— Faudrait pas se perdre, prévient Paul.

— Inquiète-toi pas ! lui lance Stellan. On est pas loin.

— Faudrait pas faire attendre maman tantôt, ajoute-t-il.

— Bon ben, OK d'abord. J'vas vous montrer une dernière affaire. Venez !

Ils marchent quelques minutes et arrivent devant de grosses pierres, l'une, très large et assez plate, couchée sur deux autres à chaque bout formant une cavité.

— C'est une grotte, déclare Stellan. L'hiver, y a un ours qui se couche là jusqu'au printemps.

— T'es-tu sûr ? demande Claude.

— Eille ! Je l'ai vu, je te dis.

Les garçons regardent la grotte, impressionnés.

— On peut-tu rentrer dedans ? demande le petit Maurice en s'avançant vers le trou.

— Ben oui. Chus déjà allé.

Ils entrent, l'un derrière l'autre, sous la lourde pierre en équilibre.

— Ça fait de l'écho, crie Claude, très énervé. Ohé ! Ohé ! Eille, vous m'entendez-tu ?

La journée à la ferme se termine finalement lorsque François Gauthier entre dans la cour avec son *buggy*. Cette fois, il descend et passe saluer son gendre et son père qui travaillent au moulin. Quelques remarques sur la température suffisent pour ces hommes peu bavards. François Gauthier retrouve ensuite ses trois filles en train de placoter sur la galerie. Annette tient son petit dernier dans ses bras, Rose tricote et Mimine raconte quelques histoires cocasses que Rose et elle ont vécues dans leur jeunesse et qui les font rire encore. En apercevant leur père, elles lui sourient.

— Bon ben chus venu te dire bonjour, là, ma fille, dit-il en s'adressant à sa plus vieille, Annette. Faut qu'on redescende astheure.

— Vous êtes ben fin, papa, d'être venu les mener à matin. Ça nous a fait faire une belle journée toué trois ensemble. Vous embrasserez ben fort maman pour moi. Pis vous y direz que j'vas ben, pis que j'vas y écrire la semaine prochaine.

Sitôt les enfants revenus au bercail, l'équipage se met en branle vers Sainte-Anne. Rose n'est pas de bonne humeur. Denise a taché sa robe comme une vraie souillon et ses garçons l'ont fait attendre trop longtemps. Inquiète, elle les croyait perdus à jamais dans la forêt de Saint-Fulgence. Lorsqu'ils ont enfin surgi des bois en courant et en riant, elle n'a fait ni une ni deux. Tenant le plus vieux, Claude, responsable des autres, elle lui a administré une de ces « claques en virant » que personne, après, n'avait plus le goût de rire.

Après les dernières salutations d'usage, la carriole repart enfin. Rendu au grand chemin, tout le monde somnole déjà, les plus jeunes s'étant carrément endormis. À l'exception de Denise qui n'ose pas trop parler. Elle ne se sent vraiment pas bien. Elle a son dîner sur l'estomac, les petits fruits peut-être, ingurgités en grande quantité.

— J'ai mal au cœur, crie-t-elle finalement. Vite ! Maman ! J'vas renvoyer !

— Papa ! Vite ! Denise est malade !

Faisant aussi vite qu'il le peut, le grand-père arrête son attelage, laissant à peine le temps à la fillette de descendre du *buggy* pour vomir autant par terre que sur ses souliers et sur le bas de sa robe.

— Ça me surprenait aussi, qu'a aille pas renvoyé à matin ! bougonne Rose, découragée.

Elle cherche le mouchoir mouillé qu'elle a placé dans son panier avant de partir ce matin en prévision.

— Je te dis, moi, que c'est pas drôle, le mal des transports, marmonne-t-elle. Viens, là, que je te lave au moins la face un peu.

Elle lui passe le mouchoir dans le visage :

— Pis regarde tes souliers, pis ta robe ! Une vraie cochonnerie ! Ah ! Je te dis, moi, que c'est pas drôle, soupire encore Rose en frottant un peu le tissu de la robe et les souliers avec son mouchoir. Bon ben, finit-elle par dire, t'es-tu correcte, là ?

— Oui, répond Denise, prête à pleurer. C'est pas de ma faute, se lamente-t-elle.

— Je le sais ben que c'est pas de ta faute, pauvre toi, dit Rose en secouant la tête. Envoye ! Embarque astheure ! Pis tiens-toi tranquille !

Le reste du voyage se passe sans incident. Rose et les enfants arrivent juste à temps pour le retour du traversier vers Chicoutimi. Exténuée par sa journée, excédée par tous les efforts qu'elle a faits pour se rendre et revenir de Saint-Fulgence, Rose décide, rendue au quai, de héler un taxi pour retourner à la maison.

— Y a un boutte à ménager, s'insurge-t-elle à l'avance en pensant aux possibles objections de son beau-père, s'il l'apprenait.

À la maison, Louis les attend, le souper sur le feu.

— Mon Dieu que t'es fin, dit-elle en se laissant tomber sur une chaise. Aaah… Quelle journée ! Chus vraiment restée, fait-elle en se laissant aller lourdement contre le dossier, épuisée.

— Tu peux te reposer astheure, ma belle Rose ! Je suis là.

Chapitre 25

Toujours trop court, l'été s'est encore une fois envolé comme un oiseau-moqueur sans que personne ne puisse d'aucune façon le retenir. Et le mois de septembre s'est tout doucement invité, réservant de belles journées de chaleur aux enfants de Rose qui reprennent le chemin de l'école, Denise en quatrième année et Claude en deuxième, laissant le petit Paul, cinq ans, frustré à la maison, encore trop jeune pour commencer sa première année malgré sa vive intelligence et son pressant besoin d'apprendre. Se retrouver seule avec ses deux plus jeunes représente un soulagement pour Rose, qui s'occupe de sa maisonnée et de ses pensionnaires comme la bonne reine du foyer qu'elle est devenue avec le temps. À sa manière, bien sûr, un peu impériale et capricieuse, mais imaginative, vaillante et pleine de ressources.

Depuis les dernières semaines, Louis est souvent absent. La construction du pont se termine et, même si son rôle de courroie de transmission en chaloupe est bel et bien terminé, il lui reste une fonction de commissionnaire sur le site, tâche humble s'il en est une, dont il s'acquitte consciencieusement, compte tenu de la crise et du taux de chômage qui atteint des sommets inégalés dans la région. Cet emploi demeure pour lui plus profitable à tout point de vue que s'il restait chez lui à ne rien faire. *Ça viendra ben assez vite*, se dit-il régulièrement.

Ce jeudi-là, 14 septembre, les employés de la Dominion Bridge et tous les autres hommes de Chicoutimi engagés par la compagnie doivent se réunir pour accomplir une tâche colossale de grande précision. Leur objectif est d'installer la travée tournante, une pièce tout en fer d'une longueur de cent quatre-vingt-cinq pieds et pesant près de soixante-treize tonnes, en plein milieu du pont. Cette travée pivotante va permettre le passage des bateaux dans le chenal de la rivière à la hauteur du pont. Deux minutes seulement seront nécessaires pour l'ouvrir grâce à un moteur alimenté à l'électricité. Depuis sa visite des installations de la compagnie à Lachine, Louis est encore plus impressionné par le travail des ingénieurs canadiens-français qui se sont surpassés dans la création de cette travée tournante, la plus longue du genre en Amérique, a-t-on appris dernièrement dans les journaux, et la seconde plus longue dans le monde entier.

En ce beau 14 septembre, c'est également aujourd'hui l'anniversaire de la petite Denise, événement qui sera renforcé cette année par la présence de plus en plus rare au pays de ses parrain et marraine, Pit et Éva, arrivés la veille avec leurs deux filles, Lucille et Yvonne. Depuis la mort de sa mère en 1929 et le début de la crise, Pit vient moins souvent au Québec. Il n'en mène pas large non plus à Manchester, où la crise atteint son paroxysme depuis le début de l'année alors qu'un Américain sur quatre est actuellement au chômage. Malgré tout, Pit et Éva éprouvaient le besoin de venir voir leurs parentés respectives cet automne. Même s'ils font partie du presque million de Canadiens français qui ont émigré aux États-Unis depuis un siècle, le mal du pays, l'envie de revoir les membres de leur famille et de se retrouver au cœur des deux villes qui les ont vus naître, Québec et Chicoutimi, devient parfois comme un appel trop puissant pour qu'ils puissent y résister.

Georges est évidemment enchanté de revoir son fils aîné en chair et en os. Tous les deux installés dans son coin bureau du salon, ils achèvent de réviser ensemble plusieurs dossiers. Est-ce que tout est en ordre ? Est-ce que Louis a négligé quelque chose qui lui aurait échappé ? Georges l'a informé également qu'il avait fait rédiger son testament. Comme exécuteur testamentaire, il aura de grosses responsabilités et c'est normal qu'il soit au courant de certaines dispositions qui le concernent.

— Si on allait voir l'installation de la travée astheure ? suggère Pit, qui souhaite profiter de la belle température pour marcher un peu et revoir les rues et la rivière de son enfance.

— Certain qu'on y va, répond Georges, déjà debout.

Ils passent par la cuisine où Tetitte et Marie-Louise se préparent à aller faire un tour chez leur sœur Alida avec Éva et ses filles. Pit ira les rejoindre un peu plus tard afin de saluer sa sœur et son mari, le Dr Duperré, avec qui il a étudié la médecine à l'Université Laval.

— À plus tard ! lance Pit en suivant son père dans le *backstore*.

Une fois rendus sur le bord du Saguenay, Georges et Pit ont malheureusement beau étirer le cou, ils n'arrivent pas à voir grand-chose. De la rive, c'est trop loin, et comme il n'est pas encore permis de marcher sur le pont pour aller près du site des travaux, ils sont très déçus. Prêts à rebrousser chemin, ils aperçoivent Louis qui se dirige vers eux.

— *Long time no see, brother!* lance Louis avec affection en donnant une tape sur le bras de son frère.

— Salut le jeune! lui répond Pit, content de revoir son petit frère qu'il a hébergé plusieurs mois chez lui à Manchester, il y a dix ans. Tu travailles pus?

— Ouais. Ma journée est finie.

— Pis ç'a-tu marché leur affaire? demande Georges.

— Oui. Y'ont réussi à l'accrocher comme y voulaient, répond Louis. Eille! Toute une histoire! Si vous aviez vu ça! Moi, j'étais proche, su'l pont! C'était épeurant de voir bouger ça, une grosse affaire de même.

— Y'ont-tu fini? demande-t-il encore.

— Non. Y reste plein de détails à finir. Je pense qu'y en ont encore pour que'ques jours certain. Après, y auront pus besoin de moi.

— C'est que tu penses de faire astheure? questionne Pit.

— Je sais pas pantoute. J'vas voir. Mais t'sais… Nous autres, icitte, la crise, c'est ben pire qu'ailleurs. Quand tu dis que trois hommes sur quatre travaillent pas.

— Ouais, c'est l'inverse chez nous, un sur quatre, admet-il. Mais moi, je trouve que votre premier ministre, Bennett, y est pas terrible comparé à notre président, Roosevelt, qui vient de se faire élire, déclare-t-il. En même pas un an, y a mis en place son plan, «le *new deal*» comme il l'appelle, en faisant plusieurs interventions de l'État dans plein de projets d'infrastructures et d'affaires. En tout cas, le climat de confiance est en train de revenir, nous autres, aux *States*.

— Nous autres aussi, on fonctionne comme ça, riposte Louis, s'élevant à la défense du Canada. La ville est remplie de projets subventionnés à quatre-vingts pour cent par le fédéral. Mais oublie pas que le problème est pire icitte que par chez vous. Penses-y, là ! La Pulperie fermée, y nous reste pus de gros employeurs à Chicoutimi, alors que vous autres, vos manufactures sont là. Pis même s'y fonctionnent au ralenti, y reste qu'y a encore de l'ouvrage pour une majorité de travailleurs.

— Ouais, c'pas à cause, fait Pit en hochant la tête. J'vas dire comme toi, c'est pire icitte.

— Entouècas, coupe Georges, y a pas un de mes enfants qui va recevoir du secours direct, c'est moi qui vous le dis.

Il les regarde fièrement :

— Je voudrais ben voir ça d'ailleurs ! dit-il, une expression de défi dans les yeux.

Arrivent près d'eux, à toute vitesse, Denise et sa cousine Esther sur leurs bicyclettes. Elles viennent de finir l'école et se sont dépêchées de venir voir les travaux d'installation.

— Bonjour grand-père, bonjour mon oncle ! dit Denise, un peu gênée.

— Bonjour grand-père. Bonjour mon oncle, répète Esther en écho.

Louis fait quelques pas vers sa fille.

— C'est l'anniversaire de Denise aujourd'hui, déclare-t-il avec fierté.

— Quel âge t'es rendue, là ? demande Pit à sa filleule, qu'il ne connaît pas beaucoup.

— Neuf ans.

— T'es une belle fille ! dit-il en sortant son portefeuille. Tiens ! ajoute-t-il en lui tendant un billet de dix dollars. Ça va être ton cadeau pour cette année.

Les yeux de la fillette s'illuminent de contentement. Elle regarde son père, qui approuve d'un signe de tête. Elle prend les dix dollars et, en rougissant, remercie son parrain, plie le billet et le glisse dans sa chaussette bien au fond.

— Fais attention de le perdre, là ! lui crie son père en la voyant repartir aussi vite, Esther à sa suite. Dix piastres, Pit, c'est ben que trop ! T'aurais pas dû !

— Ça me fait plaisir, voyons donc. Oublie pas que c'est moi qui l'a mis au monde, ta fille.

— Tu peux être sûr que je m'en souviens comme si c'était hier. Thomas pis toi, dans l'appartement à côté de chez nous.

Un silence s'installe quelques secondes, les trois hommes fixant l'horizon, perdus dans leurs souvenirs, un peu nostalgiques du temps qui a passé trop vite.

— Bon ben, fait Georges en secouant la tête, si on peut rien voir, on va s'en retourner d'abord.

— Venez-vous avec moi chez Alida ? demande Pit.

— Moi je peux pas, répond Louis. J'ai des affaires à faire icitte avant de partir. Pis après, j'vas aller trouver Rose à maison pour souper.

— J'vas y aller, moi, chez Alida avec toi, dit Georges. Ça fait un boutte que j'ai pas mis les pieds là.

— Bon ben salut d'abord! lance Louis en retournant sur ses pas vers le pont. À demain!

Le lendemain matin, Pit déjeune avec sa femme et ses filles à l'hôtel Chicoutimi. Il a couché là, avec sa famille, parce que chez son père la maison était remplie de pensionnaires et qu'aucune chambre n'était libre. Malgré un certain malaise de vivre à l'hôtel dans son patelin, il se sent heureux de découvrir la vie quotidienne dans le haut de la rue Racine. Il marche lentement dans la rue pendant que sa femme et leurs deux filles sont allées passer quelques heures chez sa sœur Héléna à Rivière-du-Moulin. Comme hier, il ira les rejoindre un peu plus tard. Pour le moment, il attend Louis qui vient le retrouver devant chez Gagnon et frères. Ils ont une petite affaire à régler ensemble pour leur père juste en face. Le voilà qui arrive, très chic, avec sa canne et son chapeau. Personne ne pourrait dire que son petit frère travaille comme manœuvre depuis quelques années. Arrivé à sa hauteur, Louis a juste le temps de le saluer qu'il remarque la présence de son ami, le Dr William Tremblay, qui se prépare à traverser la rue juste derrière.

— Hé! William!

— Hein! fait-il en se retournant. Ah c'est toi Ti-Louis!

William revient sur le trottoir près des deux frères:

— Comment ça va? fait-il en tendant la main à son ami.

— Très bien ! Je vais très bien. Je suis avec mon frère, Pit, dit Louis en lui serrant la main.

— Oui, oui. Bonjour ! Je me souviens de vous. Ça me fait plaisir, dit-il en tendant la main à Pit.

— Moi aussi.

En un instant, chacun se rappelle ce fameux soir où Louis s'est présenté avec son frère Pit chez ses futurs beaux-parents à La Malbaie, alors que sa fiancée, Angéline, la belle-sœur de William, était en train de mourir. Tous les trois se sentent un moment replongés dans ce dur moment. Pour faire diversion, Pit interpelle le nouveau venu au sujet de leur profession commune :

— Si je me souviens bien, vous êtes ORL comme moi, vous ? demande-t-il.

— Oui, c'est bien cela.

— Est-ce que je peux vous demander comment ça va, notre spécialité, ici, dans région ?

— Ça va pas pire, répond William sur un ton sérieux. Mais comme vous savez, c'est la crise. Y a ben du monde malade, mais y a pas grand monde qu'y a de l'argent.

Il serre les lèvres en hochant la tête.

— Nous autres aussi, aux États, on est obligés ces temps-ci de faire crédit, approuve Pit, sérieux à son tour. On le sait ben qu'y en a qui nous payeront jamais, mais on peut toujours ben pas regarder souffrir le monde sans faire de quoi ! Surtout les enfants, qui ont toujours quequ'chose aux oreilles, au nez ou à gorge, quand c'est pas une amygdalite ou ben une pharyngite.

William hoche la tête, encore une fois :

— C'est certain. C'est pareil ici. Y a ben du monde congestionné.

Il passe sa main devant son cou et le bas de son visage d'un air entendu.

— Avez-vous entendu parler du nouvel instrument en ORL, le pistolet pharyngien de Castay ? demande Pit.

William secoue la tête, faisant signe que non :

— Jamais entendu parler de ça, réplique-t-il, se montrant toutefois très intéressé à en savoir davantage.

— C'est un pistolet à eau thermale qui fonctionne sous pression, explique Pit à son confrère. C'est comme une douche qu'on peut donner au pharynx et aux amygdales. Ça nettoie en profondeur. C'est supposé créer un effet de régénération des muqueuses.

— C'est vraiment intéressant ! s'exclame William. Je comprends pas qu'on soit pas au courant de ça par ici.

— C'est très récent, justifie Pit. C'est à l'occasion du Congrès ORL annuel à Paris que l'instrument a été dévoilé. Ça fait juste que'ques mois. Vu que j'ai travaillé là pendant la guerre, y m'envoient toujours la documentation. En tout cas, j'en ai fait venir un. Je devrais le recevoir dans pas grand temps.

— On va sûrement en entendre parler bientôt nous aussi au Québec, réplique William.

Tout à coup, le klaxon strident d'une voiture se fait entendre. Les trois hommes sursautent et observent quelques secondes le manège du chauffeur qui, tout en klaxonnant de façon impérative, fait de grands gestes afin que le conducteur d'une seconde voiture lui libère le passage. Moqueur, Louis se met à rire :

— Un vrai chef de cavalerie, celui-là ! ironise-t-il.

Reprenant son sérieux, il demande à son ami comment va Charlotte, sa femme.

— Très bien. Les enfants aussi, répond William en souriant. Bon bien, vous m'excuserez, mais je suis attendu.

Il leur serre la main et recule de quelques pas :

— Ça m'a fait bien plaisir de vous voir, dit-il en s'éloignant.

Les deux frères le regardent contourner prudemment les deux voitures et se rendre de l'autre côté de la rue.

— Bon ben, nous autres, maintenant, on va faire ce qu'on a à faire, hen Ti-Louis ! Après ça, on va aller rejoindre papa qui doit se demander ce qu'on fait.

Le lendemain, samedi, c'est déjà le dernier jour du voyage de Pit à Chicoutimi. Tetitte a invité tous ses frères et sœurs qui ne l'ont pas encore vu à venir le saluer dans l'après-midi. « Je fais pas de repas, y a toujours ben un boutte à toute », avait-elle déclaré à son père au moment des invitations, en faisant référence à toute la besogne qu'elle abat presque sans relâche tous les jours depuis quelques années pour nourrir et prendre soin des huit pensionnaires qui vont et viennent dans la maison, sans compter tous les petits détails ménagers à régler au quotidien et, bien entendu, ses trois garçons qui demandent bien de l'attention, surtout l'aîné, Jean, une vraie tête forte, excité, énervé, « une vraie tête folle plutôt », selon son grand-père qui ne l'a jamais aimé. Elle a beau lui donner volée sur volée pour l'éduquer, lui apprendre à bien se tenir et à obéir, il ne s'assagit pas. *Un jour, ça va mal finir*, se dit-elle quelquefois, inquiète.

Puis, finalement, en y réfléchissant une seconde fois, Tetitte a décidé d'inviter Pit et sa famille pour rester souper avec eux ce dernier soir. « Juste eux autres, par exemple », a-t-elle plaidé.

— Ce sera pas compliqué, j'vas préparer ma tourtière le matin. Après, a va cuire tu-seule dans le four jusqu'au souper.

Georges a trouvé l'idée bonne. Il s'est entendu avec Pit de son côté pour aller voir Emma au cimetière dans l'avant-midi. Il vient le chercher tantôt en automobile pour aller passer un petit moment avec elle. Ensuite, ils vont en profiter pour faire un tour de la ville, lui montrer toutes les nouvelles infrastructures, la nouvelle prison sur la rue Price, le bureau de Radio-Canada au coin du boulevard Saint-Sacrement tout près de là, et encore bien d'autres choses.

Dans l'après-midi, ce sont les échanges habituels entre les membres d'une même famille. Des frères et des sœurs qui ne se voient plus si souvent et qui en ont long à se raconter. Arthur ne se présente pas, bien sûr. Georges ne l'attendait pas. Quand il lui avait annoncé l'arrivée de Pit, l'autre jour, alors qu'il était à la forge avec lui, Arthur s'était mis à bardasser ses outils, s'enfermant dès lors dans un lourd silence boudeur, ce qui n'avait laissé à Georges d'autre choix que de quitter les lieux, de mauvaise humeur. *Y est pas commode, celui-là, en vieillissant,* s'était-il dit. *Y doit retenir de mon père, Thiburce, raide, sec, bête comme ses pieds.*

Ce samedi de septembre est quand même une belle journée de fin d'été, chaude mais pas trop, un beau temps pour profiter de la rare présence de cet aîné qui, un bon jour, sur un coup de tête, sans vraiment réfléchir, sans savoir que ce chemin allait devenir le sien pour toujours, avait choisi d'émigrer, d'abandonner en quelque sorte son pays, pour faire sa vie ailleurs.

Le lendemain matin à l'aube, c'est le cœur un peu gros que Pit reprend la route avec sa petite famille, traversant à rebours le parc de la Galette, Saint-Urbain, Sainte-Anne-de-Beaupré, Québec, les Cantons-de-l'Est, la frontière, pour arriver enfin à la maison, très tard en soirée, à Manchester, aux États-Unis, dans son pays d'adoption.

Chapitre 26

Rose est assise tout alanguie sur le divan chez Émile. Ses vêtements sont en désordre. Après quelques baisers, les choses se sont rapidement enflammées aujourd'hui sans qu'elle comprenne comment cela a pu arriver. Peut-être est-ce l'accueil reçu à son arrivée qui a fait tomber ses barrières ? Elle n'avait pas sitôt mis le pied sur le seuil, qu'Émile démarrait le gramophone, faisant surgir du silence la voix du plus grand chanteur de charme au monde, Tino Rossi, une voix entendue à la radio et qui la touche beaucoup. Un gros bouquet de fleurs garnissait un vase sur la table à café et une boîte de chocolats était posée juste à côté. «Viens ma belle! Viens! Rentre! Je t'attendais», lui avait dit Émile, tout sourire, en la débarrassant de son manteau, son chapeau et ses gants. La prenant dans ses bras, il l'avait ensuite fait tournoyer une ou deux fois avec lui en valsant jusqu'au divan. Comment rester insensible à autant de romantisme ?

Surtout que, depuis quelques visites, Rose s'était mise graduellement à apprécier de se laisser aimer, embrasser et toucher, juste un peu, sans aller trop loin, et se faire chuchoter à l'oreille les éternels mots d'amour : «Toujours… La plus belle… Mon cœur… À jamais.»

— Bon ben, c'est assez, là, réussit-elle à dire en essayant de repousser un peu Émile.

— Aaah! On est si bien comme ça, murmure-t-il. On pourrait aller jusqu'au bout, juste une fois…

— T'es-tu fou! s'exclame-t-elle, revenant soudainement à elle. Voyons donc!

— OK, OK. C'est beau. Oublie ça, dit-il en se redressant sur le dossier du divan.

Un peu frustré, il ajoute:

— Bon ben, j'vas aller à toilette d'abord.

Il se lève et marche d'un bon pas vers la salle de bain. Restée seule, Rose en profite pour remettre ses vêtements en ordre, replaçant ses cheveux en les bouclant avec ses doigts. À son retour, Émile s'arrête devant le gramophone, met le disque de Lucienne Boyer et revient s'asseoir près de Rose.

— C'était vraiment plaisant cet après-midi, toi pis moi. On est bien ensemble toué deux.

— Oui, c'est vrai qu'on est bien.

Émile offre un chocolat à Rose et en prend un. Ils dégustent sans parler un moment.

— J'aimerais ça qu'on se marie toué deux un jour, lui dit Émile en levant les yeux sur sa compagne.

— T'aurais-tu oublié qu'on est déjà mariés? lui dit-elle aussitôt.

— Je le sais ben qu'on est mariés, voyons donc. C'est ben ça le drame. Mais si mettons, un jour Ti-Louis mourait, pis que ma femme mourait, ben on pourrait se marier toué deux.

Il la regarde, souriant :

— Entouècas, je te demanderais tu-suite en mariage, ma belle Rose. Pis les enfants auraient pas un mot à dire.

— Mais moi oui ! répond-elle en se tournant vers lui.

— C'est que tu veux dire ? demande-t-il.

— Ben je veux dire que j'aurais mon mot à dire.

Elle hésite quelques secondes, la tête penchée, l'air concentré :

— En fin de compte, je pense que je dirais non, déclare-t-elle. Tu comprends, je suis vraiment pas sûre que je voudrais me remarier si je tombais veuve.

Émile la fixe tristement :

— Même pas avec moi ?

— Avec qui d'autre tu voudrais que je me remarie, niaiseux ? réplique-t-elle en pouffant de rire.

— Arrête de faire simpe Rose, pis réponds-moi ! C'est que tu veux dire quand tu dis que tu me dirais non ?

Elle se tourne vers lui et le regarde franchement :

— Ben ce que je pense, Émile, c'est que t'es trop gâté.

Elle secoue la tête, comme si cela la fâchait d'être obligée d'expliquer une chose aussi évidente :

— Tu devrais comprendre ça, voyons ! Je pourrais jamais prendre soin de toi comme ta femme le fait depuis tant d'années. Y as-tu pensé ? Je suis ben que trop gâtée moi aussi. Ben que trop douillette. En tout cas, je suis sûre que ça pourrait jamais faire.

— Tu me brises le cœur, Rose.

— Ah ! Prends pas ça de même, voyons donc ! On fait juste parler, là.

Elle se penche et lui donne un léger baiser :

— De toute façon, on est encore mariés toué deux, chacun de notre bord.

Elle rit à nouveau un peu nerveusement :

— Pis je pense que c'est pas près de changer.

— C'est sûr, convient Émile. Mais justement, t'aurais dû dire oui, juste pour le *fun*.

— Ben oui d'abord, oui, oui, oui, finit-elle par dire en s'approchant pour l'embrasser encore. T'es-tu content, là ?

— Oui, chus content, répond Émile en lui rendant son baiser.

— Bon ben astheure, faut vraiment que j'y aille ! Quelle heure qu'y est, là ?

— Trois heures.

— Trois heures ! Mon Dieu Seigneur ! Y est ben que trop tard. Vite ! Faut que je parte.

Rose pense à Denise et à Claude qui vont revenir de l'école tantôt et elle souhaite être là. Elle met ses chaussures, se lève et choisit un chocolat qu'elle mange aussitôt. À la salle de bain, elle se recoiffe et se remet du rouge à lèvres.

— Mautadit qu'y sont bons tes chocolats! dit-elle en ressortant. Je pense que j'vas en prendre un autre pour la route, dit-elle à Émile qui la rejoint.

— Prends-les toute, je les ai achetés pour toi.

— Je peux pas, soupire-t-elle. Je saurais pas quoi dire à Ti-Louis pour justifier ça.

Ils marchent tous les deux jusqu'à l'entrée où il a accroché son manteau un peu plus tôt.

— Bon ben, c'était ben plaisant, Rose. J'espère que tu vas revenir.

— On va pas se revoir avant ça? questionne-t-elle. Samedi soir à maison, tu viens pas?

— Je pourrai pas, répond-il, désolé. La semaine prochaine seulement. Cette semaine, ma femme nous a organisé quequ'chose.

— Bon ben, j'vas voir ça si je peux revenir. Sinon, ben, à samedi prochain!

— Viens ici, là, lui dit-il avant qu'elle parte. Viens que je t'embrasse une dernière fois.

Rose s'approche, se laisse embrasser sur la joue et sort aussitôt, pressée de rentrer à la maison.

À son retour, elle trouve Louis assis seul dans la cuisine. Il semble de très mauvais poil. La bonne est partie. Paul et Maurice jouent dehors avec Bernard, le fils de Tetitte. Denise et Claude ne sont pas encore revenus de l'école.

— Où t'étais ? demande Louis d'un ton sec.

— J'étais allée magasiner un peu, dit-elle en enlevant son manteau.

— Pis t'as rien acheté ! la coupe-t-il.

— Non, non. J'ai juste regardé.

Elle se tourne vers lui et l'apostrophe :

— T'as donc ben l'air bête, toi ! Tu pourrais me parler su'un autre ton.

— Je te parlerai su'l ton que je veux, riposte-t-il. Je te crois pas que t'étais en train de magasiner. Ce que je veux savoir, c'est où t'étais ?

— Ben je te l'ai dit, rétorque-t-elle sèchement. Si tu me crois pas, c'est ton problème.

Louis se lève et lance sur la table un bout de papier plié en quatre :

— Tiens ! Lis ça ! Après ça, tu me diras encore que je te parle bête.

Rose s'empare du papier et lit les quelques mots griffonnés en lettres moulées : SURVEILLEZ VOTRE FEMME SI VOUS VOULEZ PAS ÊTRE COCU.

— C'est quoi cette affaire-là ? demande Rose dont le cœur se met à battre à toute vitesse.

— Justement ! fait Louis. À toi de me répondre !

— Je sais pas pantoute c'est quoi cette affaire-là, se défend Rose, qui se tourne face à l'évier, les deux mains appuyées au comptoir.

— Envoye ! Réponds !

Louis s'avance vers elle et la prend par les épaules :

— Pis regarde-moi à part de ça !

— Eille là ! rouspète-t-elle en contre-attaquant. C'est-tu une enquête de la police après-midi ? Ç'a pas de bon sens cette affaire-là ! Je reviens de magasiner pis je me fais crier après !

— Je crierai si je veux. Y a toujours ben un boutte ! Me faire traiter de cocu, moi, Louis Bergeron !

— J'ai rien faite, Ti-Louis, déclare Rose, qui se sent assiégée.

Sa lèvre inférieure tremble :

— Je te le jure, Ti-Louis, ajoute-t-elle en se mettant à pleurer.

— T'as ben beau jurer, t'as ben beau pleurer, rétorque-t-il, sans se laisser toucher.

— Faut que tu me croies ! sanglote-t-elle.

Tout à sa colère, Louis fait les cent pas autour de la table de la cuisine, très agité :

— Une petite fille de Sainte-Anne, peste-t-il avec mépris. Pis tu penses que c'est toi qui vas venir me tromper en pleine face! hurle-t-il.

Accablée, Rose se laisse tomber sur une chaise et pleure, le visage enfoui dans ses bras sur la table.

— T'as ben beau pleurer, je te dis! Ça m'impressionne pas pantoute.

— T'es pas fin, sanglote-t-elle.

— C'est qui, hen? continue Louis. C'est qui, ce maudit écœurant-là qui couche avec ma femme?

— Personne, je te dis! hurle Rose en se dressant devant lui.

— Menteuse. À cause qu'on m'aurait envoyé ça si c'était pas vrai?

— C'est des méchants, des jaloux. Y'en a d'autres qu'y en ont reçu, répond-elle en s'essuyant les yeux avec le revers de la main.

— N'importe quoi… Je te crois pus quand tu parles.

— Franchement, Ti-Louis! continue-t-elle en y mettant toute sa force. C'est ça que tu penses de moi, ta femme? Une lettre anonyme…

Elle fait la grimace :

— T'aimes mieux croire ça, pis pas moi! dit-elle en se remettant à sangloter. Tu devrais me défendre plutôt que m'accuser comme ça, lance-t-elle en se dirigeant vers l'escalier, qu'elle monte aussitôt en continuant de pleurer.

Louis marche derrière elle et lui crie du bas de l'escalier :

— T'as ben beau te sauver pour astheure, Rose Bergeron. On va en reparler, tu peux être sûre de ça.

— J'vas m'en aller ! crie-t-elle du haut du palier. C'est ça que tu veux ?

Elle renifle bruyamment :

— J'vas faire ma valise, là, pis j'vas m'en retourner à Sainte-Anne, chez maman. Elle, au moins, a va me croire.

Entre-temps, Denise est entrée. Elle a entendu les menaces de sa mère. Elle aperçoit son père au pied de l'escalier qui la regarde, mal à l'aise.

— À cause maman veut s'en aller ? demande-t-elle, figée dans l'entrée.

— Aaah ! fait-il, hors de lui, en mettant son manteau et son chapeau. Va donc y demander toi-même ! dit-il en sortant, faisant claquer la porte derrière lui.

Jetant son sac et son manteau par terre, Denise monte les marches, inquiète. Sa mère a sorti une valise et elle est en train d'y empiler des vêtements sens dessus dessous en pleurant.

— Va-t'en pas, maman, murmure Denise, la gorge serrée, debout sur le bord de la porte.

— C'est ton père, là. Y est pas fin avec moi.

— Oui, mais va-t'en pas, supplie-t-elle, les yeux pleins de larmes. S'il vous plaît, maman. On est là, nous autres, les enfants. On a besoin de toi.

Rose se laisse choir sur le bord de son lit, en s'essuyant les yeux, la tête basse :

— Aaah ! Le mautadit ! dit-elle comme pour se disculper aux yeux de sa fille. Y est tellement bête des fois avec moi, dit-elle sans relever la tête.

— Ça va s'arranger, maman, t'sais ben. Comme d'habitude.

— Justement, je le sais pas.

Rose sort un mouchoir de sa table de nuit et se mouche bruyamment. Incapable de regarder Denise, elle se sent comme une traîtresse. Elle souhaite seulement se retrouver seule, quelques minutes au moins, pour essayer de reprendre ses esprits :

— Bon ben, descends là ! lui dit-elle avec autorité. Je partirai pas tu-suite, de toute façon, ajoute-t-elle pour la rassurer. Va ben falloir que je fasse le souper. Les pensionnaires vont arriver, pis vous autres... J'vas descendre, là.

Ce n'est qu'une fois les enfants montés dans leur chambre pour la nuit que Louis revient, un peu éméché. Assise au salon, Rose l'attend en tricotant :

— D'où tu viens à cette heure-là ? demande-t-elle sur un ton neutre.

— J'étais avec Chayer.

Il jette son manteau sur la patère dans l'entrée.

— De toute façon, je peux ben faire ce que je veux.

— Pas sûr, répond Rose, qui a eu le temps de réfléchir. Toi pis moi, on est mariés, Ti-Louis, pis on peut pas faire tout ce qu'on veut.

— Ouais ben, chus pas sûr de ça, moi.

— C'est pourtant ça qu'y est ça, dit-elle avec assurance, parlant autant pour elle que pour lui.

Elle dépose son tricot sur ses cuisses et le regarde :

— Je te jure que j'ai rien faite, déclare-t-elle sans broncher. C'est des calomnies ces lettres-là. J'en connais d'autres qui en ont reçu. C'est des jaloux qui écrivent ça.

Louis se laisse tomber dans son fauteuil, fatigué, prêt à la croire :

— Quand j'ai lu ça, tantôt, j'ai complètement perdu la carte, explique-t-il. J'étais tellement fâché.

— Inquiète-toi pas, Ti-Louis. Je suis avec toi pour la vie. Je l'ai juré au pied de l'autel, pis y a rien qui va me faire déroger de cette promesse-là.

— J'étais tellement malheureux à soir, fait Louis, en mettant sa main devant ses yeux pour cacher sa peine.

— Oublie ça, je te dis. C'est des saletés ces affaires-là. Des jaloux. Des envieux.

Louis se sent rassuré. Sa femme était là, assise sagement à l'attendre, en train de tricoter. *Voir si Rose couche avec un autre homme*, se dit-il en se raccrochant à ce qui lui paraît une évidence. Qui pourrait vraiment croire à ça, de toute façon ?

— Tu montes-tu te coucher? lui demande-t-il finalement en lui tendant la main.

— Certain que je monte, répond-elle. Je monte avec toi.

Tenant toujours la main de Louis, Rose le suit jusqu'à leur chambre, tous les deux encore ébranlés, mais soulagés. Rose est prête à tout ce soir pour se faire pardonner. Sa relation avec Émile est terminée. *Finie, f-i-fi-n-i-nie*, comme elle se le redit depuis le souper, avec une détermination inébranlable. C'est un accident de parcours. Une malheureuse erreur. Et tout est fini. Maintenant, là, ce soir, cette nuit, et tous les jours à venir, elle va s'occuper de son mari. Uniquement de lui. Comme cela doit être dans la normalité des choses. *C'est juré craché.*

Quelques jours plus tard, après avoir réussi à joindre Émile par téléphone à son travail, Rose lui annonce la nouvelle sans ménagement, lui reprochant en quelque sorte de l'avoir entraînée, forcée même – elle en est de plus en plus persua-dée – à entrer dans cette aventure qui a tellement failli mal tourner. Elle lui ordonne de se trouver d'excellents prétextes pour ne pas venir les samedis soir à la maison pour un bon bout de temps. «Pas avant les Fêtes certain, pis même jusqu'au printemps prochain, ce serait encore mieux», précise-t-elle. Émile tente de balbutier péniblement quelques mots, essayant de lui redire son amour, mais il se fait couper chaque fois. Rose se montre intraitable. Elle ne changera plus d'idée. Peut-il espérer? «Jamais, au grand jamais!» tranche-t-elle en lui raccrochant la ligne au nez.

Chapitre 27

Au début du mois de novembre, la nature n'a quelquefois rien d'autre à offrir qu'un petit soleil pâlot à demi caché par de gros nuages sombres et peinant à éclairer les maigres squelettes d'arbres gris qui balancent leurs branches dénudées dans le vent glacial qui siffle la fin de la récréation. Tous aux abris! Le long hiver s'en vient.

C'est par l'une de ces journées froides, arrosée par une pluie intermittente mélangée de flocons épars, alors que la noirceur est déjà tombée et que personne n'a le goût de mettre le nez dehors — surtout pas un vieil homme de soixante-quatorze ans — que Georges reçoit un appel urgent de la gare. « Vous avez un drôle de colis, monsieur Bergeron, qui vient d'arriver pour vous. » En entendant de quoi il s'agit, Georges sort aussitôt de ses gonds, échappant un chapelet de jurons, raccrochant si violemment le récepteur qu'il en arrache le téléphone du mur, semant l'inquiétude chez sa fille, Tetitte, aussi désolée que lui, finalement, par l'étonnante nouvelle.

Partant aussitôt en catastrophe sans foulard ni gants ni parapluie, Georges marche d'un pas rapide vers la gare, remontant le col de son manteau au maximum, les mains dans les poches, le chapeau enfoncé sur la nuque pour se protéger du vent. Une lune grisâtre, plate et presque éteinte, visible qu'en de brefs moments derrière les nuages, ajoute à l'atmosphère de consternation des rues désertées. Très énervé et complètement transi, il arrive tout essoufflé au bout de la rue du Havre pour y découvrir cinq enfants de six à treize ans qui viennent d'arriver de Montréal C.O.D. (*cash on delivery*) avec un papier accroché autour du cou : « Pour réclamation, Georges Bergeron », avec le numéro de téléphone. Georges les fixe, le regard courroucé, arrivant à peine à reconnaître les cinq plus jeunes enfants de son fils Edgar, repartis depuis presque quatre ans pour la Nouvelle-Écosse avec leur mère, Bertha McLean. Ses lèvres sont si serrées qu'elles ne forment plus maintenant qu'un simple trait figé. Jeanne D'Arc, la plus âgée des filles, dix ans peut-être, le dévisage d'un air farouche. Les deux plus jeunes, Jacqueline et Marie-Paule, qui ne l'ont jamais vraiment connu, se cachent derrière les deux plus vieux, James et Austin, qui ne savent pas quoi dire à ce grand-père que leur mère a toujours ouvertement détesté sans qu'ils sachent trop pourquoi. Elle leur a donné une enveloppe avant de partir, à lui remettre en main propre. James la lui donne sans savoir qu'il ne sait pas lire, encore moins l'anglais.

— Bon, venez-vous-en avec moi ! dit finalement Georges d'un ton brusque, après avoir expliqué au chef de gare qu'il allait revenir le lendemain pour le paiement des cinq passages.

Il fait demander un taxi et retourne à la maison, furibond. *Maudite engeance !* maugrée-t-il en lui-même, assis en silence à l'avant, les cinq petits à l'arrière, prêtant à sa bru, qui lui fait un tel coup de cochon, tous les défauts de la messe et bien d'autres tares encore. Dire qu'il lui avait offert de prendre soin d'elle et de ses sept enfants. Il lui aurait laissé la maison d'Edgar et les aurait fait vivre jusqu'à leur majorité, à la simple condition qu'elle lui laisse gérer le montant de l'assurance qu'il avait par ailleurs lui-même contractée et payée pendant des années, la désignant naïvement comme bénéficiaire, pour son plus grand malheur. Voilà que, des années plus tard, après avoir tout gaspillé son argent – il en est convaincu –, elle lui retournait les enfants C.O.D. Que pouvait-il faire ? Tout indigné qu'il était, il ne pouvait toujours bien pas laisser les enfants de son propre fils à la gare. *Maudite engeance!* maugrée-t-il encore et encore, impuissant.

Pendant ce temps à la maison, Tetitte s'active pour accueillir ses neveux et nièces. Cinq enfants qui débarquent d'un coup, ajoutés à ses trois garçons, il n'y a pas à dire, elle se sent déjà débordée. Avec les pensionnaires, ce sera trop. Elle le sait à l'avance. Mais pour le moment, ils arrivent et elle se doit d'au moins les accueillir et de les rassurer. *Pauvres enfants*, se dit-elle depuis l'annonce de leur arrivée à la gare, *déjà orphelins de père, les voilà aussi abandonnés par leur propre mère.* « Voir si ç'a du bon sens ! » se répète-t-elle en installant trois lits pliants dans le salon. Les deux plus jeunes dormiront sur le divan, décide-t-elle en distribuant des oreillers, des draps et des couvertures pour chacun.

Leur entrée dans la maison avec deux misérables sacs lui fend le cœur. Ils ont souffert de négligence, constate-t-elle, leurs vêtements n'étant visiblement pas assez chauds pour la saison. Les trois filles ont le visage tout barbouillé à force d'avoir pleuré. À court de mots, Tetitte s'approche d'eux avec une assiette de galettes à la mélasse. Visiblement affamés, ils ne se font pas prier pour en prendre une.

— Occupe-toi d'eux autres, dit Georges à sa fille. Moi, faut que j'aille voir Ti-Louis.

Il brandit l'enveloppe :

— C'est écrit en anglais, explique-t-il avant de repartir par le *backstore*.

Georges arrive en catastrophe chez son fils, lui expliquant succinctement la situation, écorchant sa bru au passage à quelques reprises. Se montrant au départ extrêmement surpris, Louis et Rose se mettent assez vite d'accord avec lui pour dire qu'au fond, tout cela était assez prévisible compte tenu de la drôle de femme qu'a toujours été Bertha McLean.

— Lis-moi ça ! ordonne Georges en tendant la lettre à son fils. Dis-moi ce que ça dit.

Louis déplie le papier et lit rapidement le message :

— A l'explique qu'a pus les moyens de garder ses enfants avec elle, résume-t-il. A quitté Halifax et a reste maintenant à Montréal. A gardé avec elle Dixie pis Édouard, les deux plus vieux. Y travaillent déjà toué deux.

— C'est toute ? Pas d'adresse, rien ? rage Georges.

— A signe, pis c'est toute.

— Maudite folle ! ne peut se retenir de lancer Georges, qui n'a jamais été aussi fâché. Dire que, quand Edgar est mort, a m'avait fait dire qu'a avait pas besoin de moi pour vivre, avant de sacrer son camp avec l'assurance ! Tu t'en souviens Ti-Louis ?

— Ben sûr que je m'en souviens. Ètait partie en deux temps trois mouvements. On n'avait pas pu rien faire pour l'empêcher.

Georges lui reprend la lettre des mains et la remet dans son enveloppe qu'il glisse dans la poche de son manteau :

— C'est que tu veux que je fasse astheure, bon-yenne de bon-yenne ! peste-t-il. Je l'ai toujours su qu'y était mal marié, pauvre Edgar, une maudite Anglaise de la Nouvelle-Écosse. Une sans-cœur. Mais là…

Il lève les yeux en l'air, agitant ses mains devant lui :

— Ça dépasse les bornes, fait-il en sortant de la maison.

Deux semaines plus tard, non seulement Georges et Tetitte sont dépassés par la situation, mais ils le sont davantage que tout ce qu'ils avaient pu imaginer. Dès le premier lundi, ils ont inscrit les deux garçons à l'école des Maristes et les trois filles à l'école Jacques-Cartier, mais aucun d'eux ne semble vouloir s'adapter. Ils sont malheureux, ils s'ennuient de leur mère et ne se sentent pas à leur place chez leur grand-père, malgré les efforts de Tetitte. Le plus vieux, James, treize ans, est totalement révolté. Il n'écoute pas, n'obéit à aucun ordre, il les déteste. Les filles pleurent tous les soirs en se couchant, se plaignent de la nourriture, elles n'aiment rien. Les deux plus jeunes ont même de la difficulté à comprendre le français. De plus, Jean Lafontaine, l'un des fils de Tetitte, toujours plus excité que les autres, dérangé par leur présence, passe son temps à leur faire des coups et à leur mener la vie dure. *On va-tu endurer ça encore longtemps ?* se demande presque chaque heure Georges, qui n'a pas décoléré depuis quinze jours.

Un bon samedi matin, éveillé à l'aube, il se surprend à regarder le crucifix sur le mur au-dessus de la porte et à supplier Jésus, le bon Dieu, quelqu'un, de l'aider à se sortir de ce guêpier dans lequel il se sent prisonnier, pieds et poings liés. Sa colère est encore endormie, seul le découragement l'habite. Il reste étendu sur le dos, abattu, les bras croisés sous la nuque. *C'est ben beau la charité chrétienne*, se dit-il, *mais y a des limites à toute.* Georges pense à Emma, sa femme. *Qu'est-ce qu'elle ferait, elle ?* Il soupire. *A toujours eu un meilleur cœur que moi,* songe-t-il. Elle lui conseillerait probablement de les garder, mais… Il soupire à nouveau. Sa patience est à bout. Tout le monde est malheureux dans la maison. Il faut que ça cesse. Soudain une idée, d'abord fugitive puis de plus en plus tenace, traverse son esprit. *Je pourrais les mettre à l'orphelinat,* se dit-il en retrouvant un peu d'espoir. *Y seraient beaucoup plus heureux qu'icitte. Y seraient ensemble, juste toué cinq, pas de famille Bergeron dans les pattes.* Encore dans son lit, Georges a maintenant les yeux grands ouverts. Avec de plus en plus de réalisme, il se met à vraiment envisager cette possibilité. *Y seraient ben chez les petites Sœurs franciscaines de Marie,* se convainc-t-il. Ce sont de bonnes personnes, des saintes, patientes, douces, généreuses qui aiment les enfants. C'est une vocation pour elles de s'occuper des orphelins. Et leur orphelinat est tout neuf, avec toutes les installations modernes. Plus Georges se persuade du bien-fondé de son idée, plus il se sent allégé. En échange, par souci d'équité, il pourrait donner un bon montant aux sœurs chaque année pour contribuer à leur entretien. *Je pourrais même sortir les enfants le dimanche,* songe-t-il dans un élan d'enthousiasme, vite refroidi toutefois en y repensant à deux fois. *On les sortira de temps en temps,* corrige-t-il, *ça serait ben en masse.* C'est ainsi qu'en quelques minutes cette idée d'orphelinat est devenue, selon lui, la solution juste et parfaite qu'il appelait de tous ses vœux. *Ça doit être Emma qui m'a suggéré ça,* songe-t-il, reconnaissant, en s'assoyant sur le bord de son lit pour enfiler ses pantoufles.

Après le départ des enfants pour l'école ce matin-là, Georges met sans tarder son plan à exécution. Pourquoi attendre si c'est la meilleure solution ? Il téléphone donc à l'orphelinat pour connaître les conditions de placement et pour s'informer du moment où il pourrait aller y mener les cinq orphelins. Il les appelle maintenant ainsi, orphelins, car c'est ce qu'ils sont en train de devenir pour lui. Une fois l'entente avec les religieuses conclue, sans demander l'avis de personne dans la famille, il annonce le soir même aux enfants qu'ils vont déménager.

— Où ? demandent-ils en chœur, croyant sans oser le dire retourner chez leur mère à Montréal.

— À l'orphelinat, leur répond leur grand-père.

Une réponse beaucoup moins agréable à entendre pour les enfants, qui se mettent alors tous à pleurer. Sauf James, qui ne semble pour sa part désirer qu'une chose : quitter la maison du grand-père au plus vite, et ce, même si c'est pour aller demeurer dans une institution religieuse. Il se dit qu'il va travailler, ramasser son argent le temps qu'il faudra et qu'il réussira à retourner chez sa mère.

Dès le lendemain, la nouvelle a fait le tour de la famille. Tous s'entendent pour dire que Tetitte a fait son possible, leur père aussi. Ce n'est certainement pas le temps de les accuser ni de les accabler. Mais Alida, fervente catholique, ne peut s'empêcher d'avoir honte face à la Sainte Vierge envers qui elle éprouve une véritable dévotion. Comment croire qu'aucun d'entre eux n'a assez de cœur pour prendre la relève et s'occuper des enfants de leur frère décédé ? Malgré ses sept enfants, elle se déclare prête pour sa part à en prendre un. Marie-Louise approuve son raisonnement. Elle s'offre elle aussi pour prendre une fille. Mêlés à la discussion, Ti-Louis et Rose leur donnent aussi raison. Ils se disent également prêts à en prendre un. Toutefois, ni Arthur ni Héléna ni Albert n'ont pris part à cette surenchère. Trois enfants sur cinq. Le compte n'y est pas. *Ce serait injuste pour les deux qui devraient rester en institution*, se disent-ils. Ils se mettent alors à hésiter. Pourquoi diviseraient-ils les enfants alors qu'ils forment actuellement tous les cinq ensemble, même à l'orphelinat, une petite famille, un noyau stable d'affection et de sécurité? C'est ainsi qu'après bien des discussions, la solution trouvée par leur père devient de plus en plus acceptable. Évidemment, lorsque chacun se met à y penser en son for intérieur, quelques remords peuvent apparaître chez l'un ou chez l'autre. Tout le monde s'entend pour dire que la solution n'est pas idéale. Mais un père mort à trente-six ans et une mère qui abandonne ses enfants, est-ce une situation idéale?

Chapitre 28

C'est ainsi que novembre s'évanouit, décembre blanchissant le décor, les premières neiges recouvrant doucement les petits et gros problèmes de l'automne en même temps que la terre durcie, les branches cassées, les feuilles mortes et les fleurs flétries. À deux jours de l'inauguration officielle du pont, cet épais tapis blanc ne fait toutefois pas l'affaire des employés de la Dominion Bridge qui doivent encore travailler d'arrache-pied pour finaliser plusieurs petits détails avant le grand jour. D'ici là, aucun passage en véhicule, motorisé ou autre, n'est autorisé. Toutefois, les passages à pied sont tolérés depuis quelques jours. Plusieurs ont d'ailleurs déjà commencé à s'y promener, d'une rive à l'autre, en passant avec respect et admiration sur le nouveau pont à la tombée du jour lorsque les travaux cessent pour la nuit. Il y a en effet quelque chose de tout à fait merveilleux à pouvoir maintenant aller d'une ville à l'autre en marchant simplement au-dessus du Saguenay dans la pénombre du soir.

— Es-tu prête Rose? demande Louis qui finit d'habiller Maurice dans la cuisine.

— Oui, oui. J'arrive, là, répond Rose qui, après avoir mis ses bottes, son manteau et son chapeau, jette sur ses épaules une longue écharpe de fourrure à tête de renard qu'elle enroule adroitement autour de son cou.

— Les enfants nous attendent dehors, dit Louis en lui ouvrant la porte pour la laisser passer avant de refermer derrière lui.

Louis est si heureux de cette sortie avec sa petite famille. Il n'aurait jamais pu croire que Rose finirait par accepter. Avant, cela n'aurait jamais été possible. Mais il faut dire que depuis leur grosse chicane du mois passé, Louis se montre plus exigeant avec elle, moins accommodant qu'avant. Pas toujours, mais plus souvent qu'avant. Il lui est resté un doute, une suspicion, et il a parfois de la misère à ne pas l'exprimer. Ce soir, cette sortie, il y tenait beaucoup et il l'a dit. Ce pont, c'est un petit peu lui qui l'a bâti et il en est très fier. Il tenait à ce qu'elle vienne avec lui et les enfants.

— Vous allez voir comment c'est beau au-dessus de la rivière ! lance-t-il en marchant avec énergie.

— Ça doit être froid en mautadit par exemple ! ne peut s'empêcher de répondre Rose, qui a très peur de geler au-dessus de la rivière.

— Pas si pire, réplique-t-il. Quand on est ben habillés, c'est juste plaisant. Pis à soir, y fait vraiment beau, tu trouves pas ?

— Ouais, marmonne Rose.

Il est vrai que la température est clémente en ce début de décembre, mais certaines personnes sont plus frileuses que d'autres. Marchant d'un bon pas côte à côte, Louis et Rose atteignent rapidement la rue Morin, les enfants courant devant eux vers la rue Tessier, la rue Smith et enfin la rue Sainte-Anne, tout près de l'entrée du pont. D'autres familles sont aussi sur place, impressionnées par l'immense structure de métal qui se détache dans l'horizon. Louis, Rose et les enfants avancent d'abord lentement sur la chaussée du milieu, là où vont circuler les véhicules, puis bifurquent vers l'un des deux larges trottoirs réservés aux piétons et aux cyclistes. Dans le ciel, la lune, pleine et ronde, se mire au loin dans les eaux sombres, entre le cap Saint-François et Rivière-du-Moulin, jetant un éclairage blafard sur la rivière noire et les morceaux de glace qui commencent à recouvrir l'eau. S'appuyant aux barres de retenue, tous regardent en bas les nombreux tourbillons qui se forment dans l'eau et se recréent sans cesse, se perdant chaque fois dans les impétueux courants sous les glaces.

— Bon ben, on a marché su'l pont, là. C'est faite! déclare Rose, qui peine à garder sa chaleur, les mains enfouies dans son manchon. On peut-tu s'en retourner astheure?

— Non non, pas tu-suite! crient les enfants, très excités.

Louis ne peut que leur donner raison:

— Tant qu'à y être, on va au moins se rendre jusqu'au-dessus de la structure au milieu de la rivière, déclare Louis. Venez!

Il se tourne vers Rose:

— Ça sera pas long!

— Oui mais moi, j'ai froid, se plaint-elle.

— Ce sera pas long, je te dis, répète Louis. On est quasiment rendus.

Les enfants sont déjà partis devant eux en courant et Rose n'a d'autre choix que de suivre. Une fois rendue, elle se penche avec eux au-dessus de l'énorme structure de métal et de bois, perpendiculaire au pont, qui sert de base à la travée pivotante.

— Eille ! Savez-vous combien ce qu'y a de béton là-dedans ? demande Louis. Quatorze mille tonnes, lance-t-il sans leur laisser le temps de répondre. C'est tellement pesant, là, c'est incroyable. Eille ! Faut que ça soye solide, ça là ! Avec nos marées qui montent des fois jusqu'à vingt-cinq pieds de haut, pis l'hiver, la glace, y pouvaient pas prendre de chances.

— C'est impressionnant ! admet Rose.

— Imagine quand y va pivoter pour vrai ! lance Louis.

Le petit groupe reste encore quelques minutes penché au-dessus de l'ouvrage à imaginer ce moment.

— Bon ben, on retourne-tu, là ? demande Rose, de plus en plus grelottante.

— Oui, oui, Rose. On arrive, là. Mais avant, viens ! On va aller voir de l'autre bord !

Ils traversent sur le trottoir de gauche derrière les enfants qui courent déjà.

— Regarde Rose ! dit Louis en pointant les lumières en haut du cap Saint-Joseph. C'est chez vous qu'on voit, le clocher de l'église, ton village, ton coin quand t'étais petite.

— Ben oui, mais on le voyait déjà avant, de Chicoutimi.

— Oui mais là, c'est d'un autre angle, c'est ben plus proche.

— Ben oui, répond-elle, de moins en moins patiente. Mais moi, là, je suis en train d'attraper mon coup de mort, se lamente-t-elle en frissonnant.

— Pauv'tite! fait Louis en prenant tout à coup conscience de l'état de sa femme. Bon ben, venez-vous z'en les enfants! Vite! On s'en retourne à maison.

Au moment où ils font demi-tour, une vibration se fait sentir sous leurs pas. Au loin, ils aperçoivent les phares d'une automobile qui semble avoir fait fi du règlement et qui s'est engagée sur le pont. Le véhicule avance lentement vers eux. Juste comme elle passe à leurs côtés, Louis reconnaît les deux occupants installés en avant: Léon-Georges Gauthier, au volant, et William Murdock, assis à côté de lui. Un troisième homme est assis derrière. Un dénommé Laframboise, pense Louis, qui n'est pas certain de l'avoir reconnu. Les trois hommes ont ouvert les vitres et ils saluent les gens, un bras sorti, discutant et s'esclaffant avec l'un ou avec l'autre à tout moment, fiers d'être les premiers à franchir le pont.

— Police! Vous êtes en état d'arrestation! leur crie Louis, sérieux, en pouffant aussitôt de rire avec eux.

La voiture continue son chemin. Louis se tourne vers Rose, qui semble exténuée:

— On va prendre un taxi à la sortie du pont, lui affirme-t-il. Y'en a qui se stationnent là depuis que'ques jours pour embarquer le monde fatigué comme toi. Tu vas voir. On arrive, là.

À la maison, Rose tremble comme une feuille, incapable de se réchauffer.

— J'vas te faire couler un bon bain chaud, lui dit Louis, qui se sent un peu coupable. Y faisait pourtant pas si froid que ça dehors, ajoute-t-il pour lui-même en montant à l'étage. Venez avec moi, les enfants! crie-t-il. Vous allez vous mettre en pyjama tu-suite.

— Y est ben que trop de bonne heure, proteste Denise.

— Pas de rouspétage à soir, fait-il en tapant des mains. Envoyez! Toué quatre! En haut!

Le lendemain matin, les choses ne vont guère mieux pour Rose. Elle a mal à la gorge et s'inquiète de sa santé :

— Pour moi, j'ai attrapé la grippe, dit-elle en se palpant le cou.

— Pauv'tite femme, lui dit Louis. J'vas te soigner, tu vas voir.

Rose passe la journée au lit, Louis lui montant son déjeuner et son dîner à la chambre, de même que des bouillottes bien chaudes pour l'aider à se réchauffer. À deux reprises, il lui frictionne le dos avec de l'alcool pour qu'elle se rendorme. Lorsque Denise revient de l'école, elle monte vite voir sa mère, inquiète.

— Maman, dit-elle en restant sur le bord de la porte.

— Oui, répond Rose, à demi couchée dans son lit, les yeux mi-clos, un livre déposé sur sa poitrine.

— Rien, fait Denise en haussant les épaules.

Elle s'approche lentement et s'assoit sur le bord du lit :

— J'aime pas ça quand t'es malade, dit-elle finalement.

— Moi non plus, j'aime pas ça.

Elles restent toutes les deux silencieuses un petit moment.

— Tu sais à l'école aujourd'hui, commence Denise, hésitante, dans le petit catéchisme, la maîtresse a parlé d'une question.

Elle s'interrompt, la tête basse, et regarde ses mains.

— Quelle question?

— Ben ça dit, Dieu connaît-il tout?

— Oui, je la connais cette question-là. Pis après?

— Ben c'est la réponse que je sais pas trop quoi penser…

Elle lève les yeux sur sa mère et la récite en la fixant:

— Oui, Dieu connaît tout: nos actions, nos paroles et même nos pensées les plus secrètes.

— Ben oui, je l'ai appris moi aussi quand j'étais p'tite!

— Mais c'est-tu vrai ça, maman?

— Bah! Faut pas que tu croies à ça, ces affaires-là, ma petite fille. T'as-tu pensé deux minutes? Voir si Dieu aurait le temps de toute savoir ce que tout le monde fait su'a terre, ce que le monde dit ou ben ce que le monde pense. Eille! Tu vois ben que ç'a pas de bon sens.

— Oui, mais la maîtresse a disait que c'était vraiment vrai, insiste Denise. A disait que le bon Dieu sait toute toute toute de nous autres.

— Ben moi ta mère, je te dis que c'est pas vrai, déclare Rose, qui perd rapidement patience. Ça se peut pas, tranche-t-elle, comprends-tu ?

— Oui, mais si c'est l'Église qui le dit ? plaide Denise.

Rose soupire, de plus en plus lasse :

— Tu sais, ma petite fille, dit-elle, quand t'es le moindrement intelligent, tu comprends que ce qui est écrit dans le petit catéchisme, pis ce que l'Église catholique dit, c'est pas mal toutes des niaiseries ces affaires-là.

Denise ne se sent pas bien :

— Même Jésus ? Même la Sainte Vierge ? demande-t-elle d'une voix suppliante.

— Ben ça, je sais pas trop, lâche Rose, un peu prise de court par le cas par cas.

— Pis saint Antoine, lui ? demande Denise, pleine d'espoir.

— Ah ! saint Antoine, c'est pas pareil, répond Rose aussitôt. Lui, c'est correct. Tu sais qu'y t'a guérie hen ! Un vrai miracle. Tu t'en souviens-tu ?

— Ben oui. C'est sûr.

Denise hésite :

— Mais moi, je me demande si c'est…

— Arrête de te poser des questions, ordonne sa mère d'un ton brusque. C'est pas bon, ça, de te demander toutes sortes d'affaires de même.

Rose soupire :

— Tu sais, la vie, c'est pas ben ben compliqué dans le fond. Faut toujours que tu fasses ton devoir, c'est ça qui est le plus important. Ton devoir de fille, ton devoir d'épouse, ton devoir de mère. Après ça, l'important, c'est que tu soyes toujours à hauteur, comprends-tu, que t'ailles toujours l'air forte. Comme ça, tu vas tout le temps te sortir de toute, la tête haute. C'est ça qui compte, Denise. Faire son devoir, pis avoir la tête haute.

— Oui, mais le bon Dieu…

— Lâche-moi avec le bon Dieu ! s'impatiente Rose, les sourcils froncés. Tu me fatigues, là. Va rejoindre ton père en bas, pis aide-le avec tes frères ! Ça c'est important. Y'ont besoin de toi eux autres. Moi, faut que je me repose.

Elle s'enfonce dans ses oreillers :

— Là, j'vas essayer de me rendormir un peu.

Restée seule, Rose ne peut toutefois s'empêcher de se sentir mal. *Si c'était vrai que Dieu voit toute*, songe-t-elle. Il l'aurait donc vu dans les bras d'Émile. Juste à penser à ça, elle sent sa tête tourner. Les yeux fermés, elle revoit le dernier rendez-vous, le dernier baiser, son retour à la maison, la grosse chicane. Elle a rompu, sans hésiter. Qu'aurait-elle pu faire d'autre ? Mais elle se sent si triste depuis. C'est comme un manque... Elle soupire. Non, la vie n'est pas aussi simple qu'elle l'a dit tout à l'heure à sa fille. *Parfois, est ben compliquée, la vie*, se dit-elle.

Le lendemain, Rose ne va guère mieux. Elle s'est mise à faire de la fièvre pendant la nuit, et ce matin c'est comme si elle avalait de la roche chaque fois qu'elle déglutit. Il n'est pas question qu'elle se lève encore aujourd'hui.

— Ti-Louis, fais venir le Dr Duperré, demande-t-elle à son mari d'une petite voix de mourante, après avoir rejeté la rôtie qu'il lui avait montée, se disant incapable d'avaler.

— Tu sais ben que je l'ai déjà appelé voyons, répond Louis. Mais y pourra pas venir avant après-midi. En attendant, j'vas te frictionner comme y faut.

Louis s'acquitte de sa tâche consciencieusement et lui enroule ensuite un vieux bas de laine autour du cou qu'il attache avec une épingle à couche.

— Viola est en bas. A va s'occuper de Paul pis Maurice. Moi, faut que j'aille à l'inauguration officielle du pont avec papa.

— Ah Ti-Louis! se lamente Rose. Laisse-moi pas tu-seule! Je suis tellement malade.

— Je serai pas parti longtemps, répond-il, voulant se montrer rassurant. Je peux pas manquer ça, tu comprends. C'est un moment historique. Dans une heure tout au plus, j'vas être revenu.

C'est ainsi que Louis se rend d'un bon pas à l'entrée du pont en compagnie de son père. Plusieurs personnalités politiques sont présentes pour participer à la cérémonie de coupure de ruban, en premier lieu, bien sûr, celui qui est à la fois maire de Chicoutimi et député fédéral du comté, Alfred Dubuc, ainsi que le député provincial, Gustave Delisle. Le ministre de la Voirie, Joseph-Édouard Perrault, est également présent, de même que plusieurs autres élus de Chicoutimi et de Sainte-Anne. Tous se félicitent du pont ultramoderne dont le coût total s'élève à un million deux cent mille dollars. Le pont sera payant, ce qui ne semble pas déranger la population, habituée de payer pour traverser en bateau. Une automobile avec conducteur coûtera cinquante cents, chaque personne additionnelle, cinq cents de plus. Les camions de moins d'une tonne payeront cinquante cents et ceux de plus d'une tonne, un dollar. Une voiture avec un cheval coûtera vingt-cinq cents, chargée ou pas ; ce sera le double pour les attelages à deux chevaux. Les piétons et les cyclistes n'auront rien à débourser.

Louis et son père saluent plusieurs personnes venues comme eux vivre le grand moment. Un climat d'exaltation règne aux abords du nouveau pont.

— Si ça peut nous sortir de la crise ! s'exclame Louis en regardant son père, tout confiant.

Georges ne répond pas. Pour sa part, il n'en croit rien. *Voir si le pont de Sainte-Anne va régler la crise !* se dit-il en lui-même. *Pauvre Ti-Louis ! Faut être naïf pour espérer ça.* Ce qu'il pense, lui, c'est que ça va prendre quelque chose de pas mal plus gros pour sortir le monde de la crise. *Une guerre probablement*, se dit-il une fois de plus, effrayé à cette idée.

Pour le moment, une longue filée de véhicules attend la fin de la cérémonie pour pouvoir embarquer sur le pont. Certains sont là pour le plaisir de l'expérience, d'autres, plus impatients, le sont pour leur travail. Il y en a probablement autant qui attendent de l'autre côté à Sainte-Anne. Comme le traversier est fermé, le pont est maintenant la seule route qui relie les deux rives. Dès que le signal est donné, le pont se fait littéralement envahir par les véhicules et les piétons. L'hiver peut bien arriver. Personne n'aura plus jamais à attendre le pont de glace. Bien des rapprochements vont pouvoir survenir chez les populations qui vivent des deux côtés de la rivière, aussi large et puissante qu'un fleuve, mais maintenant enfin domestiquée.

Bien des changements dans les habitudes vont également devenir nécessaires. En particulier pour Mimine, la sœur de Rose : la fermeture du traversier a poussé son mari, Cyrias Pilote, au chômage. Elle va devoir déménager à Port-Alfred où, chanceux dans sa malchance, son mari s'est rapidement trouvé un emploi de débardeur au port. Chez Louis et Rose, c'est la fin des revenus des pensionnaires et du travail de Louis. Heureusement, il espère continuer d'aider son père dans ses affaires pour encore plusieurs années et profiter de sa générosité en attendant la fin de la crise et la reprise de l'emploi. Pour l'instant, il souhaite seulement rentrer vite à la maison pour voir comment va Rose.

Chapitre 29

Depuis leur escapade sur le pont, et malgré les bons soins accordés par Louis et par le Dr Duperré, Rose traîne une vilaine grippe. Après plusieurs jours de fièvre avec congestion et de terribles maux de tête qui l'ont clouée au lit, elle récupère depuis, très lentement, se sentant faible, fatiguée et nerveuse. Elle aurait tant de choses à faire à l'approche de Noël. À commencer par son magasinage des Fêtes. Aucun cadeau de Noël n'est encore acheté alors que d'habitude, il ne lui reste à ce moment-ci de l'année qu'à les envelopper. Quant à cuisiner les pâtés à la viande, tartes et beignes habituels, elle ne s'en sent tout simplement pas la force. Juste à penser sortir ses accessoires de cuisine et se mettre à rouler de la pâte, à faire les préparations ou de la friture, le courage lui manque. Elle se sent malheureuse quand elle pense à Émile et à toute cette histoire, mais cela, elle ne peut le dire à personne, même pas vraiment à elle-même. C'est juste comme une mélancolie résignée qui niche dans son âme et qui la hante…

Passant presque toutes ses journées au lit depuis plus d'une semaine, elle tousse encore, le jour comme la nuit. Thomas Duperré vient la voir matin et soir depuis tout ce temps sans qu'il y ait une réelle amélioration de son état. Cet après-midi, il a décidé de lui appliquer des ventouses dans le dos pour essayer d'extirper le mauvais sang de son organisme. Louis est avec lui.

— As-tu des allumettes ? demande Thomas à Louis.

— Sont en bas. Je reviens tu-suite.

Le docteur a sorti quatre ventouses de sa valise. Il tortille un petit morceau de coton qu'il imbibe déjà d'alcool.

— Tiens ! lui dit Louis en lui tendant les allumettes.

— OK. On va les allumer, une par une.

Tenant une ventouse dans une main et le coton dans l'autre, le docteur introduit la tige en flamme dans l'une des ventouses quelques secondes afin d'en brûler l'air. Il l'applique aussitôt sur le dos de Rose afin de provoquer le puissant effet de succion désiré. Il recommence ensuite le même procédé avec les trois autres ventouses :

— C'est ce qu'y a de mieux à faire pour tirer le mauvais sang d'un malade, explique-t-il.

Après quelques minutes, Rose commence déjà à se lamenter :

— Ça tire. Ça fait mal. Je pourrai pas endurer ça ben longtemps.

— Faut que tu *toffes*, Rose, si tu veux guérir, lui ordonne son beau-frère.

— J'vas essayer, soupire-t-elle en enfouissant sa tête dans l'oreiller.

Sous l'effet de l'emprise des ventouses, la peau de Rose est en train de virer au rouge violacé sous les cloches de verre.

— Le méchant est en train de sortir, dit Louis pour l'encourager.

Mais malgré les traitements répétés, deux jours passent sans qu'aucune amélioration ne survienne. Bien au contraire, l'état de santé de Rose empire. «J'vas mourir», se lamente-t-elle continuellement. Ces mots, Denise ne peut plus les entendre sans frémir par en dedans. S'il fallait que sa mère meure! *Saint Antoine, faites que maman guérisse! Je vous en supplie, saint Antoine! Guérissez-la!* répète-t-elle à tout moment pour contrer le mauvais sort.

Un matin, à une semaine de Noël, lors de sa visite habituelle, le Dr Duperré constate que Rose ne parle presque plus. Ses lèvres et ses ongles ont viré au bleu-violet. Louis lui rapporte que, depuis l'aube, la fièvre a repris, accompagnée de frissons et de grelottements. Elle se plaint de maux de tête et d'une forte douleur à la poitrine.

— C'est ça que je craignais, annonce à regret le Dr Duperré à Louis. Ç'a reviré en pneumonie.

Ils sont à l'extérieur de la chambre et parlent tout bas, un peu à l'écart, dans le passage.

— C'est qu'on va faire? demande Louis, visiblement ébranlé.

— Faut la rentrer à l'hôpital, Ti-Louis. Est trop malade pour rester ici. Ça presse à part de ça.

— Pas à l'hôpital, refuse Louis. C'est trop loin.

— On pourrait la rentrer à la clinique du Dr Dumas. C'est juste à côté, quasiment en face de chez ton père, su'a rue Racine.

— Ç'a du bon sens, répond Louis, quelque peu soulagé à l'idée qu'il pourra aller visiter sa femme aussi souvent qu'il le voudra. Mais on sera jamais capable de la faire marcher jusque-là. Est ben que trop faible.

— Ouais, faudrait qu'y viennent la chercher avec un brancard. J'vas aller les appeler en bas. Toi, reste avec elle.

Quelques minutes plus tard, Louis accompagne sa femme aux côtés des brancardiers jusqu'à la clinique où, sans tarder, elle est montée à l'étage et installée dans une chambre. De la voir là, couchée dans un lit, à moitié inconsciente, rend Louis très nerveux. Va-t-il perdre Rose comme il a déjà perdu Angéline en seulement vingt-quatre heures? Encore en plein hiver. Encore à cause de lui. *S'il l'avait pas obligée à venir avec eux autres aussi*, se répète-t-il, navré.

Le Dr Duperré entre dans la chambre, en pleine discussion avec le Dr Dumas qui se penche immédiatement sur la malade pour un examen sommaire:

— On s'occupe de votre femme, monsieur Bergeron, déclare-t-il en se tournant vers Louis. Vous pouvez retourner chez vous maintenant. Elle est entre bonnes mains.

— Oui, mais…

— Tu vas être mieux chez vous, Ti-Louis, intervient Thomas. Viens! Descends avec moi! Tu reviendras à soir.

— Ce serait bien de téléphoner avant, monsieur Bergeron, par simple précaution, indique le Dr Dumas avant de retourner au chevet de sa malade.

Les deux hommes se retrouvent sur le trottoir juste devant la maison familiale.

— Tu vas voir, ça va bien aller, déclare Thomas. Maintenant qu'est à l'hôpital, a va guérir, tu vas voir.

— Faut qu'a guérisse, répond Louis d'un air découragé.

— Oui, oui, a va guérir, inquiète-toi pas ! répète Thomas en lui mettant la main sur l'épaule.

— Penses-tu qu'a va mourir ? demande Louis à voix basse.

— Non, non, répond Thomas, se voulant rassurant. Inquiète-toi pas Ti-Louis, je te dis ! Est ben malade, c'est sûr, mais a va guérir. J'vas y retourner toué jours, deux fois par jour s'y faut, mais on va la sauver, ça c'est sûr.

— Merci, répond Louis.

— Bon ben je te laisse là. Faut que je retourne à mon bureau. J'ai deux trois rendez-vous qui m'attendent.

— OK. Merci encore là. Pis oublie pas de me donner des nouvelles sitôt que t'en auras.

— Tu peux compter sur moi, répond Thomas en s'éloignant.

Resté seul, Louis ne se sent pas la force de retourner chez lui tout de suite. Il traverse la rue et monte plutôt chez son père où il retrouve sa sœur Tetitte en train de préparer une soupe dans la cuisine. Elle reconnaît le pas de son frère :

— Papa est pas icitte, déclare-t-elle sans même relever la tête.

— C'est pas grave, répond Louis, qui reste immobile dans l'embrasure de la porte.

Tetitte jette un regard sur son frère dont le visage, tout blême, ne lui dit rien de bon :

— Oui, mais c'est que t'as, Ti-Louis ? Viens t'asseoir, bonté divine ! On dirait que tu vas tomber sans connaissance.

Tetitte aide son frère à se rendre jusqu'à la table :

— Mon Dieu Seigneur, Ti-Louis ! Dis-moi donc ce qu'y a ben pu te mettre dans un état pareil ?

— C'est Rose, répond-il. Est ben malade. Une pneumonie. Je viens juste de la rentrer à clinique en face.

— Est donc ben malade tout d'un coup ! s'exclame Tetitte. Je pensais que c'était juste une mauvaise grippe, moi.

— Moi si. Mais à matin, Thomas a dit que c'était reviré en pneumonie.

Les deux restent un moment silencieux. Tetitte ne peut s'empêcher de penser à sa petite fille, Marguerite, morte de cette terrible maladie il n'y a pas si longtemps. Elle pense aussi à son mari, Jos, mort de la tuberculose.

— Les poumons, dit-elle d'une voix triste. C'est des grosses maladies, c'est sûr.

Elle secoue la tête, l'air résigné :

— Des fois, on peut rien faire…

Louis la regarde, anxieux, contrarié :

— Oui, mais là toi, t'es donc ben décourageante à matin !

— Excuse-moi, Ti-Louis. J'ai pas faite exprès.

— Je sais ben, répond-il, adouci, devinant un peu le fil de ses pensées. Mais chus ben ses nerfs à matin.

— Je comprends ça.

— Bon ben, je pense que j'vas m'en retourner chez nous, c'est aussi ben de même.

Il fait quelques pas et se retourne vers sa sœur :

— Je peux-tu t'envoyer les enfants pour dîner ?

— Oui, oui. Pas de problème. Envoye-moi les ! Ça me fait plaisir de t'aider, voyons donc. Tu pourras me les envoyer aussi souvent que tu veux d'ailleurs, ajoute-t-elle. Coucher même si tu veux. Ça va me faire plaisir de t'aider.

— Merci ben, ma p'tite sœur. T'es ben smatte.

Louis se dirige d'un pas lourd vers la porte donnant sur le *backstore*. Il ne peut s'empêcher de penser à Rose, qui lui conjurerait immédiatement de ne pas passer par cette porte. « Faut que tu sortes par la même porte que t'es rentré, lui dirait-elle, sinon c'est ben malchanceux. » Craintif, il tourne les talons et retourne vers la porte d'en avant. *Moi qui a toujours ri d'elle, pis de ses superstitions de Sainte-Anne, me voilà aussi pire qu'elle,* songe-t-il en sortant.

Aussitôt sur le trottoir, il aperçoit son père qui vient vers lui :

— Ah Ti-Louis ! Tu me cherchais-tu ?

— Pas vraiment.

— T'as donc ben l'air drôle !

— C'est Rose, fait Louis. Avec Thomas tantôt, on vient de la rentrer à clinique en face. Thomas dit qu'a fait une pneumonie. Y sait pas trop…

— Y est-tu sûr que c'est grave à ce point-là ?

— Ah toi ! On sait ben ! lance Louis, irrité. Quand c'est Rose, c'est toujours exagéré.

— Ah ! Fâche-toi pas de même, voyons Ti-Louis. J'ai rien dit, voyons donc !

— Tu sauras que chus vraiment inquiet. Imagine si fallait qu'a meure.

— Ben oui, voyons donc, mon p'tit gars. T'sais ben que je te comprends d'être inquiet de ta femme. Mais a mourra pas, quand même ?

— On sait jamais. Thomas dit que c'est ben grave.

— Pauvre toi ! Monte un peu avec moi. Ça va te changer les idées.

— Non, non. Faut que je m'en retourne à maison. C'est mieux comme ça. Chus trop inquiet.

— Entouècas, inquiète-toi pas pour la clinique, hen ! T'sais ce que je veux dire… Chus là. J'vas toute régler ça avec le Dr Dumas quand a va ressortir.

— T'es ben *blood* papa, merci ben, dit-il avant de s'éloigner.

Georges le regarde disparaître dans la ruelle. *Pauvre Ti-Louis!* songe-t-il. *Marier une femme qu'y a si peu de santé, voir si ç'a du bon sens!*

Au souper, Louis explique aux enfants que leur mère est partie pour quelques jours à la clinique, «pour se reposer», précise-t-il. *Pas besoin de les inquiéter,* se dit-il, *y a ben assez de moi qui se meurs d'inquiétude.*

Dans la soirée, il téléphone à la clinique, espérant pouvoir aller faire une courte visite à Rose, mais l'infirmière qui lui répond lui conseille plutôt de venir seulement demain matin. «Votre femme dort, dit-elle, et son état est stable.» La soirée s'étire ensuite au son de la radio et des jeux des enfants jusqu'à ce que l'heure arrive enfin d'aller les mettre au lit.

Une fois seul en bas, assis dans son salon, Louis sent une lourde pression s'installer dans sa poitrine. *Si fallait qu'y arrive la même affaire qu'avec Angéline,* ne peut-il s'empêcher de se répéter depuis des heures. Il revoit sa fiancée allongée dans l'obscurité, vivant ses derniers moments, la veille même de leur mariage. Et c'est comme si ce choc qu'il avait alors vécu revenait sans cesse le hanter depuis qu'il a laissé Rose allongée sur son lit d'hôpital cc matin, les cheveux étalés sur l'oreiller, ses petites mains aux ongles bleus, son visage sans expression. *Mon Dieu Seigneur! Enlevez-moi-la pas, celle-là!* supplie-t-il. *J'ai besoin d'elle! Pis les enfants aussi ont besoin d'elle. Mon Dieu Seigneur! Faites-moi pas ça! On a tellement besoin d'elle dans maison avec nous autres!*

L'esprit tourmenté et l'âme complètement abattue, Louis finit par s'endormir sur le divan tout habillé, s'éveillant par à-coups, l'esprit en alerte, s'attendant à tout moment à recevoir un appel de la clinique.

Trois longues journées passent ainsi, Rose demeurant couchée, fiévreuse, à tousser, râler et délirer, faisant vivre à Louis une terrible angoisse. Tout au long de ces journées, aussi souvent qu'il le peut, il court s'installer à son chevet, essayant de la soutenir et de l'encourager de son mieux. « Tu vas t'en sortir, Rose ! lui dit-il. Tu vas voir ! Tu vas revenir comme une neuve », ajoute-t-il en essayant au fil des jours de mettre un peu plus d'entrain dans sa voix afin de la ramener du bon bord des choses. Pour lui changer les idées, il lui raconte ce qui se passe en ville, une rumeur qui court ou une histoire drôle afin de la faire sourire. Avec le temps et les bons soins du Dr Dumas, Rose commence bientôt à reprendre des forces, retrouver un peu d'appétit et revenir à la vie pour le plus grand soulagement de Louis qui, sans avoir vu le temps passer, se retrouve le 24 décembre au matin.

Se sentant incapable de ne pas offrir de réveillon à ses enfants, il passe donc, comme d'habitude, au marché en plein air acheter un sapin qu'il fait livrer à la maison en fin de journée. Ce soir-là, après une courte visite à la clinique, il couche les enfants de bonne heure. Puis, tout seul, le cœur gros, il installe le sapin au salon et le décore, mesurant d'autant plus par son absence l'importance de sa femme à ses côtés. Vers une heure du matin, assoupi au salon, il se réveille soudainement au bruit que font, dans la rue, les gens qui reviennent de la messe de minuit. Il monte aussitôt réveiller ses enfants qui découvrent, déçus, au pied de l'arbre quatre petits paquets mal emballés contenant pour chacun une paire de bas que leur père a acheté au Woolworths à la dernière minute. Comparé avec les beaux cadeaux que réussissait bon an mal an à leur dénicher leur mère, cet unique petit présent ne fait pas le poids. Louis a aussi préparé un repas, une salade au poulet avec des petits pois, des canneberges, quelques pâtés à la viande et des beignes que Tetitte lui a donnés. Ils mangent dans une drôle d'atmosphère, les enfants jouant un petit moment ensuite avec leurs vieux jouets avant de retourner au lit. Pour Denise, comme pour ses frères, ce réveillon inhabituel restera pour toujours le Noël le plus triste de leur enfance, malgré les efforts louables de leur père.

Le lendemain, la journée commence de meilleure façon avec un bon déjeuner et quelques heures de jeu dehors dans la neige. Louis leur a promis qu'ils viendraient avec lui rendre visite à leur mère à la clinique dans l'après-midi. Cela fait trop longtemps qu'ils ne l'ont pas vue. Vers trois heures, ils partent tous les cinq, fébriles. Louis leur répète de ne pas faire de bruit, de ne pas trop parler ni de trop l'approcher afin d'éviter la contagion. Ils découvrent Rose étendue dans son lit, encore faible, mais très contente de les voir arriver tous les cinq. Pour elle aussi, ce fut le réveillon le plus triste de sa vie. Louis est si heureux d'être avec toute sa petite famille réunie qu'il se met tout à coup à raconter une de ses histoires drôles dont il a le secret, qu'ils ont tous déjà entendue mais qui les fait rire à tout coup :

— Une fois, c'est un petit gars malcommode qui s'appelle Moutarde, commence-t-il, déjà prêt à pouffer de rire. Un jour, un monsieur passe en dessous de la fenêtre de la maison où vit Moutarde et il reçoit un tas de crotte sur la tête.

À ces mots, les enfants commencent déjà à rire avec lui.

— Le monsieur entre furieux dans la maison, continue Louis, et il se met à crier : « c'est quoi ça ? » d'une grosse voix, en brandissant son chapeau plein de crotte. « Ah ça !

lui répond la mère, ce doit être Moutarde», raconte Louis en imitant la voix aiguë d'une femme. Reprenant une grosse voix fâchée, il continue : «Mais madame, ça, c'est pas de la moutarde ! C'est de la marde !»

En prononçant ce dernier mot, Louis éclate de rire en même temps que le reste de la famille. Pendant un court moment, tous rient de bon cœur, se sentant unis plus que jamais. Mais, bientôt, une longue quinte de toux secoue Rose, ramenant aussitôt tout le monde à la réalité, alors qu'une infirmière inquiète leur demande de quitter immédiatement la chambre. Louis et les enfants repartent donc à contrecœur en silence, avec le sentiment d'abandonner Rose. *La reverrons-nous un jour ?* se demande chacun des enfants dans son for intérieur. Ils lui trouvent souvent bien des défauts − sévère, impatiente, pas très affectueuse, souvent enfermée dans un monde juste à elle −, mais c'est leur mère et ils n'en ont qu'une. Ils ont besoin d'elle et ils se rendent compte que, même si tout est toujours bien plus facile avec leur père, *la maison est vide sans elle.*

Chapitre 30

Une semaine se passe en visites et en rencontres familiales, temps des Fêtes oblige. Rose est maintenant hors de danger et elle récupère lentement, mais sûrement. Le 31 décembre au matin, la terrible vague de froid qui sévit depuis deux jours sur tout le Québec ne semble pas vouloir cesser. Le thermomètre étant encore à moins trente degrés Fahrenheit en plein après-midi, il n'est pas question pour Louis d'envoyer les enfants jouer dehors, encore moins patiner au parc juste à côté. Il les amène donc à l'aréna pour la troisième journée consécutive. Il faut bien que la vie continue puisque les médecins ne se prononcent pas encore sur le retour de Rose à la maison.

En route vers l'aréna, Louis croise Émile qui sort, pressé, de la tabagie.

— Salut Émile ! Batinse que ça fait longtemps qu'on t'a pas vu à maison.

— Eille ! Salut Ti-Louis, fait Émile, cherchant à cacher un certain malaise.

— C'est que tu fais de beau ?

— Je travaille. Ma femme a été malade. Moi aussi. On a passé un boutte dur. C'est pour ça que…

— Pareil pour nous autres, le coupe Louis. Rose a été ben malade. Est encore à clinique icitte en face.

Il indique la bâtisse avec la main.

— Pauvre elle! Pauvres vous autres! fait Émile, l'air désolé.

— A va mieux, là, réplique Louis qui commence à grelotter. Bon ben, y fait frette en maudit ces temps-ci. C'est pas le temps de traîner dans rue. Tu passeras faire un tour après les Fêtes.

— Oui oui, répond Émile, qui s'éloigne rapidement vers son automobile.

Une fois assis derrière son volant, Émile regarde Louis et ses enfants s'éloigner vers l'aréna, leurs patins sur l'épaule. Sans réfléchir, il décide sur-le-champ de se rendre à la clinique voir Rose. C'est l'occasion qu'il cherchait depuis le fameux coup de téléphone de rupture, il y a presque deux mois maintenant. Il a quelque chose d'important à lui dire et quelques minutes seulement suffiront.

Émile entre dans l'édifice de trois étages et demande le numéro de chambre de la patiente Rose Bergeron, s'identifiant comme un cousin. Il monte au deuxième et se rend jusqu'au seuil de la porte. Rose semble assoupie. Elle respire calmement. Émile s'avance lentement vers son lit:

— Rose, murmure-t-il doucement.

Rose ouvre les yeux et tourne son visage vers cette voix qu'elle reconnaîtrait entre mille.

— Émile, dit-elle d'une voix enrouée. C'est que tu fais ici?

— Je veux pas te déranger Rose, répond-il. C'est Ti-Louis qui m'a dit que t'étais icitte ben malade.

— C'est ben vrai que je suis malade, soupire Rose.

— Inquiète-toi pas, Rose! J'ai dit à la réception que j'étais un de tes cousins.

Elle le regarde en silence.

— Chus pas venu pour te faire changer d'idée, déclare-t-il, la gorge serrée. Chus venu te dire que je m'excuse de t'avoir entraînée là-dedans. J'accepte ta décision, pis je te comprends. J'vas la respecter, je te le promets.

Il la regarde, ému, quelques secondes sans parler, puis continue :

— Je voulais te dire aussi que je voulais qu'on reste amis. C'est ben important pour moi. D'ailleurs, c'est ça que tu voulais en premier qu'on soye des amis avec Ti-Louis, hen !

Il esquisse un petit sourire :

— Fait que ce que je voulais te dire, c'est que c'est ça aussi que je veux astheure. La même chose que toi. Pis je te promets que j'essayerai pus jamais de faire rien d'autre. Pis cette fois-là, c'est vrai. Faut que tu me croies.

Rose le regarde, émue elle aussi, encore un peu troublée par sa présence, mais comme apaisée d'une certaine façon par ses paroles :

— C'est correct Émile, murmure-t-elle avec un petit sourire fatigué sur les lèvres. C'est ben correct. Moi si, je veux qu'on reste des amis.

— Chus donc content, dit-il, soulagé.

— T'as ben faite de venir, murmure Rose.

Émile la fixe, les yeux pleins de larmes :

— On s'était laissés tellement sec.

— Oui, là, c'est mieux comme ça, répond-elle. Toute est mieux de même.

— Pis quand on va se revoir un bon jour avec Ti-Louis, déclare Émile, sois pas inquiète, là ! Toute va ben aller, tu vas voir.

Il lui tapote la main doucement quelques secondes en silence, échangeant avec elle un dernier regard triste.

— Fait que là, j'vas te laisser te reposer, lance-t-il en sortant vite de la chambre avant de se laisser aller à un débordement d'émotions qui serait tout à fait inapproprié.

Une fois seule, Rose se sent à la fois émue et soulagée. Ah ! C'est bien certain ! Elle ne veut plus jamais être infidèle à son mari. *Jamais*, se répète-t-elle. Son seul souhait maintenant, c'est de vivre en paix, et surtout de sortir d'ici en bonne santé. Tout cela ne va-t-il pas de pair ? Elle revoit l'image d'Émile dans sa tête. Comme elle en a couru des risques pour lui ! Elle a joué avec le feu, ne se donnant qu'à moitié, se pensant encore une jeune fille, courtisée, admirée, choyée, croyant que ce n'était pas si grave et qu'il n'y aurait pas de conséquences. Et qu'est-ce que cela a donné en fin de compte ? *Juste du trouble*, songe-t-elle en remontant les couvertures sur ses épaules. Elle sent qu'elle a vieilli depuis qu'elle est à l'hôpital. Frôler la mort, ça laisse des marques. Pas juste à ses poumons, mais dans sa tête aussi, ses idées sur la vie. Elle va avoir trente et un ans la semaine prochaine et ce qu'elle sait aujourd'hui au-delà de tout, c'est qu'elle est terriblement chanceuse d'être encore en vie. Elle ferme les yeux et revoit cette première fois où elle a failli mourir lorsqu'elle n'avait que deux ans et demi. Sa mère le lui a raconté tant de fois que c'est comme si elle s'en souvenait. Sa mère était allée puiser de l'eau au puits pour faire son lavage et elle avait oublié de refermer le couvercle. Rose s'était approchée trop près et elle avait basculé au fond du puits. Heureusement, sa sœur Marie-Louise avait entendu un bruit et l'avait vu flotter au-dessus de l'eau, en train de se noyer. Elle avait crié très fort et deux femmes, dont l'une très grande, étaient vite accourues pour la sauver de justesse. Sa mère racontait toujours qu'elle avait beaucoup pleuré, car elle savait que c'était elle qui avait manqué de surveillance. *Moi aussi, j'ai manqué de surveillance avec Émile*, songe-t-elle. *Mais ça arrivera pus*, se promet-elle une fois encore. Lentement, elle s'abandonne peu à peu au sommeil.

Pendant ce temps, à l'aréna, Louis continue de montrer à patiner à ses deux plus jeunes. Malgré ses quatre ans, Maurice démontre beaucoup d'équilibre et des aptitudes sportives assez évidentes, patinant assez bien, mieux déjà que son frère Paul, pourtant de deux ans son aîné, mais très peu porté sur les activités physiques. Le plus vieux, Claude, est de son côté parfaitement dans son élément sur la patinoire. Ils sont un petit groupe de garçons regroupés dans un coin qui s'agitent autour d'un filet, lançant des rondelles avec leur bâton de hockey sur un gardien de but débordé, en s'époumonant à se crier on ne sait trop quelles directives, pêle-mêle, à qui mieux mieux, sans s'écouter.

Patinant avec grâce, Denise fait sa belle, habillée de pied en cap d'un joli costume de laine bleu que lui a tricoté sa mère, entourée de ses deux cousines, Esther et Laurette. Se tenant par la main, les trois fillettes patinent très vite, poursuivies par quelques petits taquins qui veulent attirer leur attention, sous le regard réprobateur de Louis qui garde un œil et même deux braqués sur sa chère fille. Il s'est appuyé un moment à l'enceinte, laissant ses deux plus jeunes se débrouiller seuls un instant. Il se sent heureux ici avec ses enfants. Ils vont bien, ils sont beaux, intelligents, en santé, que pourrait-il demander de plus ? *Est-ce que j'ai pas trouvé la plus grande partie de mon bonheur sur terre en devenant père ?* songe-t-il.

— Papa ! hurle Paul, Maurice est tombé. Y saigne.

Louis accourt pour aider son fils à se relever.

— C'est juste un p'tit bobo su'a lèvre, constate-t-il. Rien de grave.

Il lui essuie la bouche et les yeux avec son mouchoir.

— Tiens ! C'est fini, là.

Il remet son mouchoir dans sa poche :

— J'vas patiner avec vous autres, OK ? fait-il en prenant la main de Maurice. Viens ! dit-il à Paul, resté appuyé à l'enceinte, on va patiner ensemble toué trois.

Un peu après le souper, après avoir bien averti les enfants d'être sages, Louis court faire une visite à Rose à la clinique, le temps de lui apporter quelques chocolats achetés pour elle la veille. Il va revenir demain avec les enfants pour le jour de l'An.

— Tu m'apporteras des beignes, lui dit-elle tout à coup. Demande à Tetitte qu'a t'en donne. Pis oublie pas de les saupoudrer de sucre en poudre.

— Tu commences à revenir, là ! s'étonne Louis. Ton appétit revient.

— Pas tant que ça, dit-elle en reprenant assez vite un ton plus plaintif. Ben, le docteur a dit que je sortirais pas avant encore au moins une semaine.

— Oui, mais c'est beau ça ! s'exclame Louis, excité. Ça veut dire que tu guéris, Rose.

Il se penche sur elle et lui donne un baiser sur la joue, tout heureux.

— Y disent que ça va mieux, mais qu'y faut que je fasse ben attention pour pas rechuter, précise Rose.

— C'est clair ! Eille ! C'est grave ce que t'as eu. Mais si je comprends ben, comme ça, tu devrais sortir autour du sept, pour ta fête.

— Ben oui, c'est vrai, j'y avais pas pensé.

Louis se rassoit quelques minutes auprès d'elle :

— Je voulais te parler de quequ'chose, lui dit-il.

— De quoi tu veux me parler ? demande Rose.

— Des enfants d'Edgar, répond-il d'un air sérieux. Alida les a sortis pour le jour de Noël, pis on a pensé à quequ'chose avec elle pis Marie-Louise.

— Quoi ?

— Je te le dis tu-suite, là. Mais t'as pas besoin de décider maintenant.

— Dis-moi de quoi tu parles d'abord.

— On voudrait les prendre, pis s'en occuper. Alida dit que c'est pas chrétien de les laisser là-bas, à l'orphelinat.

— Comment ce qu'a veut faire ça ?

— Ben, Alida va prendre les deux plus jeunes, Jacqueline pis Marie-Paule.

— Deux ! Oui, mais a en a déjà sept enfants !

— Oui, mais sa plus jeune a déjà dix ans, pis les plus vieux sont aux études. Si Alida dit qu'a peut en prendre deux, c'est qu'a voit ça de même. Marie-Louise, elle, a va prendre Jeanne D'Arc, pis j'me suis demandé si on pouvait pas, nous autres, prendre Austin. Y a l'air gentil, les sœurs disent qu'y est ben obéissant, travaillant, serviable.

— Pis James ? demande Rose.

— Y a décidé de retourner vivre avec sa mère à Montréal. Papa va y payer son train.

Rose ne parle plus. Elle réfléchit :

— Si on le prend, on va l'appeler Austin par exemple, en français, comme Martin. Pas Austine certain.

Elle fait une moue de dédain. Louis éclate de rire :

— Tu commences vraiment à revenir, dit-il, content de voir la vivacité de Rose resurgir. Mais comme ça, tu serais pas contre ?

— J'vas y repenser, réplique Rose, mais je dis pas non.

Elle hésite :

— Va falloir que j'soye plus forte que ça, par exemple !

— On pourrait le laisser à l'orphelinat encore quequ'temps avec James, pis les sortir au même moment, quand tu te sentiras prête.

— Oui, ç'a ben du bon sens. Mais là, je suis ben fatiguée de parler. Je pense que j'ai pas parlé autant depuis des semaines.

— Oui, oui, c'est vrai. Je te fatigue, là. Bon ben, je m'en vas.

Il l'embrasse à nouveau, sur le front cette fois :

— Attends-nous demain dans l'après-midi, moi pis les enfants. On va fêter la nouvelle année ensemble.

Louis ressort de la clinique encouragé. Rose avait enfin pris du mieux. Elle était de meilleure humeur, avait l'air un peu plus forte, sa voix était moins changée, elle avait plus d'énergie. Oui, enfin !

De retour à la maison, il retrouve ses enfants qui jouent sagement dans la cuisine. À neuf ans, Denise a de l'autorité avec ses frères et elle s'en sert. Une vraie maman numéro deux ! Vers huit heures, Louis monte les coucher, leur rappelant qu'ils vont rendre visite à leur mère le lendemain.

— Maman va-tu revenir à maison avec nous autres ? demande Denise à son père assis sur le bord de son lit.

— Non, pas encore, répond Louis. A va rester encore que'ques jours à clinique.

— A va pas mourir hen ?

— Non, non. Maman est guérie. Mais les docteurs veulent encore un p'tit peu la soigner. Juste pour être sûr qu'a va être assez forte pour revenir s'occuper de la maison, pis de vous autres.

Denise serre contre elle sa vieille poupée avec laquelle elle dort depuis toujours :

— Moi, j'vas être ben contente quand a va revenir. Pis j'vas l'aider, tu vas voir.

— J'ai ben confiance, ma fille. Toute va ben aller, tu vas voir. Faut que tu dormes maintenant.

Louis se penche et l'embrasse sur la joue avant de sortir de la chambre. Il entend alors Claude et ses petits frères parler dans l'autre chambre. Il passe sa tête dans l'entrebâillement de la porte :

— Dormez là, les garçons ! Faut être en forme demain pour aller voir maman.

— Oui papa. On dort là.

Louis redescend ensuite et s'installe, seul au salon, après s'être versé un verre de scotch. Ce n'est pas tous les jours qu'on est à la veille de changer d'année. Assis confortablement dans son fauteuil, il sort son étui à cigares et commence lentement son rituel. Il a le temps ce soir. Il n'a que ça à faire.

Louis commence par palper son cigare afin de juger de sa souplesse et de son humidité. Satisfait, il le passe ensuite lentement sous ses narines, enchanté du mélange d'arômes qui lui monte au nez. À l'aide de son coupe-cigare, il lui enlève alors prestement la tête et prend une première bouffée, juste comme ça, à cru, sans l'allumer, pour goûter aux arômes libérés d'épices, de sous-bois et de foin coupé. Le temps est maintenant venu de l'allumer. Il place le cigare un peu incliné vers le bas au-dessus de la flamme d'une allumette de bois, le tournant plusieurs fois sur lui-même jusqu'à ce que le pied soit bien rougeoyant. Il souffle alors sur la flamme et prend enfin une première vraie bouffée qui l'enchante. Il se sent calme, l'esprit en paix, prêt à savourer lentement son cigare.

Louis pense à Rose. Il la revoit au cours du dernier mois, frêle, malade, hospitalisée, presque mourante pendant un certain temps. *Pauv'tite*, se dit-il encore une fois. Il est tellement soulagé aujourd'hui de la savoir en bonne voie de guérison. *Merci mon Dieu!* ne peut-il s'empêcher de s'exclamer intérieurement. Bien sûr qu'ils ont eu des hauts et des bas depuis quelques années. Quel couple n'en a pas? Il faut dire qu'elle n'est pas toujours facile à vivre avec son vilain caractère et les crises qu'elle lui fait parfois. A-t-elle été infidèle? Elle lui a juré que non. Il doit la croire. Comment pourraient-ils vivre en paix tous les deux s'il ne la croit pas? Avec ses doutes, il est devenu plus sévère avec elle, les derniers mois, plus exigeant, et les choses ont failli terriblement mal tourner. *Merci mon Dieu*, répète-t-il une fois encore.

Louis tire quelques bonnes bouffées de son cigare. Lui aussi, il a ses défauts. Il peut être tranchant par moments. «Un vrai Bergeron», comme Rose le lui dit souvent. Arrogant, se sentant supérieur à tout le monde, surtout au petit monde de Sainte-Anne. Son monde à elle. *Pauvre Rose*, se dit-il en pensant à son père, Georges, toujours en train de l'agacer, et à ses sœurs qui se font appeler «madame» et qui la regardent de haut. Non, sa femme ne l'a pas toujours eu facile avec sa famille.

Louis interrompt le fil de ses pensées pour prendre une gorgée d'alcool. *Déjà 1934 qui commence demain*, se dit-il en reposant sa tête sur le dossier de son fauteuil, le cœur soudain plein d'espérance. Il n'a pas vu passer décembre. En réalité, la maladie de Rose a complètement perturbé cette fin d'année. Ce soir toutefois, il se sent rassuré. Il se sent prêt à toutes sortes de promesses et de résolutions. *J'vas être plus patient avec Rose, pis avec les enfants. Plus indulgent, plus compréhensif avec papa. J'vas manger moins aussi, faire plus attention à ma santé.* Il se tapote le ventre qui prend du volume en se jurant de maigrir un peu. Il tire sur son cigare, prenant encore quelques bonnes bouffées, satisfait. Il se sent heureux de s'engager ainsi à s'améliorer au cours de la nouvelle année. C'est comme un élan intérieur qui donne un sens à ce qui s'en vient, un sens à ce qu'il devient, lui. Cela ouvre un horizon.

Mais quel étrange espoir se cache donc ainsi derrière un simple changement d'année pour qu'il se sente subitement amené, comme bien d'autres, à prendre une série de résolutions qu'il va probablement briser malgré lui au bout de quelque temps ? Peut-être est-ce un besoin de réparation qui lui fait percevoir ce changement d'année comme un possible renouvellement, une nouvelle inspiration qui permet d'imaginer le meilleur à venir ? On efface le tableau et on recommence. Un simple changement de date qui devient ainsi l'attestation symbolique que la vie est réellement un éternel recommencement et qu'il est donc toujours et encore permis d'espérer... Espérer que les crises vont se résoudre, les nœuds se défaire, les conflits se réparer, les problèmes se régler, les craintes s'apaiser et que la force et le courage de changer pour le mieux vont surgir dans l'âme des hommes et des femmes de bonne volonté. Peut-être serait-il plus sage de vivre simplement la vie telle qu'elle se présente, s'accommodant chaque jour de son petit bonheur en acceptant tout ce qui existe sans rien espérer d'autre que la satisfaction de vivre de son mieux le moment présent... Peut-être tout deviendrait-il ainsi plus simple... Mais ce serait faire fi du regard qui se porte naturellement au-devant, en marche sur le chemin aveugle de son existence, en route toujours, vers on ne sait quoi, on ne sait où, à travers le passage du temps, des jours et des années, un pas devant l'autre, par en avant, toujours.

Remerciements

Merci à Laval Gagnon et Dominique Tremblay, mes premiers lecteurs, pour leurs généreux encouragements et leurs pertinentes suggestions. Merci spécial à Denise Bergeron, ma mère, dont les souvenirs toujours vivants ont nourri mon inspiration et enrichi plusieurs anecdotes. Merci à Thomas Tremblay et Lucie Enel pour leur soutien affectueux.

Merci à Russel-A. Bouchard pour la précision et la validation de plusieurs informations historiques.

Merci à mon éditeur, Daniel Bertrand, pour sa confiance, à Anita Rathé, pour l'accompagnement et le suivi à l'édition, à Nathalie Elliott pour le travail attentif de révision et à toute l'équipe des Éditeurs réunis qui, on le sent bien, aime vraiment ses auteurs.

Un gros merci finalement à mes lecteurs et lectrices du premier tome de *L'espoir des Bergeron*. Leur appréciation me donne des ailes pour la suite des choses.

MARQUIS

Québec, Canada